本人・両親

きちんと知っておきたい

結婚のしきたりとマナー新事典

ひぐちまり 監修

朝日新聞出版

はじめに

これから一生を共に歩むパートナーに出会った人にとって、「結婚式」はどんなイメージなのでしょう。もしかしたら「面倒だけどみんなもやってるから」「自分達のためではなく親のために」と考える人もいるかもしれません。実はかつての私も、結婚式の必要性を感じていない一人でした。しかし「一生に一度のことだから」という母の言葉に背中を押されて結婚式の準備を進める中で、その後の結婚生活に大切なたくさんのことを学びました。

「結婚式」の準備のためには、想像以上に多くの決断を二人で下さなくてはいけません。何の予算を削って、何を残すのか。今までだれにお世話になり、だれに列席してもらうのか。自分達にとって何が大切なのか。二人の意見を出し合い、価値観の違いをすり合わせる。そのプロセスこそが、そこから長く続く結婚生活へのウォーミングアップになるのです。決して平坦にはいかない人生において、困難が訪れた時にも二人で話し合い乗り越えていく力になるはずです。

また漫然と準備をするのではなく、「なぜ結婚式を挙げるのか」という自分達なりの理由を考え、結婚式の目的をはっきりさせること。すると自然と何を選択すべきかが分かり、二人にとってベストな結婚式への道筋が見えてきます。

そして何より大切なのが、一生に一度のこの機会を二人が心から楽しむことです。来ていただいたお客様に笑顔になってもらうには、ホスト役である新郎新婦が幸せな姿を見せることが一番。育ててもらった両親、お世話になった方々、そして大好きな友人達と一緒に結婚式を楽しみましょう。

ひぐちまり

Contents

第二章 挙式&披露宴のスタイル

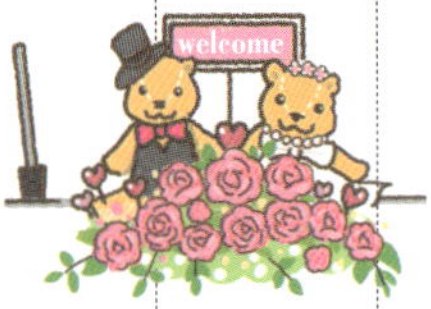

第三章 結婚式にかかるお金

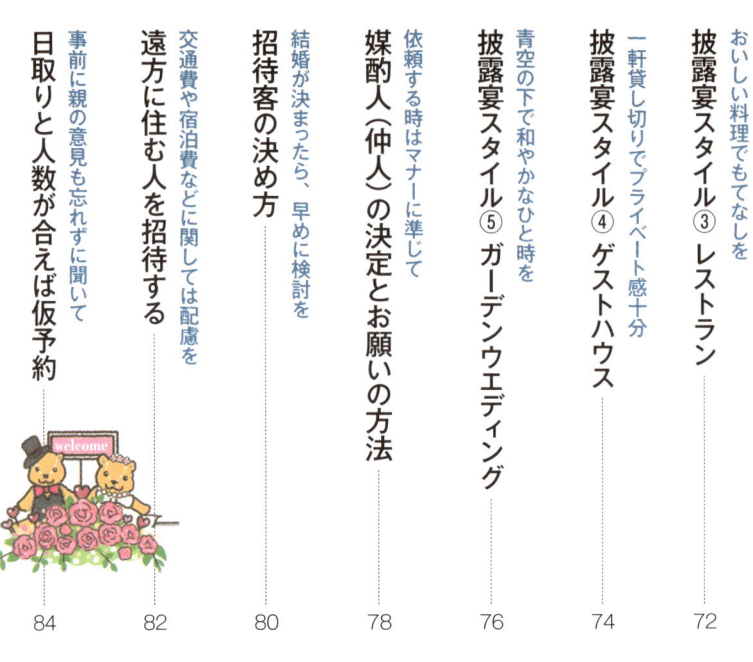

第四章 結婚式の準備① ―招待状、衣装、小物―

第五章 結婚式の準備②
－プログラム、演出、引き出物－

第六章 結婚式当日の過ごし方とマナー

第七章 結婚式が終わったら

別冊付録
（書き込み式）

ハッピーウエディングノート

※本書に掲載しているデータで記載のないものは「ゼクシィ結婚トレンド調査２０１４ 首都圏」より引用しています。

ひぐちまり先生に聞く！

二人の未来をつくる結婚式にするための5カ条

結婚式を挙げることはゴールではなく、
二人の未来をつくるためのスタート地点。
「結婚準備は幸せな未来のために行う」
という気持ちで進めることが大切です。

1 結婚後の二人の理想を話し合う

　多くのカップルは、「まずは結婚式を無事に終わらせること」を第一の目標に掲げて準備を始めることと思います。けれど、結婚式はあくまでも、二人の未来の“通過点”。準備をしながら、結婚後、お互いの仕事はどうするのか、どこに住むのか、子どもはいつ頃ほしいのか……など、3年後、5年後、10年後の二人の理想についてじっくり話し合っておくことが大切です。二人の間で結婚後の理想の姿を共有しておきましょう。じっくり話し合うことで、自分達がどんな結婚式を挙げたいかというイメージもわいてくるでしょう。

2 「過去と未来をつなぐ」結婚式の目的を二人で決める

結婚式は、いうなれば、「二人の過去と未来をつなぐもの」。どんな結婚式にしたいかイメージがわかない場合は、「自分達は何のために結婚式を挙げるのか」「結婚式に来てくれた人たちに、どんな感想をいってもらえるとうれしいのか」について、二人で考えてみましょう。

「何よりも両親に喜んでもらいたい」「会社の上司に『すばらしい式だったね』といってもらいたい」など、お互いに意見を出し合うことで二人の望む結婚式の具体的なシーンが思い浮かべやすくなり、目的を設定しやすくなります。

目的が設定されると、その目的を達成するためにはどんな準備が必要なのかがおのずと見えてきて、挙式の形式や会場、招待客の人数など、式に向けて決めるべき要素の選択がしやすくなります。新郎新婦どちらかの意見にかたよることのないよう注意しましょう。

3 招待客は二人の未来の応援団

結婚式の招待客選びは、二人の未来をつくっていくうえで大切な要素です。だれを呼ぶかは、①感謝を伝えたい人、お世話になった人　②これからもお付き合いをしたい人、以上の面から考えるとよいでしょう。結婚式を、“自分達の未来をプレゼンテーションする場”としてもとらえ、「式にいらしてくれた人達に二人の未来の応援団になってもらおう」というような前向きな気持ちを抱くことも必要です。

2でも述べた結婚式の目的と合わせて考え、親族、会社関係を中心とした顔ぶれだけにとどまらず、プライベートでお世話になっている方や習い事の仲間を招待する……など柔軟な発想で。

4 結婚式のネーミングを考える

私達は、ペットや車など大事なものには名前をつけますよね。結婚式も、二人の未来をつくるとても大事なイベントですので、自分達の結婚式に“名前”をつけることをおすすめします。例えば「みんな笑顔のあったか結婚式」や「お花がいっぱいハッピー結婚式」などと決めると、それを披露宴会場の担当者やドレスショップ、フラワーショップなどの担当者に伝えるだけでイメージが共有しやすくなり、スムーズに準備が進みます。二人で結婚式のネーミングを考える作業も、のちのち素敵な思い出に残るはず。楽しみながらディスカッションしましょう。

5 結婚式は、新生活のウォーミングアップと考える

恋愛期間はお互いのよい面だけを見ていればよかったものですが、結婚となるとそうはいきません。結婚式は結婚生活を迎えるためのウォーミングアップと考えましょう。準備をしながら相手との価値観の違いに気づくこともあると思いますが、その違いを楽しみながら自分の意見もきちんと伝え、たとえ衝突したとしても、そこで仲直りの仕方を学ぶような気持ちで準備を進めて。また、結婚により、相手の両親とのお付き合いも始まります。相手の両親の価値観もバランスよく受け入れ、うまく味方につけることも大切です。

定番 結婚式まで8カ月編

挙式・披露宴の具体的な準備は8カ月くらい前から始めると余裕を持って進められます。項目をチェックしながら楽しく準備しましょう。

7~8カ月前

□ お互いの親にあいさつし、結婚の承諾を得る。22~25・28
□ ブライダルフェア、会場を下見する。54
□ 仲人（媒酌人）を立てるかどうか検討する。78
□ 挙式・披露宴スタイルを検討する。56~77
□ 日取りを検討する。52

6カ月前

□ 仲人（媒酌人）を依頼する。78
□ 挙式・披露宴スタイルを決定する。56~77
□ **日取りを決定して会場を予約する。**84
□ 大まかな予算、招待客を決定する。80・92
□ 会場担当者（プランナー）と最初の打ち合わせ。88
□ 衣装試着の予約を入れる。122
□ 衣装を試着、ヘアメイクや小物を検討する。124~143
□ 料理や飲み物、プログラムを検討する。150・186~189
□ エンゲージリングを検討、購入する。42

4~5カ月前

□ **結納、または顔合わせの食事会を行う。**30~39
□ 招待客のリストアップ。80
□ 披露宴の内容を検討する。50・150
□ **招待状を作成する。**114~119

2~3カ月前

□ **招待状を発送する。**114
□ 結婚指輪を購入する。146
□ エステに通う。148
□ 司会を依頼する。180
□ スピーチ、余興を依頼する。166
□ 二次会の検討、会場を決定する。212
□ 二次会の幹事・各係と打ち合わせをする。212
□ 引き出物を選ぶ。204
□ 会場装飾、装花を検討し、決定。182
□ 招待状を確認し、席順を決定する。120
□ 料理や飲み物を決める。186~189
□ プログラムを決定する。150~153

※●内の数字はページ数を表します。

1カ月前

- □ペーパーアイテムを作成する。198~201
- □カメラ・ビデオ撮影の依頼。190~197
- □遠方の招待客の宿泊、交通機関の手配。82
- □BGMの用意。158
- □引き出物の発注とプチギフトの用意。204~209
- □あいさつ、手紙の文面を考える。164・170~173
- □会場の最終見積もりをとる。96

1~2週間前

- □**会場スタッフや司会者と最終確認する。**234
- □お車代、心づけの準備。242
- □ウェルカムスピーチや手紙の準備。164・168~179
- □最終費用の確認。234
- □衣装の最終確認。234

2~3日前

- □衣装、小物などを会場へ搬入する。234
- □心づけ、お車代用の新札、祝儀袋を用意。242

前日

- □当日の持ち物を準備して最終的なスケジュールを確認する。234
- □仲人（媒酌人）や主賓に電話であいさつしておく。228~235
- □**会場担当者にあいさつして当日の流れを最終確認。**228~235
- □親にあいさつしてなるべく早めに就寝する。228
- □引き出物納品の最終確認。204
- □当日お世話になる人に連絡。228

当日

- □早めに起き、朝食をとり、出かけるまでゆっくり過ごす。230
- □**挙式・披露宴本番。**236~251
- □タイミングを見計らってスタッフへ心づけ、主賓にお車代を渡し、残金を支払う。248

後日

- □オプションなどで発生した追加料金がある場合は支払いをすます。
- □写真・ビデオの焼き増しを依頼する。内祝いの品を贈る。267・268
- □結婚報告はがきを出す。270

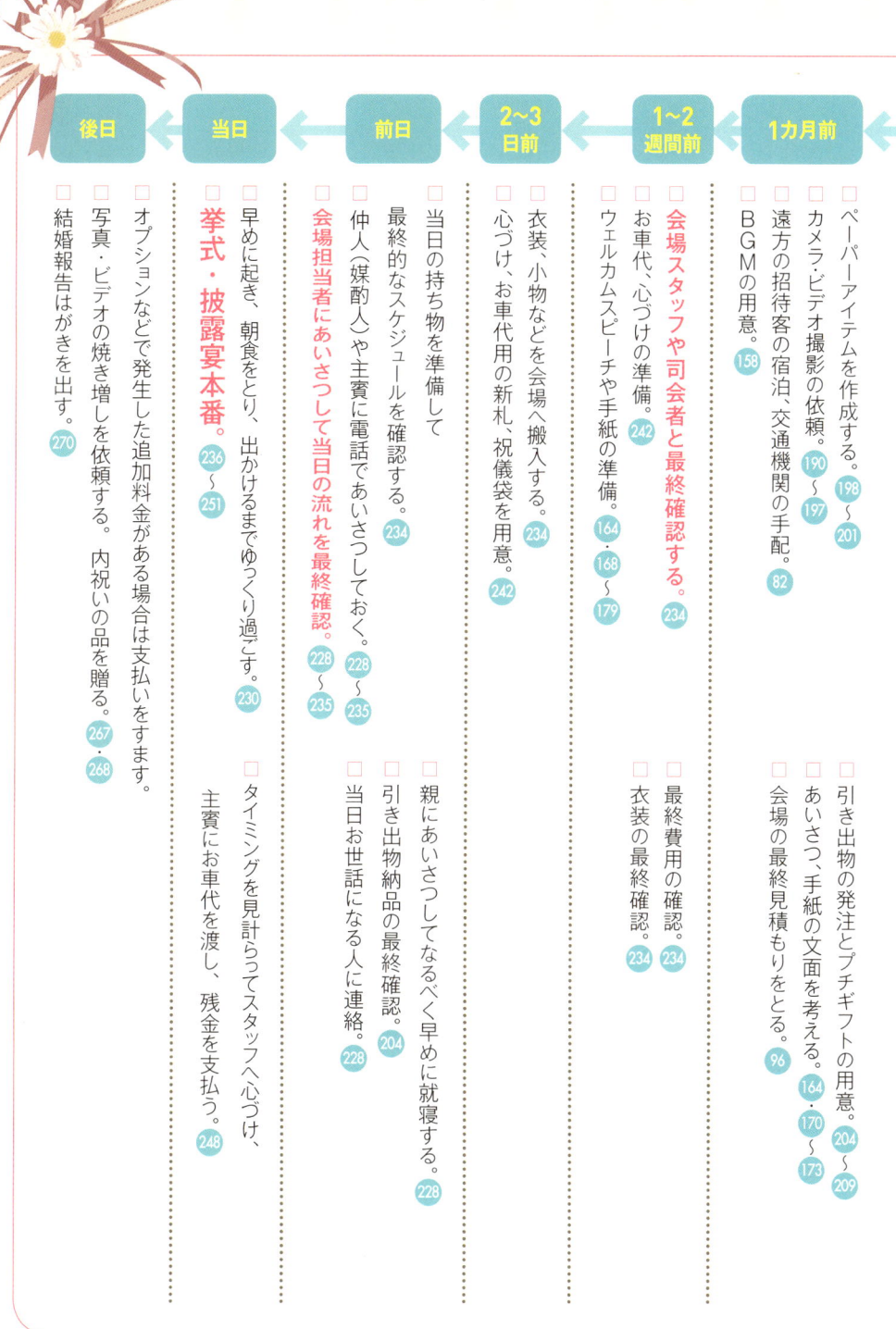

結婚準備カレンダー

短期間

結婚式まで3カ月編

会場さえおさえてしまえば、3カ月間の準備期間でも挙式&披露宴は挙げられます。決めるべきことをしっかり決めて進めましょう。

3カ月前

□ お互いの親にあいさつし、結婚の承諾を得る。22~25・28

□ **挙式・披露宴スタイル、招待客数、日取り、予算の検討。** 52・56~77・80・84・92

□ **結納や食事会など婚約スタイルを検討し、行う。** 30~39

□ 招待客のリストアップ。招待したい人に電話などで連絡し、**招待状の発送。** 80・114~119

2カ月前

□ 衣装や小物を試着して決定。124~143

□ 料理や飲み物、引き出物の検討し、決定。186~189

□ プログラム、演出の決定。150~153

□ スピーチや裏方スタッフ、二次会幹事を依頼。166・212

□ 会場装飾、装花を検討し、決定。182

1カ月前

□ 席次表、ペーパーアイテムやウエディングアイテムの作成。120・198~203

□ 遠方の招待客の宿泊先や交通機関の予約。82

□ プログラムを決定する。150~153

□ 会場の最終見積もりをとる。96

1~2週間前

□ **会場スタッフや司会者と最終確認する。** 234

□ 最終費用の確認。234

□ 衣装の最終確認。234

2~3日前

□ ウェルカムスピーチや手紙の準備。164・168~179

□ 衣装、小物などを会場へ搬入。234

□ 心づけ、お車代用の新札、祝儀袋を用意。242

※前日以降は「8カ月編スケジュール」と同様。

第一章

婚約・結納の流れ

結婚が決まったら、まず最初に両親に報告。
そして、婚約、結納や食事会と続きます。
最近は結納ではなく
両家顔合わせを兼ねた
食事会が主流ですが、
両家の承認を得ながら二人が夫婦となる
大切な第一歩を踏み出しましょう。

本人

相手の親へ、あいさつの準備

まずは早めにお互いの親に報告

最初に自分の親に報告、その後相手の親にあいさつ

交際を経て二人の間で結婚の意思が固まったら、まず最初に自分の親に報告を。けじめのある態度で相手の名前や職業、年齢、人柄などについても伝えます。それからお互いの家を訪問し親にあいさつをします。交際中ですでに紹介している場合でも、正式な結婚の報告ですから、改まった態度で自分達の気持ちを伝えましょう。

親の了解が得られたら、訪問の日時は親の都合に合わせて決めます。食事の時間に重ならない午後2時から3時くらいに訪れるのがおすすめですが、他の時間帯を指定されたらそちらに従いましょう。

訪問前に、相手の親について少しでも知っておく

訪問日が決まったら、自分の親と相手の親にそれぞれの簡単なプロフィールを伝えておきましょう。当日親から聞かれそうな、入籍や結婚式の時期、新居はどこに構える予定か、将来的な人生プランなどについて、おおまかに二人で話し合っておき、当日スムーズに答えられるように準備しておくことも大切です。

また、訪問前に、相手を通じて相手の親の年齢、職業、出身地、趣味、食べ物の好みなどをあらかじめ聞いておくと、たとえ初対面でもそれほど緊張せずに、和やかな雰囲気で話すことができるでしょう。

Pick up

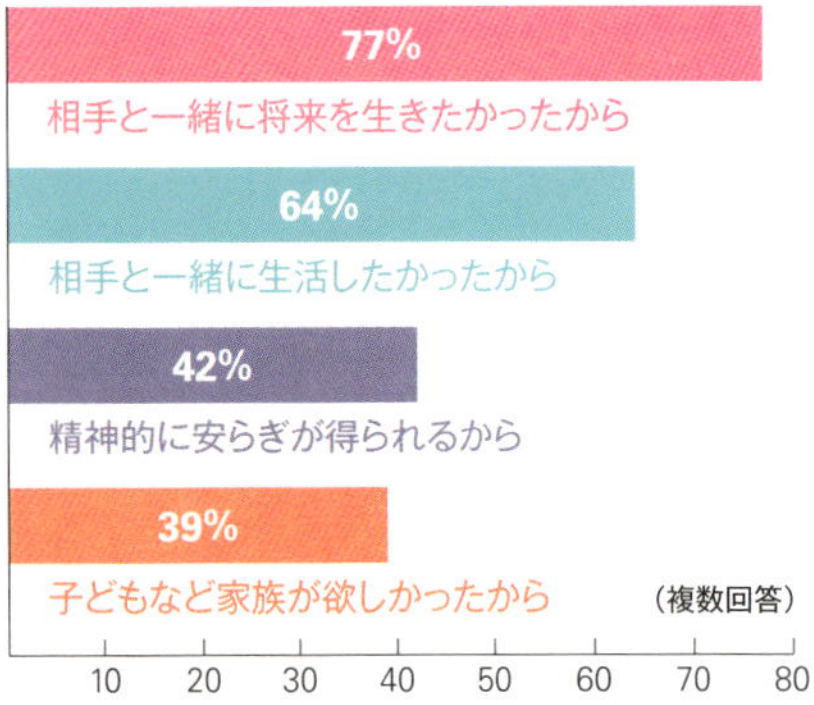

結婚を決めた理由

1位は「相手と一緒に生きたかったから」

結婚を決めた理由の第1位は、「相手と一緒に将来を生きたかったから」で77%。次いで「一緒に生活したかったから」「精神的に安らぎが得られるから」などが高い割合に。「親が喜ぶから」「経済的に安定するから」などの声も。

結婚報告の手順

1 自分の親に結婚の意思を伝える

「結婚を決めた」と一方的に伝えるのではなく、「結婚したいと思う人がいるので会ってほしい」と改まった態度で伝えることが大切です。親が遠方に住んでいる場合は必ず電話で自分の口から報告を。

2 あいさつの日程を決める

親の都合に合わせて訪れるのがマナー。訪れる時間帯によっては親が食事の準備をする場合があるので、あらかじめ二人で相談し、あいさつだけで失礼する場合はその旨を伝えておきましょう。

3 結婚のプランを二人で話し合う

親から聞かれた時に答えられるよう、結婚式はいつ頃、どういう形でしたいか、新居はどこにするか、結婚後の働き方はどうするのかを二人の間で話し合っておきます。

4 手みやげや服装の準備をする

最初の訪問では手みやげを持参しましょう。3,000～5,000円くらいを目安に。また、相手の親を訪問するのにふさわしい服装を用意します。

5 相手の家にあいさつに行く

最初に男性が女性宅に出向いてあいさつするのが一般的ですが、両家の場所や親、本人たちの都合に合わせて決めます。

喜ばれる手みやげを選び持参する

最初の訪問では手みやげを持参しましょう。あまり高価なものだとかえって気を使わせてしまうので、3000～5000円くらいを目安に。相手の両親の好みのものや、自分の出身地の名産品などがおすすめです。なるべく日持ちするものを選びましょう。

本人

訪問時の服装とマナー

第一印象を大切に、敬語をきちんと使う

清潔感のある身だしなみが第一

相手宅への初めての訪問は、結婚相手としての第一印象を左右する重要なポイント。当日の服装は、〝おしゃれ感〟よりも〝清潔感〟を心がけましょう。

男性は落ち着いた色のスーツと派手でないワイシャツ、ピアスや指輪などのアクセサリー類は外し、ヒゲもきれいに剃りましょう。

女性は清楚で控えめな印象のワンピースやスーツを。髪も明るすぎるカラーリングは避け、派手なアクセサリーも控えましょう。派手なフルメイクやネイルアートもＮＧ。男性も女性も、足元が意外に目につくので、靴を磨いていくことを忘れずに。

当日の流れを二人でシミュレーションしておく

当日の流れを二人で事前にシミュレーションしておきましょう。自宅を出てから、相手の家に到着するまでの所要時間は必ずチェック。最初が肝心なので遅刻は厳禁です。電車を乗り継ぐ場合などはその時間も余裕をもってスケジューリングを。訪問してからのふるまい、話の進め方などもおおまかにイメージしておくとよいでしょう。

結婚の許可をもらうためのセリフは事前に打ち合わせをし、家で練習しておくと安心です。大事な場面で敬語の使い方を間違えたりすると、その後もあまりいい印象をもってもらえないので十分注意して。

Check

- □髪の毛は長すぎず、清潔感があるか
- □髪の毛の色は明るすぎないか
- □爪はのびていないか
- □靴は磨かれているか
- □服に汚れやシミはついていないか

訪問日前日にもう一度チェック！

訪問日前日には、もう一度身だしなみをチェック。必要に応じて美容院に行ったり、靴や小物を買いそろえます。事前準備を万全に行えば気持ちに余裕ができ、当日もゆったりと自分らしくあいさつができるはずです。

好印象を与える服装

男性

ヘアスタイル＆身だしなみ

極端な茶髪や金髪は避け、清潔な印象を心がけます。無精ヒゲ、肩のフケ、爪、鼻毛のチェックも忘れずに。

服装

紺やグレーのスーツ。ジャケットやシャツは派手なものは避けて。ワイシャツにはアイロンをかけ、襟元や袖口の汚れにも注意。

靴

スーツの色に合った革靴をしっかり磨いておいて。中敷きやかかとのすり減りにも注意。訪問の際には靴を脱ぐので、靴下は新しいものを。

女性

ヘアスタイル＆メイク

明るすぎる茶髪や金髪は避け、清潔感のある髪型とメイクを心がけて。派手なマニキュアやネイルアートはNG。においのきつい香水も避けましょう。

服装

派手すぎず、地味すぎないワンピースかスカート、スーツなどで。短いスカートや胸元が大きく開いた服は避けましょう。

アクセサリー

派手なものや、たくさんつけすぎるのは避けて。パールやゴールドをさりげなく。

靴

ストッキングはナチュラルな色合いのものを、パンプスは磨いておきます。ブーツ、ミュール、ナマ足はNG。

結婚申し込みの言葉はスムーズに

どちらの家でも、結婚について切り出すのは男性からが一般的です。結婚申し込みの言葉は二人の意思と決意を表現する上で重要なポイントとなります。テレビドラマなどで見かける「○○さんをください」というフレーズは、「うちの娘はモノじゃない」と親の気分を害することも。誠意を伝えることが大切です。

OKフレーズ

「お嬢さんとの結婚をお許しください。二人で必ず幸せになります」

「○○さんとの結婚を承諾していただきたく、ごあいさつに参りました。認めていただけますでしょうか」

NGフレーズ

「お嬢さんを僕にください」

両親

子どもの相手へのふるまい方

迎える時は、リラックスできるような心配りを

まずは相手を受け入れる気持ちで歓迎しよう

子どもから「結婚を前提にお付き合いしている人がいる」といわれたら、うれしい気持ちの半面、どんな相手なのか不安も抱くことでしょう。まずは、お付き合いについてきちんと報告してくれたことを喜んでいる旨を伝え、親から心を開き、相手を受け入れる気持ちで歓迎を。

当日は、相手のことを第一印象だけで判断するのはNG。普段どおりのふるまいを心がけ、二人から進んで話してくれる雰囲気をつくり、少しずつ聞いていくのがよいでしょう。二人が自然体でいられるような雰囲気をつくります。

家の掃除をしたりお茶やお菓子の用意を

二人を自宅に招く場合は、玄関や廊下はもちろんのこと、二人を通す部屋を念入りに掃除しておきましょう。事前に相手の好みを聞いて、お茶菓子とお茶でおもてなしするのが基本。食事に招いた場合は、豪華な料理よりも手料理を用意したいものです。

相手は初めての来訪で緊張しているので、長時間ひきとめたり、アルコールをすすめたりするのは避けたほうが無難です。言葉づかいや結婚の意思をチェックしながら、その雰囲気に応じて結婚式のプランや資金の準備、今後の生活設計について確認しましょう。質問口調にならないよう気をつけて。

迎える親の服装の注意ポイント

男性

ヘアスタイル＆身だしなみ

緊張して訪れる相手に失礼のないよう、清潔を心がけて。

服装

あまりかしこまった服装だと、相手も緊張してしまいます。季節に合わせて、ワイシャツかポロシャツに上着などをはおりましょう。

女性

ヘアスタイル＆メイク

髪の毛はこぎれいにまとめるなどして清潔に。ノーメイクや、あまり派手なメイクは控えたほうがいいでしょう。

服装

スカートかスラックスにブラウスなど、シンプルで動きやすいコーディネイトを心がけて。

親として こんな場合はどうする？

相手が再婚

死別の場合は心の整理がついているか確認を

離婚か、死別かを確認し、離婚の場合は原因となった問題とそれが解決されているかどうか、死別の場合は心の整理がついているかどうかをきちんと確認しましょう。前の配偶者との間に子どもがいる場合は、親権や養育費などについて、再婚後はどのようにするのかを聞いておきましょう。

相手が外国人

さまざまな壁を乗り越える覚悟ができているか確認して

最近は国際結婚が増えていますが、実際に結婚するとなると、本人同士の気持ちだけではすまない問題も生じてきます。国籍、宗教、生活環境、価値観の違いなど、二人の絆が強くないと乗り越えられない壁もあります。さまざまなリスクについても認識し、慎重に決めるよう話しましょう。

年の差が大きい

年齢が低い場合は経済的基盤をつくる助言を

結婚相手との年齢の差が大きすぎると、経済面、出産・育児、老後のことなど価値観の違いが心配になるものです。二人の考えを聞き、相手の年齢が低すぎる場合は収入面で苦しいことがあるかもしれませんが、二人で働いて経済的基盤をつくるようアドバイスするなどを心がけましょう。

定職がない、収入が少ない

将来、家庭不和につながる可能性を伝える

相手の男性が定職についていない、収入が少ない時は、長い目でみると、経済的基盤がしっかりしていないことが将来家庭不和の原因の一つになるかもしれないと伝えましょう。定職のない息子が「結婚したい」といったら、親としては「その前に定職につくように」と説得を。

すでにおめでた

娘の場合は赤ちゃんを迎えるサポートを

親としては驚くものですが、まずは本人同士に子どもを育てていく決意があるか、また、経済的に育てていけるのかどうかを確認しましょう。娘の場合、手放しで賛成する気持ちにはなれないかもしれませんが、人生の先輩として無事赤ちゃんを迎えられるようサポートしてあげましょう。

Pick up

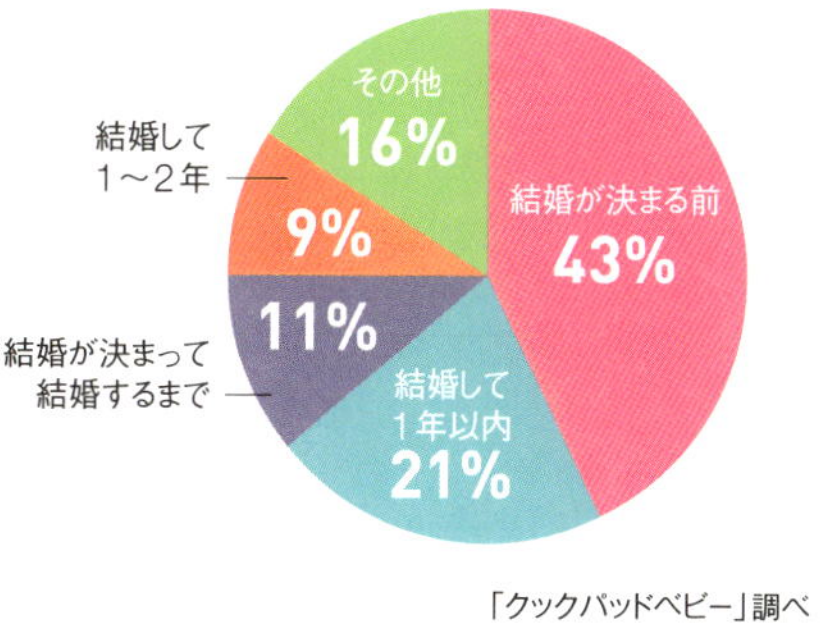

「クックパッドベビー」調べ

増えるマタニティ婚

約半数は結婚が決まる前に妊娠

結婚したカップルに実際に妊娠した時期について聞いたところ「結婚が決まる前」が43%で最も多く、2番目に多いのが「結婚して1年以内」で21%、3番目は「結婚が決まって結婚するまで」で11%でした。今や結婚前の妊娠は多く、めずらしいことではなくなりました。

本人

訪問の日の流れとポイント

節度あるふるまいが大切

あいさつから礼儀正しく。質問には明るく答えて

大切なのは第一印象。第一印象がよいと、その後のお付き合いもスムーズになります。訪問当日は、約束の時間から5分くらい遅い到着がベター。それ以上の遅刻はマナー違反ですが、準備する側への心配りになります。

部屋に通してもらったあと、相手の親と初対面の場合は、まず名前、年齢、職業、出身地、趣味などについて自己紹介し、親からの質問には明るくハキハキと答えます。雰囲気が和やかになってきた頃、男性から結婚について切り出します。両親の承諾を得て、結婚式の予定などについて聞かれたら、今後の話をしましょう。

帰宅後は必ずお礼の電話とお礼状を忘れずに

一回の訪問の際の滞在時間は2時間前後が目安です。男性宅におじゃまする場合、女性はお手伝いを申し出るべきか悩むところですが、初めての訪問では、基本的に〝お客様〟で問題ありません。帰宅後は必ずお礼の電話をし、女性は訪問後1週間以内に自筆でお礼の手紙を出しましょう。

これから長くお付き合いが続くかもしれないことを考え、相手の両親へは「おじさま、おばさま」もしくは「○○さんのお父さん、お母さん」と、節度をもった呼び方を心がけましょう。好印象を抱いてもらうためにも、少し控えめにふるまうことがポイントです。

Case 1

親に結婚を反対されてしまった

彼からプロポーズを受け、早速実家に連れて行きました。皆で楽しく談笑でき、両親の反応もまずまずだったので、結婚に賛成してくれるかと思いきや、反対されてしまって大ショック。服装や言葉づかいが気に入らなかったとあとから聞き、後日、再度出直してやっとOKをもらえました。

Advice

反対の理由を明確にしてもらう

自分がこの人となら幸せになれると確信したうえで親に結婚を反対されたら悲しいものですが、まずは相手に会ってくれたことに感謝し、反対の理由を聞きましょう。それを明確にしてから二人で再度話し合って。

訪問時の流れと守りたいマナー

1 約束の時間に到着

チャイムを押す前に上着を脱ぎ、携帯電話の電源もオフにします。チャイムは1回だけ鳴らし、出迎えを待ちます。

2 玄関で簡単にあいさつ

玄関で出迎えを受けたら、「こんにちは、○○です」と簡単にあいさつ。正面を向いたまま靴を脱ぎ、家にあがってから靴の向きをそろえます。

3 席につく

部屋に通されたら「○○と申します。今日はお時間をつくっていただきありがとうございます」と手みやげを渡し、すすめられた席に座ります。

4 お茶やお菓子が出される

お茶やお菓子が出されたら「ありがとうございます」とお礼を。先方から「どうぞ」とすすめられてからいただきます。

5 場が和んだら本題へ

家族がそろったら最初に自己紹介を。二人のなれそめの話などもしながら場が和んできたら、タイミングを見て男性から結婚の申し出を。はずかしがらず堂々とした態度で気持ちを伝えましょう。

6 帰宅を切り出す

2時間弱くらいを目安に「今日はそろそろおいとまさせていただきます」と伝えます。「食事を」と誘われたら最初は辞退を。それでもすすめられた場合は、「お言葉に甘えてごちそうになります」と応じましょう。

7 帰宅

玄関で「本日はありがとうございました。これからもよろしくお願いします」とお礼を伝えて退出。寄り道せずに帰宅し、改めて電話でもお礼をいいましょう。

訪問後は電話とお礼状を

訪問後は帰宅後必ずお礼の電話を。女性は1週間以内にお礼状を出しましょう。メールはNGです。

（お礼状の文例）


先日はお忙しい中、お時間をつくっていただきましてありがとうございます。温かく迎えてくださり、本当にうれしく思いました。

また、私達の結婚を認めてくださいまして、本当にありがとうございます。これからは結婚式に向けて、いろいろ準備が始まりますが、ご相談させていただきながら進めていきたいと思います。

よろしくご指導のほどお願い申し上げます。

取り急ぎお礼まで。

本人・両親

両家の意向を必ず聞いてから決める

結納と顔合わせ食事会の違いは？

両家顔合わせの食事会を行うカップルが増えている

両家で結婚を了承し合ったら、両家の親睦を深めるためのセレモニーを行います。一般的に知られているのが、日本の伝統的な儀式である結納ですが、しきたりの煩雑さなどから減少傾向に。最近では、両家の顔合わせを兼ねた食事会をすることをセレモニーととらえ、結納を行わないカップルも増えています。今では、「結納をする派」が約2割、「食事会だけを行う派」が約7割と、食事会のほうが人気に。結納と顔合わせ食事会、どちらにもメリットとデメリットがあります。両親の意見も十分聞き、納得のいく方法を選びましょう。

スムーズに決めるためには親の意見を確認

地域や家によって、婚約や結納に対する考え方は千差万別です。今後長いお付き合いをしていく両家ですから、結婚準備をスムーズに進めるためにも、まず親の希望を確認することが大切です。

親に確認する場合は、二人の間で「結納はしない」と話し合っている場合でも「結納はしなくてもいいよね？」ではなく、「どうしたらいいと思う？」と尋ねるようにしましょう。また、必ず両家の意向を聞き、意見がまとまらない時は、両家のうちでしきたりを重んじる家のほうに合わせて決めるのが一般的です。

Pick up

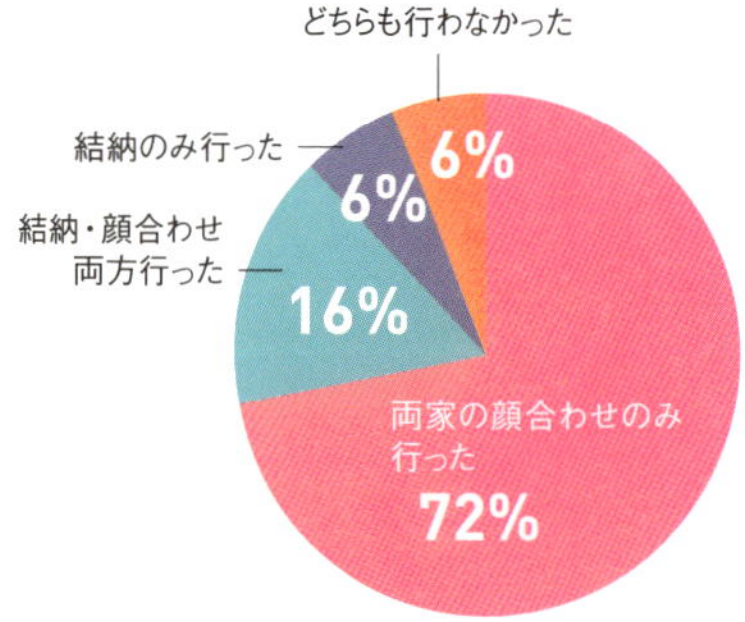

結納・両家顔合わせの実施状況

両家の顔合わせ食事会ののカップルが約7割

結納・両家顔合わせ食事会を両方行った人は16%、両家の顔合わせ食事会のみ行った人は72%と約7割を占めました。最近では結納はなく、食事会が主流だということがわかります。

結納と顔合わせ食事会の違い

結納と顔合わせ食事会それぞれの特色、式の流れ、用意するもの、場所、予算は次のとおり。それぞれの違いを知っておきましょう。※金額は目安です。

	結納	顔合わせ食事会
特色	男性から女性へ金品を贈り、結婚の約束を固める儀式のこと。現在最も多く行われているのが、仲人を立てずに両家が一堂に会して行う略式結納。結納品や口上などさまざまなしきたりがありますが、形式は地域によりさまざま。	結納のような、決まった形式やルールはありませんが、二人がそれぞれの親を紹介し合うというスタイルをとることが多いようです。堅苦しくせず和やかに行われる傾向があります。
式の流れ	会場に入る順番や席次、結納のあいさつ、結納品の受け渡しまで、すべてその地域に伝わるしきたりで行われます。結納終了後は両家で会食し、親睦を深めるのが一般的です。	両家がそろってあいさつをかわすのが主な目的ですので、最初にあいさつをかわしてからお互いの家族を紹介します。あとは会話をしながら食事を楽しんで両家の親睦を深めます。結婚式に向けての段取りについて話し合うことも。
用意するもの	結納金と、縁起物をそろえた結納品。結納品の内容や贈り方は地域によって異なりますが、大きく関東式と関西式に分けられます。結納品は基本的に決まった9品を用意します（P37参照）。	婚約指輪や時計など、二人が結婚記念品を交換するのが一般的です。交換はあいさつが終わって、食事が始まる前に行います。そのまま受け取るのではなく、その場で包みを開けて皆に披露すると、セレモニーらしくなります。
場所	料亭やホテルの小宴会場、レストランの個室など、落ち着ける場所を選びます。ホテルなどでは「結納プラン」などのパックプランを用意しているところも。しきたりにのっとり女性宅で行うこともあります。	結納と同様ですが、親の料理の好みや利便性を考えてホテルや料亭、レストランが一般的。お互いの実家が離れている場合は、式を挙げる予定の会場や二人が住んでいる地域で行うこともあります。
予算	6～20万円	6～15万円

顔合わせ食事会以外のスタイルもさまざま

結納や顔合わせ食事会の他、婚約式を行ったり、婚約披露パーティを行ったり、婚約記念品の交換や婚約通知状の送付のみですませるなど、さまざまな婚約スタイルがあります。結納や顔合わせ食事会以外の代表的なスタイルを紹介しましょう。

婚約式

家族や友人を立ち会い人に婚約の誓いをかわす式。女性もドレスは着ずにカジュアルな雰囲気。

婚約披露パーティ

二人の婚約を発表し、お酒や簡単な食事を楽しみながら、皆から祝福してもらいます。

二人で婚約記念品を交換

二人の間で指輪など婚約記念品を贈り合って婚約を祝います。そこで食事の席を設けて交換するケースも。

婚約通知状

婚約したことをはがきやカードで伝えます。挙式の有無、挙げる場合は挙式予定日を伝えます。

本人・両親

顔合わせ食事会の開き方

カジュアルで自由なスタイルが人気

顔合わせ食事会は婚約スタイルの主流

今や主流となった顔合わせ食事会ですが、結納とは違い、決まった式次第やルールなどもありません。食事をしながら会話を楽しみ、両家の親交を深めることができるのが何よりの魅力です。婚約記念品の交換をしたり、結婚式や結婚までの段取りについて両家の意向を話し合ったりなど、食事会で何をするかは基本的に自由です。結婚を約束し、顔合わせ食事会を行うことが決まったら、なるべく早く両家で話を進め、遅くとも挙式の3～6カ月前に行うように準備を始めましょう。

会場はホテル、レストラン、料亭で、予算は一人1万円前後

顔合わせ食事会の会場は、ホテル、レストラン、料亭が多く、予算は一人1万円前後が相場です。一方が遠方に住んでいる場合は交通費や宿泊費も考慮して。予約時に婚約の食事会であることを担当の人に伝え、献立や席などを配慮してもらいましょう。

Check

会場選びのポイント

- □個室がある
- □ある程度の格式がある
- □料理がおいしい
- □スタッフのサービスがよい
- □交通の便がよく両家が集まりやすい

両家が遠方同士の場合は母親だけでも顔合わせを

「両家が遠方同士だから」という理由で顔合わせを省略するのは避けたいもの。両親そろって会うことがどうしても難しい場合は、母親同士だけでも事前の予定を合わせ、顔合わせはしておきましょう。

両親

あまり前面に出ず子どものサポートに回る

顔合わせ食事会は、どちらかというと子ども主導で行います。親は前面に出ないで、子どものサポートに回るよう心がけましょう。子どもからアドバイスを求められたら答える程度のスタンスで。

〈食事会をスムーズに進めるポイント〉

Point 1
日取りと場所を決める

大切な節目の場でもあるため、会場選びは慎重に。親世代は、スタッフの対応のよしあしも気にするものです。周囲の声や視線が気にならないよう、個室のある所を選ぶのがよいでしょう。日取りは、大安、友引が望ましいですが、両家が集まれる日を優先して考えましょう。

Point 2
内容と進行を決める

両家で集まり食事をしながら和やかな時間を過ごすだけでよいのか、儀式的な意味合いをもたせるのかなど、前もって親の意見を聞いておくことが大切です。当日は、婚約記念品を交換したり、記念写真を撮るのもおすすめ。あいさつをだれがするのかも事前に決めておきましょう。

Point 3
当日の服装を決める

男性はジャケットの着用、女性は明るい色のワンピースなど上品な装いにし、フォーマルな服装が基本です。親の服装を含め、前もって情報交換して両家の格式をある程度合わせることが大切です。親を不快な気持ちにさせないためにも、事前の心配りを忘れないようにしましょう。

Point 4
支払い方法は事前に決める

基本は両家折半です。ただし、どちらかが遠方の場合は近いほうが全額払うなど、柔軟に対応しましょう。最近では、二人が親を招待するという形をとるケースも多いようです。当日の支払いはその場になってもめないよう、支払いの方法は事前に決めておくのがよいでしょう。

Point 5
両家に逐一報告を

終わったあとに「実はこうしてほしかった」といった親の不満が出てこないように、準備期間は二人が両家の間に入って調整することが基本スタンスとして大切です。どちらかの家の意見や都合ばかりを優先させるのでなく、両方の親が納得する方法を見つけましょう。

〈必要に応じて用意するもの〉

婚約記念品

婚約指輪など婚約記念品のお披露目は、白木のお盆にのせると格が上がり、厳かになります。

手みやげ

のしで包み、表書きは「御挨拶」と記します。準備するかどうかは両家で統一するようにしましょう。

結婚準備金

本来は女性側が用意するものですが、男性側が用意する場合も。結び切りの水引きのかかったご祝儀袋を用意します。

本人・両親

和やかに進むよう二人で考えよう

食事会の流れとあいさつのコツ

当日の流れを二人で シミュレーションしておこう

両家の顔合わせ食事会には決まった形式はありません。とはいえ、場所だけをセッティングして当日の進行がいきあたりばったりでは場もしらけてしまいます。事前に二人で流れを考えておくとよいでしょう。

最初は両家の親、そして二人を知ってもらうために自己紹介を。二人がそれぞれの親を紹介するのが一般的ですが、父親から紹介するケースもあります。和やかなムードになってきたら、結婚式について、親の意見を聞いてみるのもよいでしょう。政治や宗教の話はタブー。皆で盛り上がれる話題をいくつか考えておきます。

当日の席次は上座に男性の父親、下座に女性が

当日は、「入り口から遠い上座に男性の父親が座り、入り口に一番近い下座に女性が座る」という席次が一般的。ただし、決まりごとではないので親の人柄や二人の相手の親との付き合い方などを考えながら臨機応変に決めましょう。ただし、席次についても事前に親に相談、確認を。

Case 2

当日の会計の時に気まずい雰囲気に

両家の顔合わせ食事会。準備の段階で、当日の費用の負担をどうするのか決めるのを忘れてしまい、会計の時にどちらが払うかでかなり気まずい雰囲気になりました。それをきっかけに、和やかな空気が一変して緊迫した雰囲気に。「終わりよければすべてよし」とならなかったのが残念です。

Advice

会計方法は二人で決めておく

顔合わせ食事会の会計をどうするかは事前に決めておくこと。基本は折半するのが望ましく、お店の人に会計をどうするか事前に伝え、全員が席を立つ前にあらかじめ決めておいた方法で会計をすませましょう。

食事会の進行とあいさつ例

1 始めのあいさつ

会場に全員そろったら、進行役（男性の父親もしくは男性）があいさつし、集まってもらった目的を話します。

※進行役が新郎の場合

男性:「本日は二人の婚約にあたり、お忙しいなかお集まりいだきましてありがとうございます。本日はどうぞよろしくお願いいたします。早速食事会を始めたいと思います」。

2 両家の家族の紹介

二人がそれぞれ自己紹介したあと、最初に男性側、次の女性側の順番でお互いの家族を紹介し、それぞれ自己紹介していきます。料理が出てくる前にすませましょう。

男性:「まずは私から両親の紹介をいたします。私の父の○○です」。
男性の父:「○○です。IT関係の仕事をしております」。母の紹介、母の自己紹介と続く。

3 婚約記念品の交換・お披露目

家族のあいさつのあとは、婚約指輪など記念品の交換・お披露目を。二人から婚約の誓いの言葉を述べたり、親に証人になってもらい、婚姻届に署名してもよいでしょう。

男性:「これから、婚約を記念して婚約記念品を交換致します」。
二人:「二人で助け合い、いつまでも仲のよい夫婦になっていきます」。

4 乾杯、食事、歓談

男性の父親が乾杯のあいさつと発声をとり、グラスをかわしたあとは、食事を楽しみながら歓談しましょう。小さい頃の思い出話を披露できるようアルバムなどを用意して見せ合ったりなど、両家が親睦を深められるような気配りを。結婚式に向けて、今後のスケジュールの打ち合わせを行うのもよいでしょう。

5 結びのあいさつ、記念撮影

食事が終わったら、進行役から結びのあいさつを。背筋をのばし、真剣な態度できちんと場をしめましょう。

男性:「皆さん楽しいひと時をお過ごしかと思いますが、本日はこの辺でお開きとさせていただきます。本日はお忙しい中お集まりいただき、本当にありがとうございました。結婚に向けて力を合わせて準備していきたいと思います。いろいろお世話になるかと思いますが、その際は改めてどうぞよろしくお願いいたします」。

6 帰宅後お礼の連絡をする

当日の夜に、それぞれの親へお礼の電話を。その後はがきや手紙でお礼状を出しておくのもよいでしょう。その際には、当日撮影した家族写真を同封すると喜ばれます。

本人・両親

地域や家によって異なるので注意を

結納の形を知っておく

大きく「関東式」と「関西式」の二つに分かれる

結納とは、「結んで納める」という字のとおり、新たに家族となる両家が「結」びついたことを祝い、飲食を共にしながら贈り物を「納」め合うこと。結納をすませたら「結婚します」という約束を公にかわしたことになります。

結納は、大きく「関東式」と「関西式」に分かれます。関東式は男女の立場が同格扱いで、互いに結納品を取りかわします。関西式では結納品は男性から女性に贈るもので、女性からの結納品はないのが一般的。地域によって贈り方や内容が変わるので、出身地のスタイルや違いを確認し、どんな要素を取り入れるか話し合いましょう。

挙式の3〜6カ月前に行うのが一般的

結納は挙式の3〜6カ月前に行うのが一般的です。大安、友引、先勝など「六曜《ろくよう》（六輝《ろっき》）」にちなんだり、末広がりの8の日にする人もいますが、仲人を立てる場合は予定を伺い、出席者全員の都合のよい日を調整します。日柄は、本人同士は気にしていなくても、両親や仲人が気にしている場合もあるので確認しましょう。

会場は、仲人を立てる正式結納の場合は双方の自宅で行いますが、仲人を立てない略式結納の場合は女性宅、ホテル、結婚式場、料亭、レストランなどで行います。事前に双方の親に相談しながら決めましょう。

〈日取り〉六曜（六輝）の意味

大安 たいあん

「大いに安し」の意味。六曜の中で婚礼などの祝儀に最も吉日の日とされる。

友引 ともびき

昼は凶。夕方、夜は吉。大安の次に結婚式に適している。

先勝 せんしょう

「先んずれば即ち勝つ」の意味。万事に急ぐことがよいとされ、午前が吉で午後は凶。

赤口 しゃっこう

午の刻（午前11時頃〜午後1時頃まで）のみ吉で、それ以外は凶とされている。

先負 せんぷ

「先んずれば即ち負ける」の意味。万事に平静がよいとされている。

仏滅 ぶつめつ

仏も滅するような大凶日の意味。六曜の中で凶の日とされ、祝儀を忌む習慣がある。

結納品は9品目が基本。奇数なら簡略化もOK

結納品にはさまざまな種類があり、それぞれに意味があります。長熨斗《ながのし》、末広《すえひろ》など地域によって呼び名も異なり、地域独特の品もありますが、結納品の基本は9品目。簡略化する場合は5品目、7品目と、いずれも奇数で整えるのがしきたりですので、両家でしっかり話し合って決めましょう。

結納品は、デパートや式場などでセットになって販売されています。インターネットでも購入が可能です。いただいた結納品は、しばらくは床の間に飾るものとされていますが、挙式後は記念品として保管するか、処分する場合は神社などで炊き上げてもらうのが一般的です。

〈結納品の基本の９品目〉

❶目録（もくろく）
結納品の品目と数を記したもの。

❷長熨斗（ながのし）
のしあわび、あわびの身を干して伸ばしたもの。

❸金包（きんほう）
結納金を包んだもの。

❹末広（すえひろ）
純真無垢を表す一対の白い扇。

❺寿留女（するめ）
するめ。「幾久しいご縁」を意味する。

❻友志良賀（ともしらが）
白い麻糸。「白髪になるまで長生きできるように」の意味。

❼子生婦（こんぶ）
昆布。子孫繁栄祈願を意味する。

❽勝男武士（かつおぶし）
かつお節。たくましい男性の象徴。

❾家内喜多留（やなぎだる）
祝い酒を入れた柳樽。

結納返しの習慣は地域により異なる

結納金は、かつては着物地や帯を贈ったことから「御帯料」「御帯地料」「小袖料」などとも呼ばれ、50万円、70万円、１００万円というように、上一けたをきりのよい奇数にすることが多いようです。

結納金に対する女性からの「結納返し」は、関東は「御袴料《おんはかまりょう》」として結納金の半額、関西では1割というのが一般的。ただ、以前は結納金の金額は、家の格式や裕福さを計る意味合いが強かったのですが、最近は事情が異なり、お金ではなく品物で返すケースも多いようです。いずれにしても、本人の経済力や今後の出費を考えてあまり無理をせず、両家で事前にしっかり話し合うことが大切です。

本人・両親

今どきの定番結納スタイル

仲人を立てない略式結納の流れ

身内だけで和やかに行える結納。男性の父親が進行役を

最近増えてきているのが、仲人なしで行う略式結納です。女性宅に両家が一堂に会して行うこともありますが、ホテルや結婚式場を利用する場合も。女性宅で行う場合は男性の父親が進行役をつとめるのが一般的ですが、ホテルや結婚式場ではスタッフが進行役になることもあります。略式結納の時間の目安は、結納式が20分、そのあとの会食が2～3時間です。結納式では会場に結納品を飾り、口上を述べながら行います。結納式の間は、決まった口上以外はほとんど口にしないのが習わしです。口上を覚えるのが大変な場合はメモを見ながらでもＯＫ。

服装は準礼装または略礼装が一般的に

結納は、改まった婚約の式。ひと昔前は、服装も格式高い振り袖などの正礼装で行われていましたが、最近では結納そのものが簡略化される傾向なので、服装の格も準礼装または略礼装が一般的になってきています。

男性はブラックスーツかダークスーツを着用し、女性は和装なら訪問着、付け下げ、振り袖など。洋装なら肌の露出の少ないワンピースやスーツでフォーマルな装いを心がけます。

一番大切なのは、服装の格をそろえること。本人同士と両親、男性側と女性側の服装の雰囲気が違う……という事態は避けたいものです。

Pick up

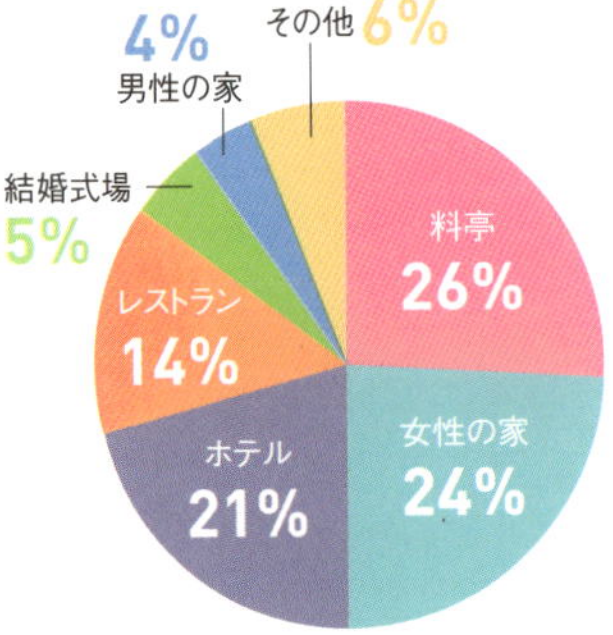

結納の実施会場

料亭が全体の4分の1を占める

結納の実施会場は、料亭が26%で全体の4分の1を占めています。以下、女性の家、ホテル、レストラン、結婚式場、男性の家と続きます。割合としては、それぞれの自宅よりも外で席を設けることのほうが多いようです。

結納の当日の流れ

1 着席

男性側、女性側の順に入室し、所定の位置に結納品を飾ります。本人、両親の順に「よろしくお願いいいたします」とあいさつ。

2 始めのあいさつ

男性の父親があいさつをし、一同礼。

男性の父:「このたびは、○○様と私どもの○○にすばらしいご縁を頂戴し、ありがとうございます。略式ではございますが、結納を納めさせていただきます」。

3 男性側の結納品を女性側に納める

男性の母親が女性の前に結納品を運んで置き、一礼をして席に戻ります。

男性の父:「○○からの結納の品でございます。幾久しくお納めください」。

4 女性側が目録を改める

女性は一礼し、本人、父親、母親の順で目録に目を通したあと、元のように包んで戻します。

女性:「ありがとうございます。幾久しくお受けします」。

5 女性側の受書を男性に渡す

女性の母親が結納品を上座に飾り、受書を男性本人の前に運びます。

女性の父:「○○からの受書でございます。幾久しくお納めください」。

6 女性側の結納品を男性側に納める

女性の母親が結納品を男性の前に運び、一礼します。

女性の父:「○○からの結納の品でございます」。

7 男性側が目録を改める

男性、父親、母親の順に目録に目を通します。

男性:「ありがとうございます。幾久しくお受けします」。

8 男性側からの受書を女性側に渡す

男性の母親が上座結納品を飾り、受書を女性本人の前に運びます。

男性の父:「○○からの受書でございます。幾久しくお納めください」。

9 結びのあいさつ

全員が起立して、最初に男性側の父親、次に女性側の父親があいさつします。

男性の父:男性の父「本日は誠にありがとうございました」。**女性の父:**「こちらこそお世話になりました。今後ともよろしくお願いいたします」。

本人・両親

エンゲージリングが定番

婚約記念品の選び方

婚約の証に贈り合う婚約記念品

婚約記念品とは、婚約の記念に男性から女性へ、女性から男性へと贈り物をして、婚約の記念とするもの。必ず贈るという決まりはありませんが、多くのカップルが贈り物を購入し、男性から女性への贈り物はエンゲージリング（婚約指輪）が定番です。

女性から男性へ贈る場合は、腕時計やスーツが主流のようですが、靴や鞄などの革製品、男性の趣味に合わせてカメラやスポーツ用品、パソコンなども人気です。いずれにしても、人生の節目を記念する品物なので、相手の希望を聞き、長く、大切に使える物を選びましょう。

婚約指輪は品質やデザインを重視して選ぶ

昔から、婚約指輪は給料の3カ月分と聞きますが、実際には30～40万円くらいの指輪を贈る男性が多いようです。女性から男性へ贈る記念品の金額は5～35万円と幅広く、平均は21.5万円とされています。最近では他の費用にまわすために婚約記念品を省略する人も増えてきています。絶対に贈らなければならないものではないので、無理のない範囲で。

婚約指輪は、結婚が決まってから二人で買いに行くケースが多いようです。品質やデザインを重視して、何よりも女性の好みを最優先に考えて決めましょう。

Pick up

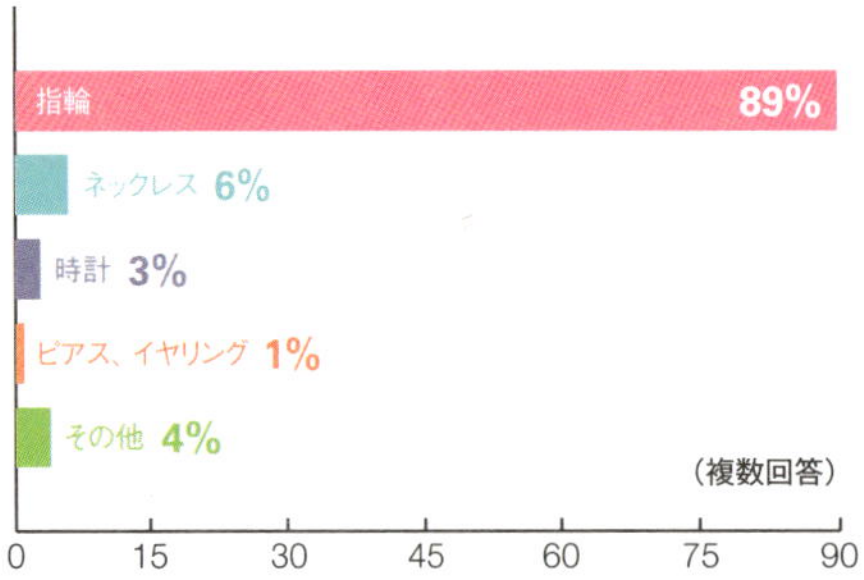

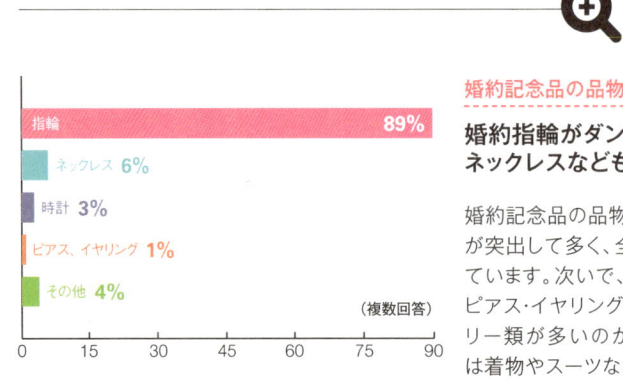

婚約記念品の品物

婚約指輪がダントツの1位。ネックレスなども

婚約記念品の品物は、「婚約指輪」が突出して多く、全体の9割を占めています。次いで、ネックレス、時計、ピアス・イヤリングと続き、アクセサリー類が多いのが特徴。その他には着物やスーツなどが挙げられます。

婚約記念品を交換するタイミング

結納を行う場合は、結納時に記念品を取りかわします。結納品に含める場合は、他の結納品と同様にのしをかけましょう。目録への記載の仕方は両家で話し合います。結納品に入れない場合は、結納後に記念品を贈り合うセレモニーを入れ、その場で披露するとよいでしょう。

　結納をしない時は、記念品の用意が間に合えば、両家が顔合わせの食事会をする時に記念品の交換を行います。また、二人だけの記念食事会をして交換するのもよいでしょう。

　二人の婚約を記念して贈り合う品です。いつまでも思い出に残るよう、場所や雰囲気なども考えましょう。

婚約記念品を省略したい場合は女性から提案を

婚約記念品を省略する場合は、二人の意思がそれで共通しているのなら、「婚約記念品なし」という選択もよいでしょう。ただ、婚約記念品を省略することを男性からいい出すのはマナー違反。省略したい場合は、女性のほうから話しましょう。意思が固まったら、両家の両親にきちんと報告を。

両親

親同士の顔合わせの時に婚約記念品を交換

婚約記念品は、当人同士だけより第三者の前で交換したほうが、よりお互いの責任感が高まり、改まった気持ちになれるもの。できれば結納や親同士の顔合わせの席で交換するようアドバイスを。

Case 3

婚約記念品は二人の希望でダイニングテーブルに

めでたく婚約したのですが、二人そろって「婚約指輪はいらない」という考え方でした。指輪を交換するよりも、これからの新生活に使えるものを婚約記念品にしようと、二人でダイニングテーブルを買ったのですが、両親に報告したらあまりいい顔をされませんでした。やはり親世代的には、婚約指輪を交換してほしかったようです。

Advice

顔合わせの時に目録の交換などの工夫を

婚約記念品は、二人がそれでOKなら問題ありません。家族顔合わせの食事会をする場合は、目録を用意したり購入した物の写真を披露するなど工夫すれば両親も喜び、話題にもなります。せっかくの婚約記念品ですから、思い出に残るような演出を考えましょう。

本人

エンゲージリングの選び方

二人のこだわりと予算に合わせて

婚約を記念するものなので納得いくまで選んで

エンゲージリング（婚約指輪）は、男性から女性への愛の証として贈られるもの。二人でよく相談し、デザインやつけ心地を重視して選びましょう。デザイン、価格共にバラエティに富んでいますが、一番人気はやはりダイヤモンドのリング。宝石の中で最高の硬度と透明度を持ち、だれにも壊すことのできない固い絆とピュアな愛のシンボルといわれています。

金額の相場は、30～40万円。「婚約指輪以外にも、結婚式にお金をかけたいので、予算をおさえめにする」など二人の希望を検討しながらじっくり選びましょう。

既製品の場合は必要なタイミングの3カ月前に

婚約指輪は、必要なタイミングの3カ月くらい前に注文を。最近は、既製品だけでなく、セミオーダー、フルオーダーで好みのエンゲージリングのデザインをお願いすることもできます。仕上がるまで、セミオーダーの場合は1カ月、フルオーダーの場合なら最低2カ月はかかるので注意しましょう。

Pick up

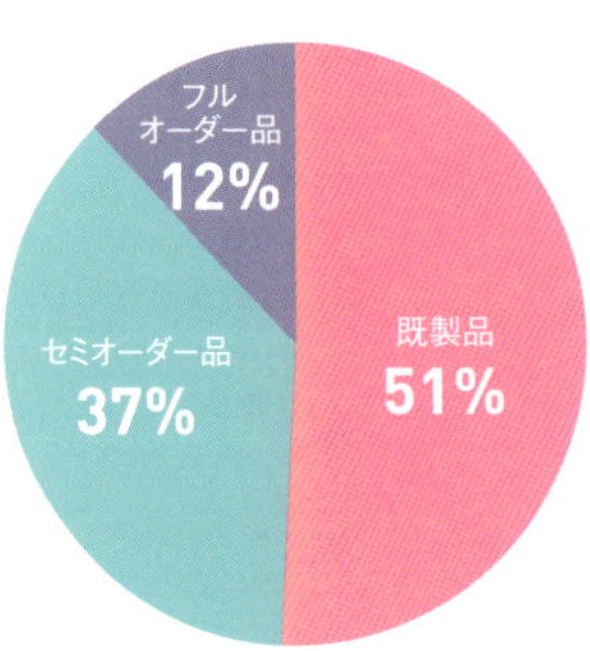

婚約指輪の種類

約半数のカップルが既製品をセレクト

婚約指輪の種類は、約半数のカップルが既製品を選んでいます。セミオーダーが37%、フルオーダーは12%。ちなみに石の種類はダイヤが95%、素材はプラチナが87%。

エンゲージリングのデザイン

ソリテール

最もオーソドックスなタイプ。立て爪でひと粒のダイヤモンドをとめた定番リング。ダイヤの輝きが際立ちます。

メレ付き

センターの石を彩るように、小粒のダイヤをちりばめたタイプ。指先にきらびやかな個性を表現できます。

パヴェ

石畳の意味をもつ「パヴェ」。その名のとおり、小粒のダイヤモンドを敷きつめた豪華なデザインが魅力。

エタニティ

指輪の全周に小粒のダイヤをうめこんだリング。永遠に続く愛を象徴したデザイン。半周の「ハーフエタニティ」も人気。

ダイヤの「4C」はグレードを表す

ダイヤモンドの価値は、4Cで決まります。4Cとは、ダイヤモンドの品質などを評価するための4つの要素（カラット・カット・クラリティ・カラー）のことで、各要素の頭文字に「C」がつくことからそう呼びます。ダイヤモンドを選ぶ際の参考にしましょう。

Check

カラット【Carat】
「大きさ」ではなく「重さ」を表す単位です。1カラット=0.2グラムで重くなればなるほど希少価値が高くなります。

カット【Cut】
ダイヤの形と研磨の状態によって5段階で評価されます。最高はExcellent、エンゲージリングはGood以上を。

クラリティ【Clarity】
クラリティは、「透明度」を表す基準です。キズ・欠け、内包物（インクルージョン）の大きさ・場所・性質などを鑑定して評価が決まります。

カラー【Color】
ダイヤの色を表します。アルファベットで表記され、無色の「D」から始まり茶色味を帯びた「Z」まで格付けされます。Dに近いほうが価値が高くなります。

誕生石をあしらった婚約指輪も人気

エンゲージリングに誕生石をあしらうのも人気です。誕生石にはそれぞれ、「宝石言葉」があります。自分の誕生石を調べてみましょう。

誕生石と宝石言葉

1月	ガーネット	貞操、誠実
2月	アメジスト	真心、純真
3月	アクアマリン	英知、聡明
4月	ダイヤモンド	永遠、純潔
5月	エメラルド	愛、幸福
6月	パール	健康、富、長寿
7月	ルビー	情熱、自由
8月	ペリドット	友愛、夫婦愛
9月	サファイア	真実、正直
10月	オパール	希望、幸福
11月	トパーズ	忠実、友愛
12月	トルコ石	成功、不屈

本人・両親

新しい婚約スタイルとして注目

婚約式と婚約披露パーティ

婚約をお披露目する意味のある婚約式

婚約式はキリスト教徒が神様の前で婚約を誓う儀式で、欧米では一般的なもの。この儀式をモデルに、家族や友人が立会人となって宗教色のない人前婚約式を行うカップルも増えてきています。本人たちが主催する場合と友人が発起人となる場合があり、列席者が証人となり婚約の誓いをかわします。

ホテルやレストランを会場に、婚約式が終わったあとに婚約披露パーティを行うカップルも。決まった形式やしきたりはないので、自由にプランニングできるところが人気です。パーティの進行役は、気心の知れた友人にお願いすると安心です。

婚約宣誓書に二人でサインして婚約を宣言

人前婚約式では、立会人の始まりのあいさつのあと、二人が婚約宣誓書を朗読し、サインと押印をして婚約成立の宣言。婚約記念品の交換を行い、二人のあいさつという流れが一般的です。

（婚約宣誓書の文例）

婚約宣誓書

私たち二人は、どんな時もお互いに助け合いながらこの愛をさらに育み、これからの長い人生を、同じ船に乗って歩んでいこうと決めました。
本日ここに婚約の儀を執り行い、私たちの愛が、永遠であることを固く誓います。

平成○年○月○日

佐藤 健一
岩瀬 裕子

挙式まで日数があるなら婚約通知状を出しても

婚約の1年後に式を挙げるなど、結婚の準備期間に余裕がある場合は、披露宴の招待状を送る予定の人に婚約通知状（左頁参照）を出すとよいでしょう。会社関係の人などには出さず、友人や親戚などごく親しい人に送ります。形式は自由ですが、目上の人には改まった文面で出すのがマナーです。

簡単な食事とお酒を楽しむ婚約披露パーティ

婚約披露パーティは、二人の婚約発表を、お世話になった人や親しい人に食事やお酒を囲みながら、お祝いしてもらうものです。二人の身内や友人達との顔合わせの場としての役割も果たします。

形式は自由でかまいません。行きつけのレストランに招待するのもいいですし、料理の好きな二人なら、クッキングスタジオを借りて、手料理でもてなすのもいいでしょう。アットホームな雰囲気のパーティですので、婚約した二人が主催者となるのが一般的で、両家の両親、兄弟、ごく親しい友人や同僚など比較的少人数を招待します。ホテルやレストランなど会場も自由に選びましょう。

〈婚約披露パーティの進行例〉

1 開会のあいさつ

進行役（友人など）が来場のお礼と始まりの言葉を述べます。

2 二人から婚約発表

自己紹介と、二人のなれそめを話したあと、「私たちは本日婚約いたしました。お互いを信頼し、よりいっそうの愛を育んでいくことを誓います」などと婚約を宣言。

3 記念品の交換

男性は婚約指輪を、女性は男性向けの品物を贈るのが一般的。男性の手で指輪を女性の薬指にはめたあと、男性も受け取った記念品をその場で開けて披露するのが欧米のマナーです。

4 乾杯

年長の友人など、お願いできる人に乾杯の発声をお願いする。

5 食事、歓談

本人たちは会場を回り、飲み物や料理をすすめながら出席者同士を紹介します。

6 二人のあいさつ

本人たちが来場のお礼と挙式の予定などを報告。このタイミングで記念撮影をしても。

7 閉会

（婚約通知状の文例）

○○○○様

拝啓　菊薫る季節を迎え、ますますお健やかにお過ごしのこととお喜び申し上げます。

さて、私どもは、去る九月二十一日、○○○○様ご夫妻にお立ち会いいただき、正式に婚約をいたしました。常日頃から皆様方にもお心をかけていただき、応援をありがとうございます。結婚へ向けて二人の気持ちが固まり、現在、希望に燃えて新生活の準備に勤しんでおります。

皆様からの度重なるお心づかいに感謝申し上げるとともに、ここに婚約をご報告いたします。

なお、挙式は来年三月を予定しております。その折には改めてお知らせ申し上げますので、ぜひご列席賜りますようお願い申し上げます。

今後ともよろしくご指導くださいますよう、合わせてお願い申し上げます。

取り急ぎ、ごあいさつまで。

平成○年○月○日
佐藤 健一
岩瀬 裕子

本人・両親

節度をもって相手家族と交流を

婚約中の過ごし方

婚約期間は相手家族と交流を深めるチャンス

親への結婚の報告、結納や顔合わせ食事会が終わったら、結婚式までの間は「婚約期間」となります。ワクワクするカップルも多いと思いますが、結婚式が近づいてくると準備しなければならないことの多さに疲れたり、結婚準備を手伝ってくれない男性に対して女性がイライラしてしまうことも。そんな時は、ばく然と頼まず、「○○と××、どっちを手伝ってくれる?」など具体的にお願いしましょう。

婚約期間中は相手家族と交流を深めることを心がけて。相手の家に顔を出したり、相手の家の大きな弔事・慶事があったら参加しましょう。

相手の実家に行った時は相手の母親の指示をあおぐ

婚約中、相手の実家に二人で訪れることもあると思います。相手の実家で母親が料理を始めた時など、初回から台所に入り、準備を積極的に手伝われるのは、人によっては抵抗を感じるもの。「何かお手伝いすることはありますか?」など、相手の母親にまずは申し出るようにしましょう。

Case 4

婚約中、彼が両家への連絡をおこたり気まずく

婚約期間中、結婚式の準備をするにあたって二人で役割分担をし、彼が両家への連絡係に。結婚準備の状況をなるべくまめに連絡する予定だったのが、彼の仕事が忙しく、しばらくほったらかしになってしまいました。両親から「準備は大丈夫なの?」と逆に連絡をもらう始末で、両家どころか二人の間も気まずくなってしまいました。

Advice

新婦が新郎をしっかりフォローして

男性は元々あまり報告しないもの。困った時だけでなく、順調にいっている時も女性から上手に「これ、確認してね」などフォローをするようにしましょう。準備の段階でも親を尊重し二人の感謝が伝わるように工夫することが、当日の感動につながります。

職場結婚の場合は公私混同に注意

結婚が決まったら、会社の上司や先輩、同僚などには遅くとも挙式の3カ月くらい前までには知らせましょう。いずれ結婚休暇を取ったり諸々の手続きでお世話になるので、失礼や迷惑にならないように配慮が必要です。二人が同じ職場の場合は、節度と礼儀が大事です。公私混同せず、周りに不愉快な思いをさせたり仕事を進める上で迷惑にならないよう、けじめのある態度を心がけましょう。

相手の親の呼び方は許可が出てから変える

婚約中でも、「お父さん、お母さん」と相手の親を呼ぶのはなれなれしいので、「○○さんのお父さま、お母さま」、または「おじさま」「おばさま」と呼びましょう。親しくなり、先方から「お母さんと呼んでくださいね」などといわれてからにしましょう。また、婚約相手を呼ぶ時も、呼び捨てやニックネームは避け、家族の前では「○○さん」と、名前にさんをつけて呼ぶようにしましょう。

両親

**相手の親と考え方が違う時は
無理に合わせず
子どもを通して希望を伝える**

婚約中、結婚準備にかかわる中で、相手の家と考え方が違うと思った場合は、無理に合わせたり相手の親と直接やり合うとますますこじれるだけです。あくまでも子どもを通してこちらの希望範囲を伝えるよう心がけましょう。

Case 5

**婚約期間中、二人で
外泊続きでひんしゅく**

両家の顔合わせ食事会も無事終わり、婚約気分がますます高まってきた私たち。ついつい気持ちも浮かれてしまい、二人で夜遅くまで出かけたり何度も外泊していたら、彼のお母さんから「はめをはずしすぎなんじゃないの?」とやんわりたしなめられました。「確かに浮かれすぎだったね」と二人で大反省しました。

Advice

**婚約中でも節度ある
行動を心がけて**

すでに同棲している場合を除き、婚約中という環境に甘えて遅くまで外出したり、外泊が増えたりなど相手の親の心証を悪くしてしまうのは大問題。婚約中だからこそ、節度をもって行動し、新しい家族として快く迎え入れてもらいましょう。

本人・両親

婚約解消したくなったら

一人で悩まず、しかるべき人に相談して

婚約解消を決めたら贈り合った品は迅速に返却

一度は婚約を決めたものの、性格が合わない、結婚する自信がなくなった、好きでなくなったなど、結婚への決意がゆらいだ場合は親に相談しましょう。それでも気持ちが変わらない場合は、婚約解消という選択肢もあります。婚約解消の際は、結納品、結納金、婚約記念品など相手から贈られたものすべてを返却します。

挙式・披露宴会場、ハネムーンなどキャンセル料が発生するものは、なるべく早くキャンセルを。仲人を立てていた場合は、双方の両親が仲人宅に出向いてお詫びします。仲人が会社の上司の場合は本人が直接報告しましょう。

お祝いをいただいた相手にもお返しを

披露宴の招待状を送った人からすでにお祝いの品をいただいている場合には、婚約解消を知らせる通知にいただいた品と同額の商品券などを添えてお返しします。新居用の家具などを購入していた場合は、購入した側が引き取るのが一般的です。

両親

子どもの気持ちを第一に考えて

婚約解消について聞かされたら、まずは冷静に耳を傾けて。二人の間の問題が解決できるのか否か、子どもの様子をよく見て最善策を考えましょう。

（婚約解消通知状の文例）

○○様

拝啓　取り急ぎご報告申し上げます。

早春の頃婚約成立のご報告を差し上げておりましたが、このたびやむを得ぬ事情により、婚約を解消することになりました。

温かいご祝福をいただいたにも関わらず、皆様のご厚意にお応えすることができませんことを、心苦しく感じております。

二人で十分に話し合い、お互い納得したうえでの結論でございますので、どうぞご理解くださいますようお願い申し上げます。

今一度お互いの人生を見直し、はじることのないよう努力してまいりますので、今後とも変わらぬお付き合いのほど、宜しくお願い申し上げます。

敬具

平成○年○月○日

○○○

婚約について知らせた人がいたら婚約解消通知状を出してお詫びを

解消の理由にはふれず、お詫びの言葉を添えましょう。差出人は連名でも単独でもOKです。

第二章

挙式＆披露宴のスタイル

挙式はキリスト教式から仏前式、
披露宴はホテルウエディングから
ゲストハウスウエディングまで、
そのスタイルは実にさまざま。
二人だけで決めず、
両親やまわりの人の意見も参考にしながら
思い出に残る式をつくっていきましょう。

本人

挙式&披露宴準備のポイント

イメージを大切に、とことん話し合って

ウエディングコンセプトを明確にしておくとスムーズ

結婚式と披露宴の準備をするにあたり、まず決めたいのが「ウエディングコンセプト」。挙式や披露宴を行うまでには、数多くの選択、決断をしなければなりません。その際、コンセプトが明確になっていると、迷いが少なく、スムーズに決められます。

最初は、どんなウエディングにしたいか、お互いの希望を出し合います。「親への感謝を表したい」「みんなが笑顔になる、にぎやかで明るいものに」「シックで大人っぽくしたい」などなど。そこから、何ができるか思いつくままに挙げ、理想の形が見えてきたら、具体的な準備へと入ります。

準備に余裕をもつなら8カ月～1年前から

準備は、披露宴の会場探しからスタート。二人にとって大切な人達へのお披露目の場ですから、じっくり考えたいものです。余裕をもつなら1年前から準備を。最近は短期で準備する人向けのプランもあるので、会場へ聞いてみて。

検討開始時期は9カ月前が平均

披露宴や披露パーティ会場の検討を始めるのは、平均9カ月前から。会場決定までの期間は平均2カ月となっています。ちなみに二次会の会場決めは、平均5カ月前から始め、1カ月程度で結論を出しています。披露宴も二次会も早めの準備が安心です。

準備の流れ

1 ウエディングコンセプトの決定
二人がどんな式、披露宴にしたいのか、イメージをふくらませながらきちんと話し合う

2 挙式・披露宴スタイルを考える
挙式の形式や、どんなスタイルの披露宴会場にするか、情報収集する

3 予算や親の希望、招待客を確認
かけられる費用、親の希望、誰を招待するかなど、外せないところをしっかり確認

4 優先順位を決める
二人の理想から、ここはゆずれない、というものから順位をつけ、予算と照らし合わせる

5 日取りを決める
自分たちの希望と親の希望、招待客の都合を考慮して決定する

ウエディングコンセプトをスムーズに決めるコツ

自分たちってどんなイメージ？

二人のイメージを反映させた式や披露宴にすると、自分たちらしさが表現できます。和風or洋風、シンプルorゴージャスなど、大きなくくりから、少しずつ細分化してイメージを具体的にしていきましょう。

何にいちばんこだわる？

予算内で最大限満足いく式や披露宴にするためには、こだわるところと妥協できるところを明確にしておくと計画しやすくなります。ドレスや料理、演出、引き出物など、多岐にわたるので一つずつ確認してみて。

結婚式を挙げる理由は？

そもそも、なぜ結婚式を挙げたいのか、理由を考えてみましょう。「周囲に夫婦として認められたい」「一生を共にする気持ちを静粛な場で誓いたい」「ウエディングドレスが着たい」など、お互いの思いを確かめて。

招待客にどう過ごしてほしい？

「個別にコミュニケーションがとれるようにしたい」「一緒に感動してもらえるような時間にしたい」「おいしい料理とお酒も堪能してほしい」など、招いた方にどう過ごしてほしいかのイメージもつかんでおきます。

Case 6

挙式・披露宴の準備中、彼が全然意見を出してこない

両方の両親に結婚の承諾を得て、挙式・披露宴の日にちも決まり、さあ準備！とワクワクしていたのに、アイデアを出すのは私ばかりで彼が意見を出してくれません。プロポーズの時にはとても素敵で頼もしく見えたのに、正直「この人、大丈夫？」と思ってしまいました。男の人ってここまで結婚式に興味がないものとは知りませんでした。

Advice

彼が得意なことをさり気なくお願いする

興味がないのではなく、どう興味を持ったらよいかわからない場合が多いので、「こっちのバラとこっちのユリ、どっちがいい？」など、彼が答えやすいように聞くなど工夫しましょう。また、名簿づくりや動画の作成など、彼が得意なことをお願いするのも◎。

本人・両親

家族や招待客の都合も考慮して

ウエディングの日取り

日取りの決定は参列者への配慮も

媒酌人（仲人）を立てる場合は、まずその方の都合を聞きます。演出や手づくりにこだわりたいなら、スケジュールに余裕をもって。忙しい二人なら、短期間で効率よくスケジュールを立てましょう。

仕事の繁忙期である決算期や年度末、あわただしい年末年始は避けるのが無難。招待客に負担のない、比較的出席しやすい日を設定します。ゴールデンウィークや夏休みといった連休時期も、旅行などのレジャー計画をする人が多いので、子どもをもつ人が招待客の多数を占めるなら、その時期は避ける配慮が必要です。

気候のよい春や秋、大安希望なら早めの予約を

挙式シーズンで人気なのは、気候のよい春と秋。吉日とされる大安で休日だと、予約が取りにくく、1年前に埋まってしまうこともあるので、日取りにこだわる人は早めに予約しましょう。本人や親がこだわらなければ夏場や仏滅などの予約が取りやすい、お得なプランをチェックして。

Pick up

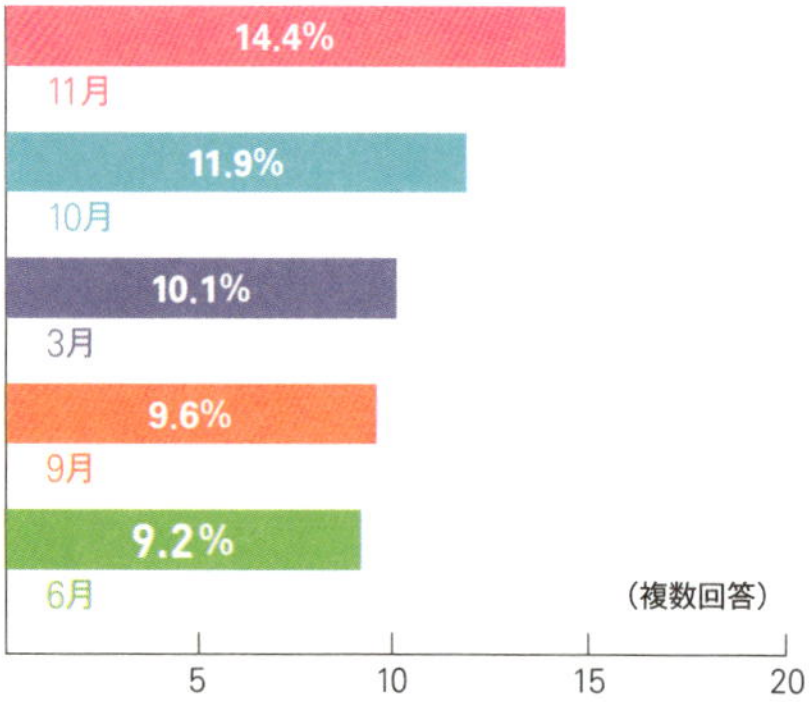

挙式を実施した月

晴天日が多い 10～11月が人気

一番人気は11月で14.4%。次いで10月が11.9%。からっとした晴天が続くこの時季が好まれるようです。逆に実施日が一番少ないのはやはりお正月休みのある1月。お盆休みがあり、暑さが厳しい8月も敬遠されています。

ウエディングの日取りを決めるポイント

オンシーズンの春・秋か お得な夏・冬か

穏やかな天候の春と秋は、屋外での演出も快適に過ごせる結婚式のオンシーズン。ただし大安の休日ともなると、予約が集中します。暑い夏、寒い冬は招待客への配慮が必要ですが、予約しやすく費用も安めです。

吉日とされる大安か こだわらずに仏滅か

昔から、結婚式といえば六曜でいう大安に挙げるのがよいといわれ、現代でも人気ですが、あくまで風習。こだわらなければ候補日が増やせます。ただし親の了解をとることを忘れずに。

お得な平日プランも 選択肢としてあり

仕事の都合で休日より平日のほうがよく、招待客も参加可能なケースなら、「平日プラン」がおすすめ。休日に挙げるより、グッとお得な価格設定です。金曜夜のタイミングなら、会社帰りの人も出席できます。しかし参列できる人が限られてくるのも忘れずに。

ナイトウエディングは 夜間ならではの演出が

夜景がきれいな会場でのナイトウエディング。キャンドルをふんだんに使ってロマンチックな雰囲気にするなど、日中とはひと味違う演出は、出席者にも喜んでもらえそうです。遠方から足を運ぶ人の帰りの時間や宿泊する場所の確認は必須。

両親

希望は伝えても無理強いはしないこと

特別な日だけに、日取りにこだわる親の気持ちもあるでしょうが、予算など含めて事情があるもの。主役はあくまで結婚する二人。親の希望は伝えても、無理強いはせず、最終判断は任せましょう。

ジューンブライドが注目されるわけ

ギリシャ神話に登場する結婚・出産を司る女神ＪＵＮＯ（ユノ）が守護する月が6月であることから、この月に結婚すると幸せになれるという言い伝えが、「ジューンブライド」の由来。日本でも6月に結婚式を挙げる人が少なくありません。

本人

情報収集のポイント

必要な情報を効率よく集めたい

ツールを使い分けながら必要な情報を入手して

ウエディングのイメージづくりに欠かせないのが情報収集。ツールを使い分けながら、必要な情報を手に入れて。

インターネットは便利ですが、それだけに頼らずに、会場見学やブライダルフェアに行って直接目で確かめましょう。マナーやしきたりなどは書籍などで確認しておくと安心です。

結婚情報誌は式場・会場の写真がふんだんに掲載されていて、最近人気のものを比較検討するのに役立ちます。

経験者の生の声を聞くのも、とても参考になるものです。どんな結婚式をしたのか聞いてみるとよいでしょう。

情報はここから入手

結婚情報誌

式場やプランはもちろんのこと、ドレスや指輪、式や披露宴の演出など、ウエディングにまつわるさまざまな情報を網羅。高級志向のカップル向けや、大人ウエディング、地域限定のものもあるので、自分達に合ったものを探してみて。

書籍

結婚するにあたっての心構えから準備の流れ、マナーやしきたりといった、押さえておきたいポイントをまとめた本は役に立ちます。一冊手元に置き、不明な点が出てきたらその都度調べるようにすると安心です。

経験者

実際に出席して、よかったと思う式があったなら、ぜひ本人に直接話を聞き、相談にのってもらいましょう。本番までどのように進めたか、反省する点はどこかといった経験者の声は、とても参考になるものです。

インターネット

情報量の多さと、検索してすぐに情報が得られる便利さはダントツ。結婚情報誌のサイトや、ウエディングにまつわる総合サイトもあるので、漠然としていてどこから手をつけてよいかわからない、という時はチェックしてみて。

ブライダルフェア

本番さながらの模擬挙式や模擬披露宴を体験でき、ドレスの試着や試食会を行うところも多数。多くが無料で、挙式のイメージがつかめるのが魅力。

会場見学

ブライダルフェアに参加するほどではないけれど気になる、という会場は見学を。事前連絡すれば、スタッフがついて、丁寧に説明してくれます。

ブライダルフェアに行ってみよう！

模擬挙式・模擬披露宴

本番の流れや演出、飾りつけのようすなどがわかります。

試食会

味だけでなく、盛りつけやボリュームなどもチェック（有料の場合も）。

ドレスの試着

ドレスは、気に入ったデザインを探して試着を。

テーブルコーディネート

テーブルクロスにナプキン、食器類、装花など、実際に見ることができます。

相談コーナー

気になる点やわからないことがあったら、担当者にどんどん聞いて。

式や披露宴のようすがよくわかる

会場候補が決まったら、ブライダルフェアにぜひ参加を。館内の見学だけでなく、模擬挙式や模擬披露宴を体験でき、本番のようすが具体的にわかります。土日に開催しているところが多いですが、平日の夜に開催する場合も。会場のホームページなどで調べ、予約をしてから参加します。

Check

当日持参するもの

あらかじめ下調べしてどのように回るか計画しておきましょう。当日は以下のものを持参しましょう。

- □デジタルカメラ、ビデオ
- □メモ用紙、ペン
- □他会場の見積書
- □確認したいことリスト

本人

挙式スタイル① 神前式

和婚ブームや晩婚化で高まる人気

日本の様式美 神前式人気が再燃

神道の儀式の進行に基づく神前式は、古くからあるように思われますが、実は形式化したのは大正天皇の結婚式から。白無垢や綿帽子といった日本古来の花嫁衣装を身につけ、おごそかな雰囲気の中で進行する神前式は、和婚ブームを受けて人気が高まっています。

神前式では「三献《さんこん》の儀（三々九度の杯）」や「誓詞奏上《せいしそうじょう》」「玉串奉奠《たまぐしほうてん》」などの儀式、親族同士の縁を結ぶための「親族杯の儀」が執り行われるなど、神聖で静粛な雰囲気が特徴。ホテルや結婚式場の神殿で行うことが多いですが、格式の高い神社での挙式も人気です。

場所によっては招待客も参加できる

以前は参列できるのは親族のみというところが多かったようですが、最近は収容人数さえ許せば友人知人も参列できるところが増えています。神社で、支度部屋から本殿まで朱《あか》い傘の下を歩く花嫁と新郎・親族の花嫁道中（参進《さんしん》といいます）は憧れの的。古きよき日本の伝統を、大切な結婚式で体現するのも一生の思い出になります。

Case 7

彼が全くお酒を飲めず、式の時に心配

神前式に憧れて決めたはいいものの、彼は全くお酒が飲めない人。アルコールを受け付けない体質で、ひと口飲んだだけでも顔が真っ赤になりフラフラしてしまいます。神前式では「三献の儀」があってお神酒《みき》をいただくと知り、心配になりました。

Advice

式場のスタッフに事前に伝えておこう

お酒を飲めない人が無理をして本当に回数分飲んだらグラッときてしまうかもしれません。式場のスタッフに、事前に新郎は全くお酒が飲めないことをしっかりと伝えておけば、お酒の代わりにお水にしてくれたり飲む真似をするだけにしてくれたりなど、配慮してくれるはずです。

神前式の流れ

1 入場

巫女に先導され、新郎新婦、媒酌人夫妻（仲人）、両親、親族の順番で入場。最後に斎主（神主）が入場して式が開始。

2 修祓《しゅばつ》の儀

斎主が祓詞《はらいことば》を唱え、大麻《おおぬさ》を振って穢《けが》れを取り除きます。一同頭を下げて、お祓いを受けます。

3 祝詞《のりと》奏上《そうじょう》

斎主が神様に結婚の報告をし、ご加護と幸せを願います。読み上げられる祝詞を一同頭を下げて拝聴します。

4 三献《さんこん》の儀（三々九度の杯）

小、中、大の順で三つの杯にお神酒を注ぎ、飲み交わします。

5 誓詞《せいし》奏上

新郎新婦が神前に進み、紙に書かれた誓いの言葉を読み上げます。

6 玉串奉奠《たまぐしほうてん》

神様と先祖からの恵みに感謝し、これからの幸せな家庭生活への願いを玉串に託してお供えします。新郎新婦が終わったら、媒酌人、親族代表の順に玉串を捧げます。

Point!

神社によっては雅楽の生演奏や巫女による舞を披露してくれたり、ウエディングドレスで挙式できるところもあります。細かなリクエストは遠慮せずに相談しましょう。

7 指輪の交換

新郎、新婦の順番に結婚指輪を交換します。

8 親族杯の儀

両家の縁を結ぶための杯の交換です。両親や親族全員がお神酒を三口で飲み干します。

9 退場

斎主が挙式の終了を述べ、一同が神前に一礼します。斎主の後に続いて、入場と同じように新郎新婦、媒酌人夫妻（仲人）、両親、親族の順番で退場。

挙式スタイル② キリスト教式

挙式の60%を占める結婚式の王道

5人に3人が選ぶ憧れのドレス姿

芸能人やイギリス王室の美しいウエディングドレス姿に憧れ、１９８０年頃から増え始めたキリスト教式は、現在では60%を占め、挙式の主流となっています。うやうやしく父と歩くバージンロード、裾の長いドレスとヴェールなど女性にとって魅力たっぷりで、結婚式の王道といってもよいでしょう。

多くはホテルや専門式場のチャペルで行われますが、一般の教会でも式を挙げることができます。カトリックでは新郎新婦のどちらかが信者である必要がありますが、挙式前に礼拝や結婚講座に参加することなどを条件に、挙式可能になる教会もあります。

多くの人に祝福される喜びのウエディング

会場の収容人数が許せば、友人や知人まで招待客全てが結婚式に参列でき、より多くの人に祝福してもらえるのも特徴の一つ。フラワーシャワーやブーケトスなど招待客が参加できる演出も多く、大勢の人に祝福してもらえる喜びもキリスト教式の魅力です。

Pick up

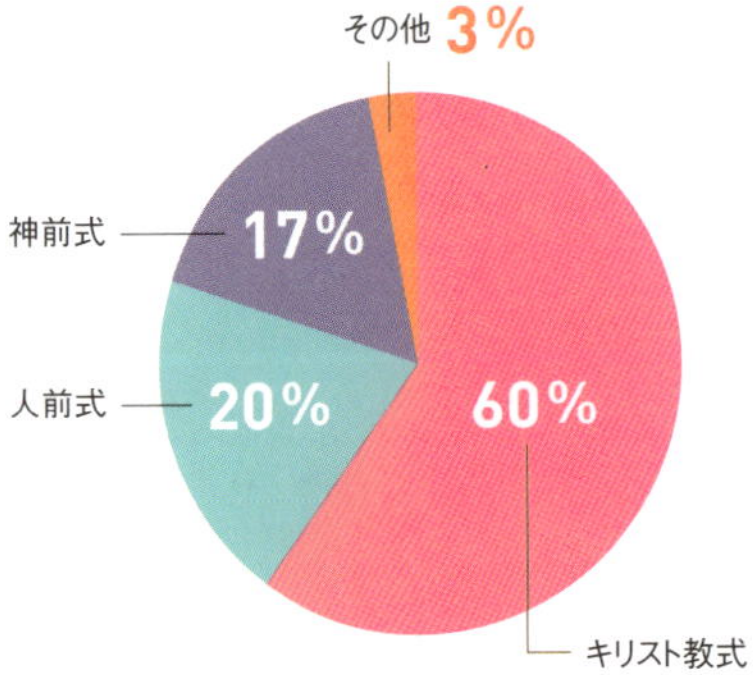

挙式のスタイルは

全体の6割がキリスト教式。人前式、神前式と続く

首都圏では依然としてキリスト教式の人気は高く60%、つまり5人に3人がウエディングドレスで挙式をしていることに。アットホームな人前式も根強い支持が。厳かな神前式も和婚ブームの影響で人気急上昇です。

キリスト教式の流れ

※プロテスタントの一般的な式次第です。宗派や式場によって流れは異なります。

1 参列者入場

親族や友人など参列者が入場し新婦側は左側、新郎側は右側に、バージンロード沿いの席が空かないように詰めて着席します。入場する時にはバージンロードを踏まないように注意。

2 牧師と新郎が入場

牧師の後について新郎が入場します。聖壇に向かって右側に立ち、入口側を向いて新婦の入場を待ちます。

3 開式の辞

牧師が開式を宣言します。

4 新婦入場

新婦父（もしくは親族）の腕に新婦が右手をかけ、左手にはブーケを持って入場します。聖壇の左側に到着したら、新郎は新婦父から新婦の手を受け取り、新郎新婦が並んで聖壇へ。

5 讃美歌斉唱

新郎父が席に戻ったタイミングで全員が起立し、讃美歌を斉唱します。

6 聖書朗読・祈祷

着席したら、牧師が結婚にふさわしい聖書の一説を朗読し、祈りを捧げます。参列者は静かに拝聴します。

7 誓約

牧師から新郎新婦それぞれに誓約を問います。それに対し新郎、新婦の順で「誓います」と答えます。

8 指輪の交換

婚姻の約束として、新郎から新婦、新婦から新郎の順でお互いの左手薬指に指輪をはめます。

9 ヴェールアップ

二人の間には隔てるものがないことを表すため、新郎が新婦の顔にかかっているヴェールをあげ、誓いのキスをします。

10 結婚宣言

新郎新婦が二人で並んで参列者のほうに向き直ります。その後牧師が二人の結婚を宣言し、二人へ神の祝福を祈ります。

11 結婚誓約書（結婚証明書）に署名

新郎、新婦、牧師（もしくは証人）の順で結婚誓約書（もしくは証明書）に署名します。

12 讃美歌斉唱

全員が起立し、結婚成立を祝う讃美歌を斉唱します。牧師が祈りを捧げ、二人が夫婦になったことを神様に報告します。

13 新郎新婦退場・閉式の辞

新郎新婦は腕を組んで退場し、牧師が式が終わったことを宣言します。

本人

カジュアルで自由な形式が人気

挙式スタイル③ 人前式

二人の思いを盛り込み ユニークでオリジナルな式を

親や親族、友人達など参列者の前で結婚を誓う「人前式」は、形式にとらわれず新郎新婦の思いどおりの演出が可能な挙式スタイル。レストランやホテル、式場でも行うことができ、招待客も二人の会社の同僚や友人の割合が多い傾向があるようです。

演出を詰め込みすぎず、かつ簡素になりすぎないように、人前式になじみのない年配者にも楽しめる工夫が必要です。司会進行は友人に頼んでも、新郎新婦自身が行ってもＯＫ。自由な式次第ですが、誓いの言葉や指輪の交換など基本的なセレモニー要素は盛り込むようにしましょう。

参列者と一緒に楽しむ 演出を取り入れて

参列者も巻き込んだ和気あいあいとした演出が可能な人前式では、キャンドルリレーや、指輪交換の時に指輪をリボンに通し、参列者から新郎新婦に渡すリングリレー、全員で一緒に風船を空へ飛ばすバルーンリリースなど、皆で一緒に楽しめるような演出を加えてみましょう。

ちょっと変わった場所での挙式を考えているなら、専門のプロデュース会社に依頼するのも手。準備から当日まで自分たちで動くことが多い人前式では、手伝ってくれる会社や友人を確保するのも式を成功させる秘訣です。ただし、あれもこれもと欲張りすぎには注意を。

Case 8

二人ですべて準備しようとしたら大変なことに

自由なスタイルの人前式に魅力を感じ、「せっかくの機会なのでゼロから自分たちだけで準備を進めよう」と盛り上がりました。ところが、いざ二人で準備を始めてみたら、演出のアイデアはありきたりなものしか浮かばないし、予算の立て方もわからないし、時間はどんどん過ぎていくしで大変！　すべてを二人だけで準備するには無理があると気づきました。

Advice

すでにあるものを基本にアレンジする発想で

候補の会場の担当者にひな形やこれまでの進行事例がないか聞きましょう。一からつくるのが大変だと思ったら、すでにあるものを基本にアレンジを。そこに何か自分達らしさを一つ取り入れるだけでも特徴が出せます。

人前式の一般的な流れ

1 新郎新婦入場

新郎、新婦の順で入場します。二人で入場したり、両親と入場する場合も。

2 開会の言葉

式の進行役が結婚式の開会を宣言し、新郎新婦の紹介をします。

3 誓いの言葉の朗読

事前に考えた二人の誓いの言葉を読み上げます。

4 指輪の交換

新郎、新婦の順に指輪を交換します。

5 結婚誓約書や婚姻届にサイン

新郎、新婦の順にサインします。その後、立会人や両親などに署名してもらいます。

6 結婚成立の宣言

進行役（または立会人）が結婚が成立したことを宣言します。参列者の拍手をもって結婚が承認されます。

7 新郎新婦のあいさつ

新郎新婦から参列者や両親にあいさつをします。両親への花束贈呈のセレモニーを入れることも可能です。

8 閉式の言葉

進行役が閉会を宣言します。

9 退場

新郎新婦が退場します。

Point 1

二人のこだわりが詰まったオリジナルの式になればなるほど、打ち合わせやリハーサルが重要になります。当日の進行がスムーズに行えるように周到な準備を心がけて。

Point 2

演出に凝って長すぎる式も、シンプルで短かすぎる式も困ります。20〜30分程度を目安に考えましょう。

（新郎新婦　誓いの言葉の文例）

私達二人は、本日ご参列いただいた皆様の立会いのもと、結婚することをここに誓います。本日より心を一つに助け合い、楽しいことも苦しいことも分かち合って、笑顔があふれる温かい家庭を築いていきます。
皆様、これからの私達のことを、結婚宣誓の証人として見守り続けてくださいますよう、お願いいたします。

平成○年○月○日
新郎 山本雄也　新婦 はるか

本人

ご先祖様への感謝と家族の絆を大切に

挙式スタイル④ 仏前式

菩提寺や所縁のあるお寺で仏様と先祖に結婚を報告

仏前式とは、二人を結びつけてくれた先祖からの縁に感謝し、仏様に結婚を報告する式のこと。菩提寺の本堂や、自宅に僧侶を招いて仏壇の前で行うことが多い仏前式は、新郎新婦のどちらか（または二人）の宗派の形式で行うのが一般的です。

特徴は、念珠《ねんじゅ》（数珠《じゅず》）の交換やお焼香が行われること、親族のみの列席などが挙げられます。菩提寺でなくても結婚式対応をしているところなら挙式が可能なので、問い合わせてみましょう。ホテルや専門式場で対応してくれるところは少ないですが、一度相談してみるのも手です。

仏前式の重要アイテム念珠でお互いを許し合う

神様の前で結婚を誓う他の挙式とは違い、仏様に結婚報告をする仏前式では、両家のご先祖さまへの感謝の気持ちと家族の絆を大切にします。仏教では二人が出会ったのは偶然ではなく、前世からの深い縁によるものと考えられています。

また仏前式にとって大切なアイテムである念珠は、人間だれしもがもつ煩悩の数、１０８つの玉が連なったもの。仏前に供えられた念珠を僧侶が新郎新婦へ与えるのは、「お互いの煩悩を認め合って許し合いながら生きなさい」という僧侶からのメッセージなのだそう。心して受け取りましょう。

仏前に似合う和装ウエディングドレスでも可

仏前式の衣装は、新婦は白無垢に綿帽子（または角隠し）、新郎は紋付袴が主流ですが、ウエディングドレスやタキシードでも可能です。参列者の服装も自由ですが、念珠は必ず持参してもらいましょう。仏前式では焼香をするので服にお香の香りがついてしまうことも。香りの強い香水などは控えたほうがよいでしょう。

お寺や自宅で行うことが多い式のため、結婚式の費用に衣装代は含まれていないので、衣装の手配や準備は自分たちで行うのが基本です。着物やドレスはもちろんのこと、アクセサリー類などの小物も忘れずに。

仏前式の一般的な流れ

1 列席者と新郎新婦の入堂

新郎新婦の両親、親族がお堂に入堂します。ご本尊に向かって右側が新郎親族、左側が新婦親族になります。次に新郎新婦、媒酌人夫婦が入堂します。

2 僧侶の入堂

僧侶(司婚者《しこんしゃ》)が入堂して焼香。一同は合掌します。

3 啓白文朗読《けいびゃくもん》

これから結婚式を執り行うことを宣言し、新郎新婦の幸せを祈る啓白文を読み上げます。

4 念珠授与

僧侶が仏前に供えた二つの念珠を二人に授けます。新郎新婦は左手の親指以外の4本指にかけて合掌します。

5 司婚の辞

僧侶が「司婚の辞」を読み上げ、新郎新婦は僧侶の問いかけに答える形で結婚を誓います。

6 新郎新婦の焼香

左手に念珠をかけて新郎、新婦の順で焼香し、二人の結婚生活を仏様が見守ってくださるようにお願いします。

7 聖杯《せいはい》

新婦、新郎、再び新婦の順に、神前式の三々九度の杯と同じ要領でお酒を飲み干します。

Point 1

仏前式でも指輪交換のセレモニーを加えることが可能です。その場合は「司婚の辞」の前に行うようにします。

Point 2

仏前式の進行や形式は、宗派によって多少異なります。新郎新婦の宗派が違う場合は、原則として新郎の宗派に従いましょう。

8 親族固めの杯

新郎新婦に続いて親族も聖杯を行い両家が親族になったことを誓います。

9 法話

僧侶が二人の門出を祝って祝福の説話をお話しします。

10 退堂

全員が起立し合掌礼拝をしたら、まず僧侶が退堂します。次に新郎新婦、媒酌人夫妻、両親、親族の順にお堂から退堂します。

本人・両親

その国独特の文化や景色の中で式を

挙式スタイル⑤ 海外挙式

挙式可能な国が増え さらに魅力的に

海外挙式の魅力は、親族や親しい友人だけに囲まれリラックスした雰囲気、新婚旅行とかねられる便利さ、何よりその国独特の文化や景色の中で式を挙げられること。人気のハワイやヨーロッパに加え、民族衣装を着られるバリ島やモンゴルなど、挙式を受け入れてくれる国が少しずつ増えてきています。

海外挙式にはブレッシングとリーガルの2種類のスタイルがあります。ブレッシングはキリスト教信者でないカップルが教会やチャペルで祝福を受けるもので、日本で入籍ずみであることが前提。リーガルは現地の法律に沿って行われる式で、戸籍に挙式した国名を残すことができます。ただ挙式前に現地で手続きが必要なこと、日本国内で未入籍であることが条件です。

余裕あるスケジュールで 手配はプロにお任せして

海外挙式の手配は専門業者や旅行代理店が代行してくれますが、会社によって得意・不得意なエリアがあるので事前に調べてから連絡しましょう。事前に式場の下見や現地のレンタルドレスなどの試着もできないので、手配会社との打ち合わせや情報共有が重要になります。余裕をもったスケジュールを心がけ、できれば8カ月前、最低でも半年前から準備しましょう。

まず始めに両親や 親族への相談を

海外挙式を希望する場合は、まず最初に両親に相談し承諾を得ましょう。両親の費用は新郎新婦が負担し、他の親族や友人はそれぞれ負担してもらうのが一般的です。

両親

招待する親族には 親から連絡するように

海外挙式をする場合はとくに、招待する人は、二人と一緒に考えます。費用の負担額、ホテルなどの手配はだれがするのかなどを決めてから、招待する親族に親が声をかけて。

海外挙式の人気エリア

1位 ハワイ (58.4%)

自然に恵まれた美しいリゾート地であり、日本語が通じる安心感もあるハワイは、挙式後の新婚旅行もかねて選ばれることが多いよう。毎年多くの挙式を経験していることから、現地コーディネイターも手慣れていてスムーズ。選択肢も多く、理想のウエディングが叶います。

2位 グアム (20.4%)

日本から約4時間で到着し、時差も1時間というグアムは、年配者や子どもへの負担が少ないことから人気。「仕事に忙しい友人たちも参加してもらいやすい」など、気軽な海外挙式として選ばれているようです。

3位 ヨーロッパ (8.9%)

長期の休みを取らないとなかなか行けないヨーロッパは、「挙式&新婚旅行だからこそ」と選ばれる場所。由緒ある教会や憧れのお城での挙式は、一生の思い出になります。人気はパリ、フィレンツェ、ローマなど。

4位 アジア (ビーチを含む) (5.6%)

王道のリゾートでは満足できないというカップルに選ばれるアジアンリゾート。またモンゴルやバリ島などでは、民族衣装での挙式も人気があります。

5位 オーストラリア・ニュージーランド (1.8%)

時差が少なく、日本を夜発→オセアニア朝着なので時間を有効に利用できるのも利点。1年のうち300日が快晴で天候の心配も少なくてすみます。

Case 9

飛行機が突然欠航になってしまってヒヤヒヤ

二人の思い出の地、ハワイで式を挙げました。ところが、いざ空港に行ってみると、機材トラブルが原因でフライトが欠航になってしまったんです。親族も行く予定だったので全員で大慌て。何とか次の便に乗ることができ、挙式は無事に挙げることができましたが、心臓に悪いハプニングでした。挙式が翌日だったら完全にアウトだったと思うと……。

Advice

渡航スケジュールには余裕をもって

事前に打ち合わせしていたとしても、何が起こるかわからないのが海外挙式。飛行機が欠航した場合、カウンターで相談し、代わりの便をなるべく早めに手配してもらいましょう。現地到着2、3日後に挙式を設定するのがおすすめです。

本人

個性的な場所で思い出に残る式を

挙式スタイル⑥ その他

水族館や美術館、テーマパークで行う挙式も

ホテルや結婚式場で挙式を行うのではなく、個性的な場所を挙式の会場に選ぶカップルも増えてきています。水族館や美術館、遊園地やテーマパークなど、二人の思い出の場所や、豪華客船やクルーザーで行う船上結婚式の他、富士山の山頂にある富士山本宮浅間大社で挙げる結婚式、日本国内の世界遺産で挙式をする世界遺産ウエディングや、スキューバダイビングの装備で水中結婚式を挙げるカップルもいるようです。

このような個性的な式は、専門のプロデュース会社に依頼し早めに準備を始めましょう。

個性的な場所だからこそ入念な準備が必要

個性的な会場で挙式を挙げる場合、大切なのは、準備を始める前に必ず両家の親に了解を得ること。自分達の思いばかりを主張せず、両親の意見にも耳を傾けながら準備することが大切です。

普段はなかなか結婚式が行われないような会場ですので、準備期間は通常の挙式よりも長くかかることが多いです。早め早めの準備に加え、招待客が気持ちよく過ごすことができるように配慮しながら計画しましょう。屋外の場合は悪天候の場合に加えて暑さ、寒さの対応策もしっかり練っておくと安心です。

Case 10

費用も高く、両親にも反対され空中結婚式を断念

共通の趣味のスカイダイビングをきっかけに結婚した私達。大空で新郎新婦が結婚を誓い合う「空中結婚式」にチャレンジしたかったのですが、保険に加入しなければならず通常の予算よりかなり割高に。両親や親族にも反対され、結局断念しました。結婚式は自分達の思いだけで挙げられないことを、身をもって感じました。

Advice

両親の意見も聞いて準備を始めよう

個性的な場所で行う挙式は、親世代の中には抵抗を感じる人もいるので、まずは親の承諾を得ることから始めましょう。反対されたら変更するなど柔軟な姿勢で臨むことが大切です。

個性的な挙式ができる会場

クルーズ

潮風に吹かれて贅沢に。演出オプションもさまざま

豪華客船やクルーザーを貸し切った挙式・披露宴。潮風を受けゴージャスなひと時を過ごせます。船長に二人の結婚を承認してもらうセレモニーも。

水族館

ホテルでの披露宴とセットになるプランも

ペンギンが招待客を出迎えるウェルカムペンギンやイルカショーなど水族館ならではの演出が可能。水族館のトンネルを使ったアクアリウムウエディングも人気です。

テーマパーク

二人の思い出の場所で挙げる結婚式

大好きなキャラクターに祝福してもらえたり、パーク内を馬車でパレードしたりなど、新郎新婦の憧れを実現。夢の国の主人公気分を味わえます。

美術館

敷地内のテラスやガーデンが会場になる

美術館内での挙式と敷地内での披露宴が可能なところが多く、美術館ならではの独特な雰囲気を楽しめます。待ち時間に美術鑑賞できる場合も。

国内リゾート地での挙式も人気

沖縄や北海道での挙式が人気

海外挙式と同様、非日常的なロケーションが魅力の国内リゾート挙式。とくに沖縄、北海道が人気で、軽井沢、那須、箱根、伊豆など豊かな自然の中での挙式も好評です。前泊してゆっくり準備できる2泊3日のプランで挙げるカップルが多数。

招待客の交通費や宿泊費の負担を事前に検討して

観光しながら両家の親睦を深める絶好の機会となりますが、招待客の交通費や宿泊費などの費用負担は両家で事前にしっかりと話し合っておきましょう。引き出物は帰りに荷物が負担になるので挙式後に発送するのが一般的。

Check

準備のポイント

- □地域のベストシーズンを探して時期を決める
- □現地を下見し情報収集はしっかり行う
- □会場との連絡は電話やメールでまめに行う
- □招待客の費用負担について両家で話し合う
- □招待客には事前に打診してから招待状を送る

本人

トータルサービスのよさで人気

披露宴スタイル① ホテル

一流のもてなしで招待客も安心して過ごせる

さまざまな宴会場をそろえ、キリスト教式や神前式、人前式とどんな式にも対応可能。いろいろニーズに応えてくれる「おもてなしのプロ」がそろったホテルでのウエディングは、新郎新婦はもとより、招待客の信頼も高く、安心感があります。料金が他と比べて高めですが、人生の一大イベントの日にそれに見合ったサービスが受けられると思えば納得できます。とくに格式を重んじる場合には、ホテルでのウエディングがおすすめ。アクセスがよく、宿泊できるので遠方の方も招待しやすく、新郎新婦の宿泊特典がつく場合もあります。

設備が充実していてどんな状況にも即対応

ホテルならば、広々としたラウンジやロビー、クローク、駐車場など設備が充実しています。ゲスト用の控え室や、きれいな化粧室を多数備えているので、ゲストも快適に過ごせます。予定外のことが起きても、スマートに対応してくれるので、安心です。

Pick up

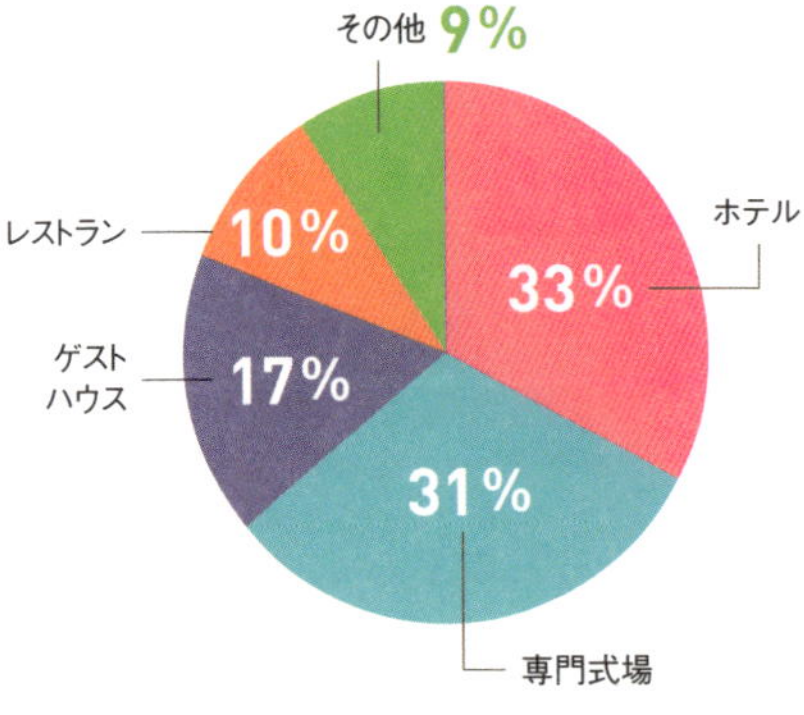

披露宴の実施会場

ホテル、専門式場がダントツ人気

ここ数年、披露宴会場として選ばれるのは、ホテルと結婚専門式場がともに約3割でツートップ。きちんとした会場を備え、挙式と披露宴両方を滞りなく行えるのが人気の理由です。次いでゲストハウス、レストランの順となっています。

ホテルでの披露宴

おすすめポイント

- ●挙式スタイルが選べる
- ●宿泊できる
- ●格調高い雰囲気を出せる

メリット

チャペルや神殿がある

キリスト教式や神前式、人前式のようなスタイルの挙式も可能です。敷地の一角にチャペルや神殿があるところも。

お得に宿泊

新郎新婦は宿泊無料、ゲストは割引ありといった特典がつくところが多い。会場と宿泊先が同じだと、招待客も安心。

格調高いウエディングが可能

有名ホテルでのウエディングは格調高く、サービスも一流でとくに年配者の満足度大。クロークやゲストルームなど設備も充実。

デメリット

料金設定が高め

立地がよく、きめ細やかなサービスを提供するため、高めの料金設定。見積もり時にきちんと確認を。

持ち込み料がかかる

衣装や引き出物など、自分達で選んだ物を持ち込む場合、プラン外なので持ち込み料が発生することがほとんどです。

大安吉日は予約が取りにくい

ホテルウエディングは人気があるため、大安吉日は予約が集中。早めに押さえておくことが必要です。

Case 11

吉日の大混雑で披露宴が慌ただしく

憧れのホテルでの披露宴を予約し、準備も万端、当日を楽しみにしていたのに、ふたをあけてみたら吉日のその日は他に結婚式を挙げるカップルが何組も。時間帯はずれていたのですが、明らかに結婚式の招待客と思われる人があふれていて大混雑。披露宴の前後は、新郎新婦はもちろん招待客も慌ただしい雰囲気になってしまったのが残念でした。

Advice

自分たちの優先順位を決めることが大切

日取りは自分たちの優先順位を決めてから検討しましょう。吉日が両親にとって大切なことなら、それも親孝行。希望する曜日や時間帯、六曜の時にその会場を訪れてみて混雑具合を確認してみるのもよいでしょう。

本人

その道のプロがしっかりサポート

披露宴スタイル② 専門式場

ノウハウがあるので安心して任せられる

ウエディングのための会場だけに、知識と豊富な経験で頼りになる存在の専門式場は、ホテル同様の人気の高さ。施設から内装、調度品に至るまでウエディング仕様なので、ゲストも館内に一歩入ったところから気分が盛り上がります。挙式から披露宴まで、主役の二人を輝かせるための演出も考え抜かれています。ノウハウがあってすべてお任せにできるので、忙しいカップル向きともいえそう。規模にかかわらず、さまざまなパックプランがあり、専門スタッフが親身に相談にのってくれるので、準備の時間がない場合も安心して進められます。

ロケーションがよい式場が多い

ウエディングに特化しているため、撮影ポイントとなるような美しいロケーションをもつ式場が多数。しっとり落ち着いた日本庭園や、白いドレスが映える芝生やバラを植えたガーデン、リゾート感のあるプールなど、式場により特徴があります。

Pick up

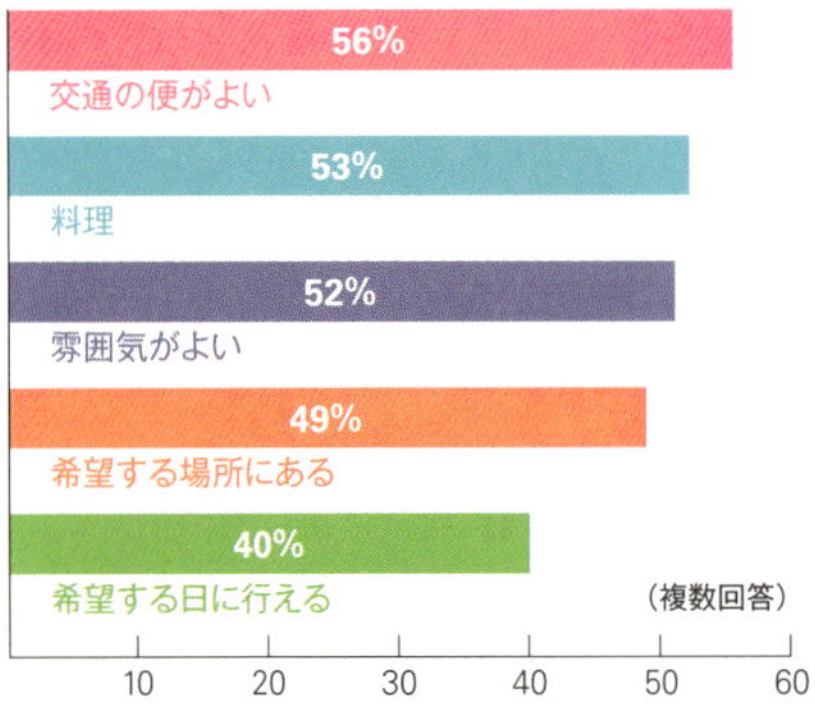

会場を決定する時に重視したところ

交通の便のよさを重視

トップに挙がったのが会場への交通の便のよさ。招待される側への気づかいを第一に考えるカップルが多いよう。2番目には「料理」、3番目に「会場の雰囲気」という結果に。

専門式場の披露宴

おすすめポイント

- 専門ならではの安心感
- 豊富なプラン
- 設備がよく、ロケーションも◎

メリット

頼れる専門スタッフ

結婚にまつわるあらゆることに熟知した専門スタッフがいるので安心。いろいろと相談にのってもらえます。

多種多様なプランを用意

最近人気のウエディングの傾向を把握し、プランにも反映。季節限定やオリジナル性のあるプランなども多数用意。

充実の設備&ロケーション

ウエディングにふさわしい設備が整い、専用のガーデンやチャペル、神殿などもあり、希望のスタイルを見つけやすいのが◎。

デメリット

式が重なることも

予約が集中する吉日には、他の結婚式と重なる場合も。招待客で混雑するかもしれません。

招待客数に制限あり

ホテルほど規模が大きくない専門式場では、披露宴会場の人数に限度があり、招待客が多いと対応できないことも。

決まりごとが多い

演出がパターン化されていたり、ドレスの買い取りや持ち込みNGといった融通のきかないところも。必ず希望を伝えて。

Case 12

演出がパターン化されていて こだわれなかった

たくさんのプランの中から選ぶことができ、安心感があったので専門式場で披露宴を行うことに決めました。しかし、ウエディングケーキ入刀、キャンドルサービス、ビデオ上映など演出がパターン化されていて、自分達らしさをあまり出せなかったのが心残り。演出アイデアなど、もう少し自分たちの間でしっかり話し合ってから相談するべきでした。

Advice

こだわりがあるなら 会場見学時に確認を

自分達のこだわりがあるのなら、会場見学の時にそれができるかどうかを確認して。すでに申し込んでいる場合は、理由を具体的に話せば、希望の形でなくても別の形で実現することができるかもしれません。

本人

披露宴スタイル③ レストラン

おいしい料理でもてなしを

料理第一で考えるカップルに人気

レストランで披露宴を行う一番の魅力は、料理のクオリティの高さ。新郎新婦と招待客の距離が近く、和やかな雰囲気の中、おいしい料理を楽しむことができます。ベストなタイミングで料理が出され、丁寧にサーブしてもらえるのもうれしいポイント。

収容人数に限りがあるため、ホテルのような大規模な披露宴とはならず、1日1組の貸し切りで行われるケースが多く、ゆったり過ごせるのも利点です。料理はもちろん演出や細かい点については、レストランのウエディング担当者に相談にのってもらえます。自分達の希望を具体的に伝えましょう。

持ち込み料不要で比較的費用が手頃

レストランウエディングは、アットホームな雰囲気を求める二人に人気。料理メインなので演出によっては費用がかからずにすみます。その分ハネムーンや新生活にお金をかけるという手も。ただし、ホテル内の一流レストランなどは価格設定が高めです。

最高のメニューを叶えてもらえる

招待客に料理を最大限楽しんでもらうためには、妥協は禁物。スペシャル感のあるメニューをつくり上げるため、シェフとは綿密にメニューの打ち合わせをしましょう。料理のプロなら柔軟にアレンジの対応をしてくれるはずです。二人の出身地の食材を取り入れたり、思い出の料理を一品加えたりといったことから、招待客の好き嫌いやアレルギーを考慮してもらうなど、細かいところまでリクエストできるのは、レストランならでは。子ども向けや高齢者向けのメニューも用意できます。招待客を思う二人の気持ちに、招待客も喜んでくれることでしょう。

レストランでの披露宴

おすすめポイント

- こだわりのおいしい料理
- アットホームな雰囲気
- ホテルなどより費用が安い

メリット

料理にこだわれる

シェフ自慢の料理に、自分達の希望を加えたオリジナルメニューをつくってもらうなど、料理にこだわれます。

ゲストとの距離が近い

店内が会場となるので、新郎新婦がゲストと近いため会話もしやすく、同じ目線でくつろいで過ごせます。

費用を抑えられる

持ち込み料無料や会場費が安いところが多く、一部の一流レストランを除けば、ホテルなどよりも費用を抑えることができます。

デメリット

設備が十分でないことも

あくまでレストランなので、控え室や更衣室、トイレといった設備が不十分なことも。演出に機材を使う時も要確認を。

挙式スタイルが限られる

レストランでの式は、人前式か、会場やテラスなどに即席で設けたチャペルでのキリスト教式に限られます。

検討事項が多い

他の場所で式を挙げるなら、その後の移動手段や、遠方からのゲストの宿泊先手配など、自分達でやることも多くなります。

Case 13

必要な設備が整っていなくて前日に大慌て

初めてのデートで訪れた二人の思い出のレストランで披露宴を行うことにしました。雰囲気もよいし、準備の段階からウキウキだったのですが、マイクや司会台がないことが直前に判明し、急きょ他からレンタルすることに。暗転などの演出もできませんでした。普段ウエディングをあまりやっていないレストランなので仕方がなかったのですが、焦りました。

Advice

必要な設備が何かを明確にし、見学時に確認を

レストランは、あくまでも食事を楽しむ場所。おいしい料理でのおもてなしはできますが、控え室や駐車場、豊富な備品などはホテルや結婚式場のようにはいきません。必要な設備は何かをリストアップしてから見学しましょう。

本人

披露宴スタイル④ ゲストハウス

一軒貸し切りでプライベート感十分

自分達らしいウエディングが可能

海外の邸宅のようなおしゃれな一軒家を利用するゲストハウスウエディング。1日1組限定のところが多く、花嫁同士が鉢合わせする心配もありません。自宅に招いたような、プライベート感のある空間を堪能できます。比較的新しいスタイルのウエディング施設のため、近年の流行やニーズをおさえたつくりで、音響や映像設備も完備。テラスやバルコニー、ガーデンといった屋外スペースも使えるので、オリジナリティにあふれたいろいろな演出が可能です。チャペルを併設しているところも多いようです。

欲張ったプログラムにしないよう注意

一軒丸ごと自由に利用できるとなると、どのスペースも使おうと欲張ってしまいがち。凝った演出にして、あちらの部屋、こちらのテラスと移動が頻繁になると、ゲストも疲れてしまいます。どんな風に過ごしたいかを明確にして、ゆとりのあるプログラムにしたいものです。

非日常の空間を存分に味わって

ウエディング専用の施設なので、どの部屋も夢のような空間。招待客には、非日常的な一日を楽しんでもらいましょう。比較的時間の自由もきくので、友人にバンド演奏してもらったり、一人ずつからメッセージをいただいたりという進行も可能。開始時間までテラスでアペリティフ（食前酒）を、プールサイドでデザートブッフェを楽しんでもらうといった演出もあると、ゲストハウスならではの披露宴を満喫してもらえるはずです。自分達らしさを出せるというのがゲストハウスウエディングの強み。ロケーションを最大限に生かしましょう。

ゲストハウスの披露宴

おすすめポイント

- 一軒丸ごと貸し切れる
- オリジナルの演出ができる
- スペースを自由に使える

メリット

貸し切りなのでくつろげる

ほとんどのところが1日1組もしくは2組限定。貸し切りなので、他に遠慮することなく、ゆったりくつろげます。

自分たちらしい披露宴ができる

演出の自由度が高く、オリジナリティを出したいカップルにはぴったり。担当者との打ち合わせは綿密に。

内外のスペースを自由に使える

室内だけでなく、テラスやバルコニー、ガーデン、プールなど屋外スペースも使えて演出の幅が広がります。

デメリット

アクセスが不便な場所もある

それなりの敷地が必要となるため、駅から離れているなど、交通の便があまりよくない施設もあり。立地に注意しましょう。

年配者にはなじみにくい場合も

年配の方や格式を重んじる人にとっては、ゲストハウスの明るく華やいだ雰囲気はなじみにくいことがあります。

料金は比較的高め

会場が貸し切りとなるため、他の式場スタイルに比べて料金は高め。衣装や引き出物は持ち込み料がかかるケースが多いです。

Case 14

アクセス不便な場所で遅れる招待客も

趣のあるゲストハウスでの披露宴を決めた私達。ただ一つ、最寄りの駅から徒歩20分くらいの場所にあるのが難点で、見学の時にも迷ってしまいました。招待客が遅れないよう、わかりやすい地図を入れておいたのですが、当日その不安が見事に的中し、途中で道に迷い披露宴に間に合わなかった招待客がいて、申し訳ない気持ちになりました。

Advice

移動の手段を工夫するなど気持ちよく会場に来てもらう

招待客へのおもてなしは、披露宴前から始まります。気持ちよく会場に到着できるよう、地図はもちろんタクシーを使ってもらうなど移動の手段を工夫して。とくに遠方からの招待客は、慣れない場所で迷うことのないよう配慮を忘れずに。

本人

披露宴スタイル⑤ ガーデンウエディング

青空の下で和やかなひと時を

屋外ならではの開放感あふれるウエディング

緑豊かな庭園で挙式や披露宴を行うガーデンウエディングは、年々人気を高めています。屋外ならではの開放感に、新郎新婦の緊張もほぐれ、招待客もリラックスして明るく和やかな時間を過ごせます。屋内と違い、天井や壁、柱を気にする必要がないため、会場のレイアウトは自由自在。イス＆テーブルにこだわることなく、ベンチを並べたり、芝生にシートを広げて座ってピクニック気分で過ごしたりとユニークなおもてなしもできます。小さな子ども連れの招待客も、室内なら周囲に気をつかうところ、ガーデンウエディングなら子どもが騒いでも安心です。

天候に左右されるので雨対策はしっかりと

ガーデンウエディングで一番心配なのは天候。決定時には雨が降った時のための対策も確認しておきましょう。振り替え可能な屋内会場を手配したり、寒さ・暑さ対策など、万全の準備を。

多彩な演出が楽しめるのが魅力

オープンエアの空間は、室内とはひと味違う演出も可能。デコレーションしたガゼボ（見晴らし台）やアーチの下で愛を誓ったり、ゲスト全員のバルーンリリースやバブルシャワーで雰囲気を盛り上げたり。大勢の友人達に演奏してもらう、ライトアップしたナイトガーデンでパーティを行うなど、アイデアしだいで列席者の心に残るウエディングを実現できます。

料理も、コースだけでなくブッフェスタイルやバーベキュー、夏ならビアガーデン風なしつらえでアウトドア料理を楽しむのもＯＫ。ゲストの傾向に合わせて工夫を。

ガーデンの披露宴

おすすめポイント

- 屋外で開放感たっぷり
- 演出の自由度が高い
- アットホームで和やか

メリット

明るく開放感がある

屋外でのウエディングは開放感たっぷり。青い空に緑の芝生、装飾されたガゼボなど、ロケーションは絵になる美しさです。

屋内ではできない演出も可

バルーンリリースや、ナイトウエディングで花火を上げるといった、オープンエアならではの演出ができます。

カップルと招待客の一体感がある

ひな壇を構えた室内の披露宴と違い、ガーデンならカップルと招待客の距離が近く、アットホームな雰囲気で過ごせます。

デメリット

悪天候対策が必要

万が一雨が降った場合を考え、予報しだいでは雨具やテントの準備、屋内会場の手配なども必要になります。

カジュアルさになじめない人も

開放感があってアットホームなだけに、格式を重んじる人には、カジュアルすぎてなじめないことも。

立ちっぱなしになりやすい

自由に移動でき、話もはずむとつい立ちっぱなしになりやすいもの。年配の招待客のためにも、すぐ座れるイスの配置を。

Case 15

日差しが強くて
招待客が熱中症に

ガーデンウエディングは天気が悪いと大変だと聞いていたものの、開放的な雰囲気が気に入って決めました。夏の暑い時期を避けて5月にしたのに、何とその日は真夏日。タキシード、ドレス姿の私達も途中で頭がクラクラしてしまいましたが、招待客の一人が熱中症にかかって倒れてしまったのです。すぐに回復しましたが、冷や汗たらたらでした。

Advice

**天候対策は念入りに
行うことが大切**

ガーデンウエディングは、天候や季節によっては参列者の負担が大きくなります。6月は梅雨で雨に降られるかもしれませんので天候対策は万全に。夏場は日差しが強いので、室内に休憩室を設置するなど熱中症対策も念入りに。

本人・両親

依頼する時はマナーに準じて

媒酌人（仲人）の決定とお願いの方法

両家の仲立ちをしてくれる重要な役

最近のウエディングは、当人主導で行うことがほとんどのため、縁談から結納、結婚式、披露宴までとりもつ「仲人」を立てることはまれになっています。仲立ち役を頼むにしても、挙式・披露宴当日のみ立ち合いをしてもらう「媒酌人」を立てるケースが多数。

媒酌人（仲人）を頼む場合は、お互いの親も交えて相談を。挙式後も長くお付き合いが続くので、よい関係性が築ける方に依頼しましょう。職場の上司や学生時代の恩師、先輩、日頃からお世話になっている人など、二人をよく知り、相談にのってくれる円満な人柄のご夫婦にお願いをします。

依頼する場合は電話や手紙で丁寧に

結婚が決まり、仲人を立てるとなったら、結納の1～2カ月前に、媒酌人の場合は遅くとも式の半年前には電話や手紙で先方に打診して、内諾を得ておきましょう。その後、改めて二人で自宅を訪問し、正式に依頼をしましょう。

両親

心を尽くしてていねいにお願いするよう教える

媒酌人は責任の重い役です。立てることが決まったら、子どもにもそのことを伝え、依頼に伺う場合は菓子折などを持参するよう教えましょう。

手紙で依頼する場合

拝啓　早春の候、ますますご健勝のこととお慶び申し上げます。

さて、このたび私は○○○○さんと結婚することになりました。結婚式および披露宴は平成○年○月○日に執り行う予定です。

つきましては、◎◎先生ご夫妻にぜひ私達の媒酌人をお引き受けいただきたいと存じます。ご夫妻の仲睦まじいお姿は、私達二人にとって理想です。お忙しい中、ご迷惑な役をお願いして申し訳ありませんが、宜しくご高配のほどお願い申し上げます。

近々、一度二人で直接お願いに参りたいと存じますが、取り急ぎ一筆したためさせていただきました。奥様にくれぐれもよろしくお伝えくださいませ。

末筆ながら、ますますのご多幸のほどお祈り申し上げます。

敬具

正式には、左記のような内容で手紙を出して依頼しますが、日頃顔を合わせる相手や親しい間柄なら、電話や口頭でお願いしてもOK。

仲人・媒酌人への心づかいと予算

結納

仲人

結納が終わった数日後に、祝儀袋に「寿」「御礼」と表書きして謝礼を渡しに出向きます。酒肴料は仲人が結納後の祝宴に参加しない場合のみ包みます。

- 謝礼 結納金の1〜2割
- 酒肴《しゅこう》料 1〜2万円
- お車代 1〜2万円

挙式・披露宴6カ月前・1カ月前

媒酌人

電話や手紙で依頼して内諾をもらえたら、正式な依頼時と披露宴の招待状を持参する時の計2回、二人で訪問します。

- 手みやげ 3,000〜5,000円（結び切りののしをつける）

挙式・披露宴当日

媒酌人（仲人）

謝礼は、正式には後日親と一緒に届けます。当日は式場までハイヤーを手配しますが、辞退された場合は「御車代」の用意を。

- 謝礼 10〜20万円
- お車代 1〜2万円

挙式・披露宴後

媒酌人（仲人）

新婚旅行のおみやげを持参し、あいさつにいきます。その後最低3年はお中元とお歳暮、時節のあいさつを出すのがマナー。

- おみやげ 5,000〜1万円
- お中元・お歳暮 各5,000円

媒酌人を立てないケースが一般的に

最近は、披露宴の祝辞や乾杯の発声をしてもらう主賓のみを依頼して、媒酌人を立てないケースが一般的になってきています。立てる、立てないは自由ですが、形式やしきたりを重んじる家庭では「非常識」と映ることもあります。媒酌人を立てないことを自分達だけで決めず、必ず両家の親に了解を得ておくことが大切です。

本人・両親

招待客の決め方

結婚が決まったら、早めに検討を

まずは思いつく人を一通り挙げてみる

結婚が決まり、披露宴のイメージがかたまったら、早めに招待客の検討に入りましょう。最初は親戚、仕事関係、友人、恩師などあらゆる交流関係を思い浮かべ、もれのないようリストに挙げていきます。親が招待したい人もいるかもしれないので、招待客リストは必ずそれぞれの親に確認してもらうこと。「過去にお世話になった人」という視点だけでなく、「これから応援してもらいたい人」など、二人の将来を考えて招待客を決めましょう。以前は、新郎側と新婦側の招待客数をそろえるのが常識とされていましたが、最近ではこだわる人は少ないようです。

リストをカテゴリー別にすると決めやすい

リストをつくる時、「必ず招待する人」「できれば招待したい人」「二次会に呼ぶ人」と、カテゴリー別にしておくと、決めやすくなります。職場関係のリストでは上下関係にも配慮した人選を。また、同僚で一人だけ呼ばないなど、偏ったことにもならないよう気をつけます。

Pick up

招待客の平均人数は

70～90人を呼ぶカップルが多い

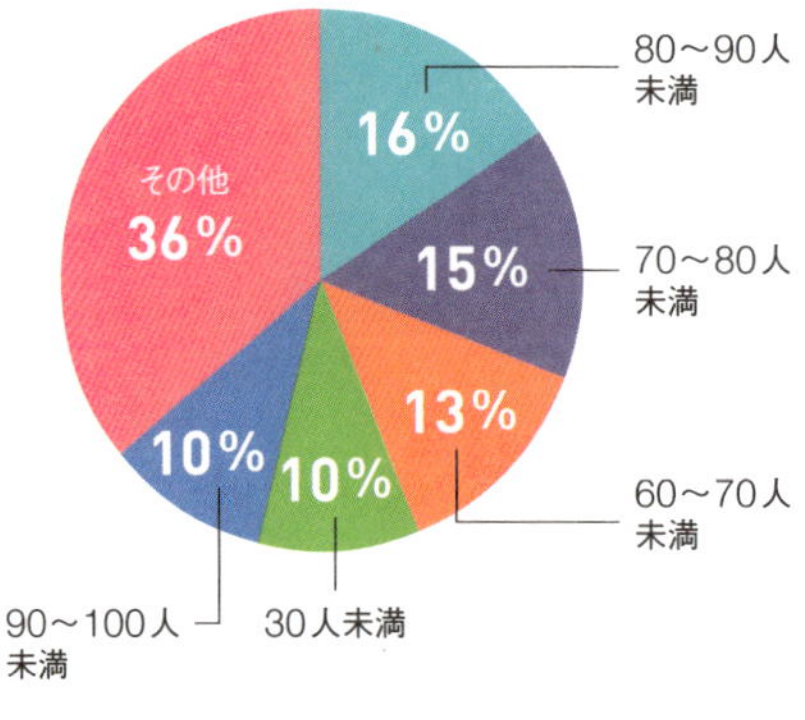

披露宴・披露パーティに招待した人数は、「80～90人未満」が一番高くて16%、次いで「70～80人未満」が15%、「60～70人未満」が13%となっています。両家の人数をそろえているのは全体の約4割程度です。

招待客選びの流れ

1 結婚式のイメージを確認

招待客の構成により、披露宴のスタイルも変わってきます。友人が多いのか親戚が多いのかでも違ってくるので、今一度確認しておきましょう。

2 思いつくままリストアップ

人数の枠は気にせず、ひとまず招きたいと思う人をすべて書き出します。後々招待客の人数が多かったり少なかったりする場合の調整に役立ち、二次会の招待リストもかねることができます。

3 もれがないか親にも確認を

遠方の親戚や、親が招きたい人など、リストにもれがないか両家の親に見てもらいましょう。招待客に小さな子どもがいる場合は、一緒に招待する必要があるので、かならず確認を。

4 人数に合う会場をセレクト

リストと式のイメージを思い浮かべながら招待客候補を絞り、おおまかな人数を決め、それに合う会場を選びます。予算により、会場の規模が変わることもあるので、人数はうまく調整を。

上司は必ずしも呼ばなくてOK

会社の上司は披露宴に必ず招待するもの、という意識は、今ではだいぶ薄れてきています。ただし、上司は呼ばずに同僚を招待するのは、あとでわかった時に気まずいもの。結婚の報告と一緒に「披露宴は身内と親しい仲間のみで行います」と伝えておきましょう。

両親

親の希望は押し付けず アドバイス役に徹して

招待客のうち、親族については付き合いの程度など親にしかわからない部分があるので、リストアップにはアドバイスを含めすすんで協力を。ただし、招待客は、二人の意向を優先しましょう。

本人・両親

交通費や宿泊費などに関しては配慮を

遠方に住む人を招待する

経費を負担するなど招待客への心づかいが必要

遠方から来る招待客にとっては、ご祝儀の他、交通費や宿泊費などの費用がかさむのは気がかりなもの。本来、そうした経費は招待する側が負担するのが基本であり、あらかじめその旨を伝えておくと、先方も安心します。その場合、交通チケットと宿を新郎新婦側で準備し、事前にチケットを送付のうえ、宿泊先を知らせます。しかし、遠方から呼ぶ人が多かったり、予算の関係で全額負担は難しいこともあるでしょう。そうした場合は半額をもつ、交通チケットだけ、あるいは宿泊場所だけ手配するなどして、できる限りの心づかいを表しましょう。

宿泊する人が多いなら会場はホテルに

多くのホテルでは、挙式・披露宴の招待客の宿泊費を割引してくれるので、遠方からの招待客が多い場合はホテルを会場に選ぶとお得。ホテルなら交通の便もよいので、土地勘のない人もスムーズに到着できます。新郎新婦にスイートルーム宿泊サービスなどをつけてくれる場合もあります。

Case 16

交通費の負担についての確認を忘れた！

遠方に住んでいる親戚に結婚式に来てほしいと思い、招待したのですが、交通費や宿泊費の負担についての連絡を怠ってしまい、招待状のみを送ってしまいました。受け取った親戚本人から電話で連絡があり、ざっくばらんに負担のあるなしについて聞かれましたが、正直「しまった!」と思いました。親戚への連絡は親に任せたほうがスムーズだったかもしれません。

Advice

事前に必ず電話で連絡して伝えよう

新郎新婦や両親から連絡がなければ、招待客は「交通費は自費で」と思ってしまいます。遠方に住む招待客には、招待状を送る前に事前に電話で連絡しましょう。配慮の内容は付き合いの程度、慣習に従って決めてOK。

招待客への配慮のポイント

媒酌人（仲人）・主賓

媒酌人（仲人）や主賓といった大切な招待客の費用は、新郎新婦側が全額負担。近距離でも「御車代」を包むのがマナーです。

招待の仕方

電話で事前に確認。例：「遠方ですので、交通費と宿泊費はすべてこちらで負担させていただきます。ぜひご出席ください」。

配慮のポイント

交通費および宿泊費の全額負担。

遠方の人

費用をどれだけ負担するかは、お互いの関係性や慣習によって変わります。なじみのない親戚なら、連絡は親に任せても。

招待の仕方

電話で事前に確認。「どこまで負担できるのか」ということをきちんと伝えます。例：「交通費と宿泊費の半額しか負担できず、非常に申し訳ないのですが、ご出席いただければうれしいです」。

配慮のポイント

全額、半額、交通費または宿泊費のどちらかを負担するなどケースバイケースですが、全額が難しい時でも一部を負担するなど心づかいを。

その他

以前、披露宴に招待してくれた相手は、自分達の披露宴にも招くのが基本です。その時に負担していただいたのと同様の配慮を。

招待の仕方

事前に電話で確認。自分の負担分を伝えたうえで、出欠の意向を聞きます。

配慮のポイント

相手がしてくれたのと同等の費用負担がマナー。

予算を抑えるコツ

交通チケットをお得に手配する方法

各種交通機関の多彩な割引サービスを利用すれば、交通費の節約になります。各航空会社には、早期予約割引や特定便割引、お得な回数券などもあります。また、ディスカウントショップやネットショップでもさまざまな交通チケットを安く販売しているので、利用するのもよいでしょう。トラブル回避のため、信用のおけるショップを選ぶようにします。

本人・両親

日取りと人数が合えば仮予約

事前に親の意見も忘れずに聞いて

候補の会場を一カ所に絞り仮予約を

ブライダルフェアや下見などですべての会場を回り終えたら、どの会場がよかったか二人で意見を交換。この時、親の意見も忘れずに聞きましょう。

迷ってしまったら、二人で話した最初のコンセプトに立ち返り、イメージ通りの結婚式ができるのはどこか、改めて検討を。最終的に一カ所に絞ったら、仮予約をします。仮予約の期間は約1週間で、費用はかからない場合がほとんどです。

正式な予約は、挙式の6カ月くらい前が一般的ですが、1年前でも2カ月前でも希望する日があいていれば予約は可能です。

会場申し込みの際には予約金が必要

会場を決め、両家の親にも了承をもらったら、いよいよ会場の申し込みです。申し込みの際には予約金が必要で、挙式・披露宴の一部金として10～20万円程度を支払います。金額は会場によって異なるので、事前によく確認しておきましょう。この予約金を支払った時点で正式な予約となります。

Pick up

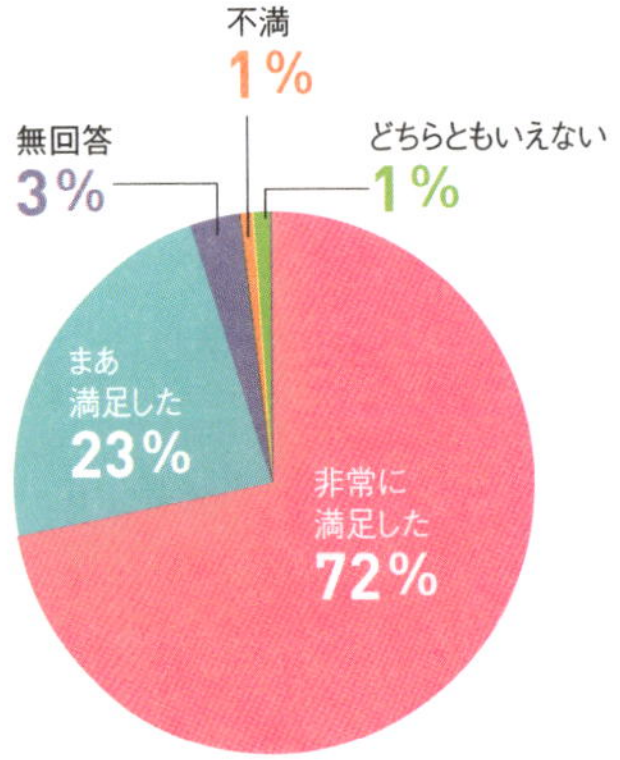

披露宴の満足度

披露宴に満足している
カップルは95%

披露宴会場を含め、披露宴そのものについて「非常に満足した」というカップルは72%、「まあ満足した」カップルは23%で、合わせて95%にものぼりました。披露宴への満足度は非常に高いことがわかります。

会場との打ち合わせの流れ

予約が成立すると、挙式・披露宴当日までに会場担当者（プランナー）との打ち合わせが3～5回行われます。この打ち合わせの時間を有意義なものにするためにも、挙式・披露宴に向けての二人の希望を再度確認し、疑問や不安に思った点はその都度伝え、クリアにしておくようにしましょう。

第１回打ち合わせ　約３カ月前

招待状の作成、発行

制作会社に依頼するか、手づくりにするかを決めます。招待状ができあがったら宛名を書き、送付します。

第２回打ち合わせ　１～３カ月前

衣装、料理、引き出物など

衣装、料理、引き出物の内容を細かく決めます。招待客の出欠確認をし、席次を決めます。

第３回打ち合わせ　２～４週間前

装花、当日の進行の打ち合わせ

装花、演出アイテムを決定し、衣装や雰囲気に合ったブーケをオーダー。会場や司会者と、進行の確認。

最終打ち合わせ　数日前～１週間

当日の流れを確認します。引き出物や衣装などが会場に届いているかも確認を。

正式予約後のキャンセルはキャンセル料が発生

正式予約をしたあとで、何らかの事情でキャンセルする場合は、キャンセル料が発生します。本契約を結ぶ時の契約書にキャンセル時の解約についての記載がありますので、事前に確認することが大切です。挙式日に近づくほどキャンセル料もあがっていくので注意しましょう。

キャンセル料の目安

- **3～5カ月前**
  見積額の20%までと印刷費等の実費
- **2～3カ月前**
  見積額の30%までと印刷費等の実費
- **1～2カ月前**
  見積額の40%までと印刷費等の実費、外注品などの解約費
- **10～29日前まで**
  見積額の45%までと印刷費等の実費、外注品などの解約費

※予約金は一度支払うと返金されない場合もあるので確認を。

両親

子どもの結婚式へのかかわり方

干渉せずに見守り、相談されたらアドバイスを

よきアドバイザーとして「見守る姿勢」が基本

婚約が決まった二人は、式場の見学から新婚旅行の準備まで、やるべきことが目白押し。滞りなく準備ができるかどうか、心配なところがあるとは思いますが、できるだけ干渉せず見守り、「アドバイスを求められたら答える」というスタンスでいましょう。

ただし、結婚式はフォーマルな場ですので、場合によっては親からのアドバイスが必要な場面もあります。親として、双方の親戚や年配者への対応、予算の見落としなどに目を配り、時々は進捗状況をたずねて二人への応援の気持ちを伝えましょう。

資金の援助を頼まれたら援助可能な金額を率直に

ある調査によると、約78％ものカップルが、親や親族から結婚費用の援助を受けています。子どもから結婚資金の援助を頼まれた場合は、援助できる金額を伝え、その範囲でやっていくように話すとよいでしょう。二人の希望や計画を聞いたうえで、不足分を補ってあげるくらいのスタンスで。

Pick up

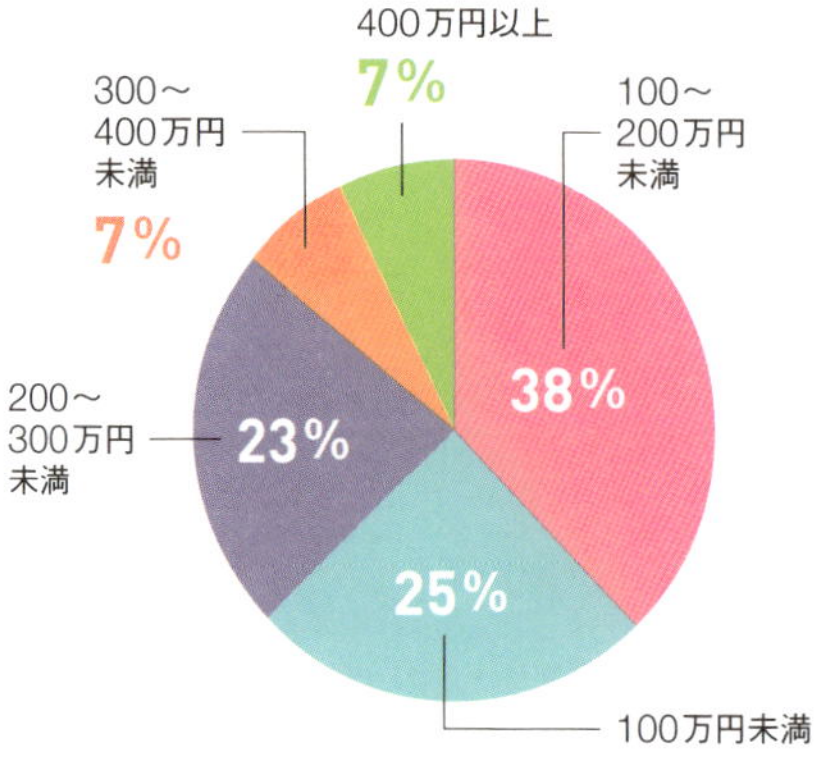

親からの費用援助額

100～200万円未満の援助が最も多い

挙式・披露宴の費用として親・親族からの援助がある場合、その金額の総額は100～200万円未満が最も高く、その後100万円未満、200～300万円未満と続きます。平均は159.2万円です。

親がアドバイスを求められる場面

結婚式に媒酌人を立てるか

最近の調査では、結婚式に仲人を立てるカップルは首都圏ではほとんど見られず、全国でもほんのわずか。子どもが「媒酌人はいらない」といった場合でも、基本は子どもの考え方を尊重し、立てる場合は子どもや相手の親とも話し合いましょう。

招待客の人数とリストアップ

親族や親の交遊関係により、結婚式に呼ぶべき人をリストアップし、子どもにきちんと伝えましょう。両家の人数は大体同じくらいが望ましいのですが、極端に数が違わない限りは問題ありません。リストができあがったら親の目で最終チェックを。

衣装を決める時

結婚式の準備の中で、母親と花嫁衣装を選んでいる時が一番楽しかったと答える花嫁も多いものです。ウエディングドレスの試着などの際には時間があれば同行し、シルエットや全体的なバランス、後ろ姿などを客観的に見てあげましょう。

料理を決める時

ブライダルフェアの試食会に同行したり、当日の会場見学を兼ねて食事に行ったりなどして素材や食べ合わせをチェック。招待客が味や料理に満足できる内容か、招待客の中に高齢者がいる場合は食べにくい素材はないかなどを確認しましょう。

会場を決める時

可能なら実際に挙式・披露宴会場に足を運び、アクセスや設備などについて親の目線でチェックし、疑問に思った点はその場で担当者に確認しておくと安心です。

Case 17

子どもたちからの意見にたくさんダメ出し

今どきの結婚式は、自分達が結婚した時代のものとは全く違っていて驚きました。時代の流れや二人の考えをわかってはいるつもりだったのですが、「手づくりの招待状は安っぽい」などダメ出しばかりしてしまって反省。子どもはこちらの意見を聞いてくれましたが、押しつけてしまったのではないかと後悔しています。

Advice

どんなことが心配なのかを子どもにきちんと伝える

親から一方的にダメ出しすると、子どもは反発します。どんなことが心配なのかをきちんと伝え、親族には宿をとってほしいなどのリクエストは「なぜそうしてほしいのか」を併せて伝えるようにしましょう。「○○はサポートできるよ」と伝えれば、何よりの応援になるはずです。

本人

自分達らしさを出すために相談を重ねて

プロデュース会社との付き合い方

オリジナルウエディングを希望する二人におすすめ

自分たちらしいおもてなしやオリジナルウエディングのこだわりや希望を具体的に形にしてくれるのが、ウエディングプランナー。ウエディングプランナーの多くは、各会場や会場提携のウエディングプロデュース会社に所属しています。

イメージしている会場がなかなか見つからない、何から準備したらいいかわからないという二人には、挙式・披露宴の会場探し、装飾、衣装、カメラマンの紹介やさまざまな手配、結婚当日のサポートまでお願いできるプロデュース会社にお願いするのも一案でしょう。

依頼の範囲を明確にしてからお願いを

挙式・披露宴からハネムーンまでトータルで依頼するのか、披露宴の演出だけをお願いするのかなど、依頼範囲を明確にしておきましょう。料金は会社によってまちまちなので、最初に確認しておきましょう。

依頼の流れ

1. 自分たちのイメージを実現してくれそうな会社を何社か選ぶ
2. それぞれの会社に見積もりをとる
3. 会社に足を運んでスタッフと話し、過去の例を見せてもらう
4. 比較検討し、1社を選ぶ
5. 正式に契約を交わす

プロデュース会社選びのポイント

プロデュース会社は、レストランやゲストハウスなど提携先のある場合やプロデュースのみを請け負う会社などさまざまです。結婚情報誌やインターネットで調べたり、資料を請求したりして過去に手がけた事例をチェック。自分達が希望するスタイルの結婚式を得意とするプロデュース会社を何社かピックアップしてから絞り込むとよいでしょう。

こんな時に相談　プランナーとの付き合い方

プランの選択に迷う時

結婚式で何をやりたいかが絞り込めない時、二人だけでは手配できそうにない時に相談しましょう。プランナーは二人の希望を聞きながらおすすめプランを提案し、予算などをふまえて絞ります。

イレギュラーな式を挙げたい時

テーマパークや水族館、クルーザーやライブハウスでのウエディングなど、一般的ではない場所で人と違った式をしたい場合は、プロのプランナーに任せた方が安心です。

招待状や引き出物選びに迷う時

デザインや品物の種類がたくさんありすぎてどれを選んだらよいか迷う時、予算やイメージなど二人の希望や意見を聞きながら候補を絞り込み、アドバイスをもらえます。

イメージが決まらない時

結婚式のイメージが決まらない時などに、二人のパーソナリティーを引き出し提案してくれます。過去に手がけた例を紹介してもらうことによって、自分達らしいイメージが湧いてくるような提案をしてくれます。

Case 18

プランナーとセンスが合わず苦労した

担当のプランナーさんはこちらの希望を聞きながらさまざまな提案をしてくれたのですが、自分たちのセンスとなかなか合いませんでした。でも、打ち合わせのたびに一生懸命プレゼンテーションしてくれたので、妥協して提案をそのまま受け入れてしまった部分も。あの時にきちんと意見をいえばよかったと後悔しています。

Advice

どうしてほしいかを具体的に伝える

意見が合わないと思うのはどういう点かを明確にして、どうしてほしいかを遠慮せずに伝えましょう。気まずい雰囲気になるのをおそれて提案を受け入れる必要はありません。どうしても合わないと思ったら、担当プランナーの変更を早めに相談して。

結婚式のスタイル Q&A

Q 神前式を予定していたのですが、彼の実家が忌中に……。

A 忌中は故人を偲ぶことに専念する期間ですので、本来ならば結婚式は控えたほうがよいですが、予定通り挙げたい場合は神社に相談し、お祓いを受けてから挙げるなどの考え方も。初七日や四十九日を過ぎてからならよいということもあります。両家でよく相談して決めることが大切です。

Q クリスチャン以外の人でもキリスト教式は可能？

A キリスト教式にはプロテスタントとカトリックの2つの教派があります。プロテスタントは信仰宗派に関係なく挙式できます。カトリックは基本的には両名またはどちらかが信者でなければ挙式はできませんが、勉強会や結婚講座を受ければ可能になります。クリスチャンではない人の挙式はプロテスタントの教会かホテルや式場のチャペルが一般的です。

Q 仏前式って好きなお寺で挙式できるの？

A 仏前式は、仏前にて執り行う日本古来の結婚式の一つです。先祖に結婚の報告をし、二人が出会った縁に感謝の意を捧げ、来世までの結びつきを誓います。主にお寺や自宅の仏前で行いますが、好きなお寺で挙げられるわけではなく、両家のどちらかが挙式を行う寺院の宗派に属していることが条件となります。

Q 人前式で挙式する場合は媒酌人は必要？

A 年々人気が高まっている人前式。挙式では、結婚の誓いを神仏に対して行う代わりに、親族や知人の前で結婚の誓いを交わし、証人となってもらいます。宗教や格式にとらわれず、媒酌人を立てる必要もありません。場所や進行などもすべて自由に決めることができるフリースタイルの結婚様式です。

第三章

結婚式にかかるお金

結婚準備が始まったら気になるのが、
結婚式にかかるお金。
どんな挙式・披露宴にするにしても、
無駄な出費はおさえ、かけるべきところに
お金をかけたいものです。しっかり節約しながら
予算組みをしていきましょう。

本人

結婚費用の相場

どこにお金をかけ、どこを節約するか検討を

トータル費用の平均は約446万円

婚約・結納から挙式・披露宴、新婚旅行までにかかった総額の平均は、約446万円ですが、その内訳によって金額は異なってきます。左ページの表を参考に、ざっと目を通しておきましょう。ただこれらは、あくまでも目安の金額です。自分たちはどこにこだわりたいのか、じっくり考えていきましょう。

挙式・披露宴会場が出す最初の見積もりは、必要最低限であることが多いです。それとは別に、希望やおすすめ演出をすべて入れた見積もりを出してもらうと、予算を考える目安となるでしょう。

披露宴以外では、婚約、結婚指輪の費用が大きい

結婚式前に必要なお金として第一に挙げられるのは、婚約指輪と結婚指輪。結納する場合は結納の費用、両家の顔合わせ食事会の費用もかかります。新生活や、ハネムーンなどの出費も予算を立てておかなければなりません。ハネムーンも行き先や季節によってはかなりの金額になります。

また、新居を借りたり、新生活を始めるための家具や家電を購入する費用もかかります。貯金やボーナス、毎月の収入のタイミングなどを考えて無理なく予算に組み込み、細かい項目ごとに目安金額をチェックして、予算内に収まるかを確認しましょう。

Pick up

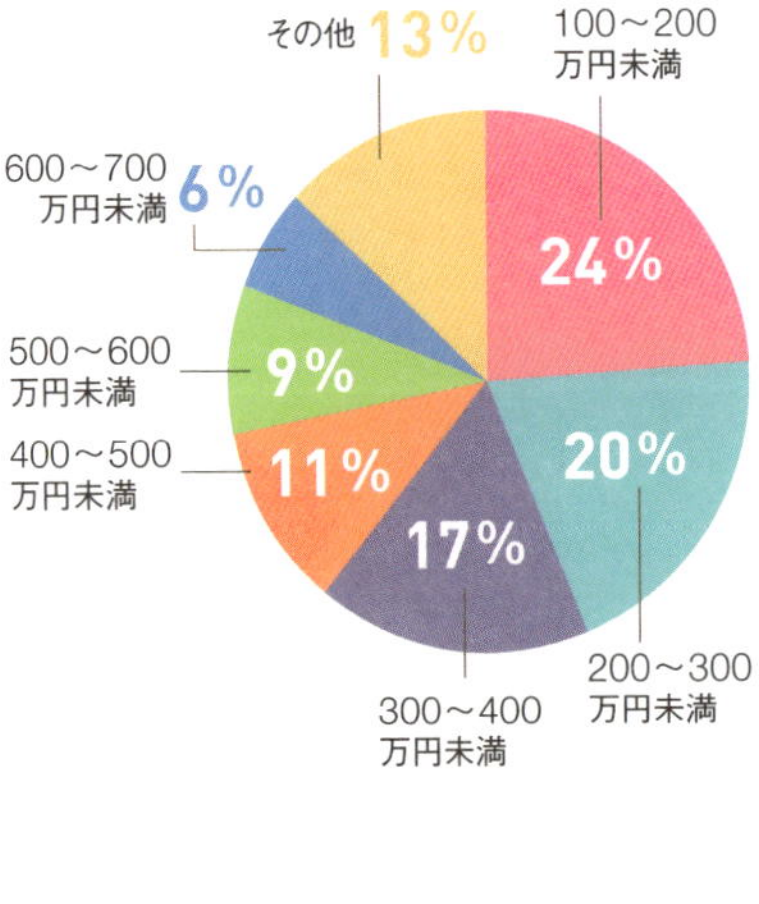

結婚費用のための二人の貯蓄総額

100~200万円未満が約25%で最も高い

結婚費用として貯金をしていたカップルの貯蓄総額の1位は「100~200万円未満」で全体の約25%。次いで「200~300万円未満」、「300~400万円」と続きます。平均は308万円でした。

結婚費用の平均額を知っておこう

婚約・結納から挙式・披露宴、新婚旅行にかかった費用の総額の平均

合計 446.1万円

結婚式前に必要なお金

結納は減りつつありますが、地域によっては必須のところもあります。両家の意向を確認しましょう。両家の顔合わせ食事会の食事代金は、1人6,000円〜1万円くらい。両家の費用分担についても事前に話し合っておきましょう。

結納式の費用	両家顔合わせの費用	婚約指輪	結婚指輪（2人分）
14.8万円	6.2万円	36.2万円	23.9万円

※結納金は含まない

挙式・披露宴に必要なお金

招待客の人数、お色直しの回数、選ぶ料理や演出などで総額は大きく変化。結婚式場やホテルで披露宴を挙げた人は10〜15万円ほど平均額より高めで、レストランで挙げた人は40万円ほど平均額を下回ります。

総額	挙式料
341.7万円	32.1万円

料理&飲み物（1人あたり）	新婦の衣装	新郎の衣装	ブライダルエステ	引き出物（1人あたり）
1.9万円	40.4万円	16万円	8.7万円	0.6万円

ブーケ（1個あたり）	会場装花	ウエルカムアイテム	スナップ撮影	ビデオ撮影
3万円	17.3万円	1.5万円	21万円	18.6万円

新婚旅行に必要なお金

行き先や日程を早めに決めると割引などお得なこともあります。旅費やおみやげ代以外にも、パスポート申請料や空港までの国内移動交通費など準備段階から出費がかさみますので注意しましょう。

総額	おみやげ代
60.6万円	10.3万円

本人・両親

費用分担の方法と節約のポイント

大切なセレモニーだからこそ慎重に

二人の貯金をベースに資金の分担を考えよう

結婚式は、新郎、新婦両方の招待客を招待し、二人の門出を祝ってもらう大事なセレモニー。二人だけで費用をまかなう場合も、両親からの援助をあおぐ場合も、新郎側と新婦側がそれぞれどれだけの費用をもつかについては事前にしっかり話し合っておく必要があります。

挙式や披露宴にかかる費用を、親からの援助や、招待客からのご祝儀でまかなおうとするのは極力やめましょう。二人の貯蓄や収入でまかなえる範囲にとどめるのが基本です。結婚とは親からの独立を意味するので、そのことを忘れずに。

費用の分担のやり方に決まりはない

挙式・披露宴の費用の分担方法にとくに決まりはありませんが、衣装やヘアメイクなどそれぞれにかかる費用は各自で負担、それ以外は両家の招待客の人数比で割るというのが、最近は多いようです。

招待客の人数に関係なく全額を両家で折半する方法や、二人の貯金を一つの口座にまとめ、そこから全額支払う方法などもあります。

後でもめないためにも、費用の分担の仕方は最初に両家でよく話し合っておくことが大切です。はっきりしておかないと後々トラブルに発展することもありますので注意しましょう。

お金を支払うタイミングを知っておく

会場に支払うお金は事前に払うことになっているため、ご祝儀が入る前に全額用意しておく必要があります。支払いの流れを押さえておき、タイミングを把握しておきましょう。

支払いのタイミングの一例

※金額はあくまでも目安です

6カ月前　会場決定予約内金
［約10～20万円］

4～5カ月前…ドレス予約内金
［1着約2万円］

2～3カ月前…招待状発送［1通約120円］×人数

1カ月前…リハーサルメイク［約1万円］

1週間前…会場への支払い［約300万円］
（内金などを引いた額）

当日…心づけ［5～10万円］

後日…結婚報告はがき制作［約1万円］

結婚費用節約のポイント

節約することとケチることは違います。大切なのは、無駄な支出を省くこと。お金がもったいないからといって、安っぽい式になるのは本末転倒です。結婚資金が把握できたら、節約できるところは節約し、各会場の特典を調べて利用することも、ワンランク上の結婚式を挙げるコツ。

Point 1

各会場の特典や特別プランをチェック

気になる会場があれば、面倒でも一度ブライダルフェアに参加して。フェア時に成約すると、特典がつく場合がほとんどなので、差額を払わなくてもグレードアップできたり、格安のプランを用意してもらえたりすることもあります。

Point 2

狙いめはオフシーズン

気候のいい春と秋のブライダルシーズンはどうしても人気が高く、もともと価格が高めなうえ、会場もすぐに予約で埋まってしまいます。シーズンを外せば、価格設定も低めなので、全体の予算を抑えることができます。

Point 3

大安にこだわらないなら仏滅を選んでも

日取りが気にならないのであれば、仏滅の日を選んでも。割引プランを用意している会場もあります。また、招待客が問題なければ平日やナイトウエディングなどを検討してみるのも手。いずれも場合も必ず双方の両親に相談を。

Point 4

ペーパーアイテムを手づくりする

最近ではプロ同様の仕上がりになるキットもたくさんあるので、ペーパーアイテムを手づくりするのもあり。パソコンとプリンターがあればできるので、得意な人はトライしてみましょう。招待状だけでも2万円前後、すべてのペーパーアイテムを手づくりすれば20〜30万円の節約になります。

Point 5

お色直しでなくヘアチェンジする

ホワイトドレス1着のみにして、お色直しではヘアチェンジやブーケ、小物のみでイメージを変える、というのもアイデア。衣装が同じなのにガラリとイメージチェンジできれば、むしろ「おしゃれ上級者」として招待客の印象に残ります。1着で2つの楽しみ方ができる2WAYドレスもおすすめ。

Point 6

クレジットカードの活用

最近では、結婚式の費用もクレジットカードでの支払いが可能な会場も出てきました。さまざまな費用をすべて同一のクレジットカードで支払えば、かなりのポイントが貯まります。貯めたポイントを還元すれば、新生活や新婚旅行に役立てられます。

本人

会場見積もりのチェックポイント

求める項目によって費用は大幅に変化

項目ごとに内容や金額確認をしっかり行う

挙式・披露宴会場で最初に出される見積書は、必要最低限の項目を入れてあるのが一般的です。結婚式の準備をしていくと、予期せぬ追加項目や変更事項があり、最初の見積もりで組んでいた予算をかなりオーバーしてしまうケースが多いのが現状です。一つのアイテムに関わる追加修正はわずかでも、トータルではかなりの金額アップになってしまうので気をつけて。

検討する時は、合計金額だけでなく、一つひとつの項目ごとにチェックしていき、足りない項目や追加が必要な項目、料理などのランクを確認し、比較することが大切です。

二人の優先順位を決め見積もりチェックを

まずは二人でやりたいことや重視することは何か優先順位を決めます。そのうえで経験者から、または口コミ情報などインターネットなどでしっかりと情報収集をし、概算見積もりではなくはっきりとした人数や、細かい希望を伝えて。今の式場はほとんどパソコンで処理しており、人数を入力するだけで、その場で簡単に見積もりを出してもらえます。また、持ち込み料も確認しておきましょう。

見積もりに入っていない費用も必ずチェックしておこう

追加やランクアップ代金に加え、招待客の交通費や宿泊代など、項目にない費用が出てくるのであらかじめ予算に入れておきましょう。

見積もり以外に費用がかかるもの

- □衣装…ドレスインナー、和装下着、ネイルなど
- □会場装飾…ウェルカムアニマル、リングピローなど
- □プレゼント…親への記念品、クイズやゲームの景品、子ども招待客に渡すお菓子など
- □交通費・宿泊費…遠方招待客の交通費、宿泊費
- □当日の心づけ…主賓などへのお礼、受付係へのお礼、司会や撮影を頼んだ人へのお礼など

会場見積書はここをチェック！

挙式・披露宴見積書の一例（70名の場合）

※金額は目安です

	項目	項目単価	数量	金額
料理、飲み物	料理	12,000円	70	840,000円※
	飲み物	3,000円	70	210,000円※
	ウェルカムドリンク	500円	70	35,000円※
	生ケーキ(子ども2名追加)	1,000円	72	72,000円※
会場関係	会場使用	100,000円	1	100,000円
	控え室料	20,000円	1	20,000円
	音響照明料	50,000円	1	50,000円
	介添え料	10,000円	1	10,000円
	小計A			1,337,000円
挙式関係	挙式料(キリスト教式)	200,000円	1	200,000円
装花関係	メインテーブル装花	60,000円	1	60,000円
	招待客テーブル装花	48,000円	1	48,000円
	ブーケ、ブートニア	25,000円	2	50,000円
	キャンドル装花	15,000円	1	15,000円
衣装、着付け関係	新婦衣装プラン	250,000円	1	250,000円
	新郎衣装プラン	120,000円	1	120,000円
	ヘアメイク·着付け	60,000円	1	60,000円
	ヘアメイクリハーサル代金	20,000円	1	20,000円
引き出物関係	引き出物	4,000円	58	232,000円
	引き菓子	1,000円	58	58,000円
	プチギフト	300円	70	21,000円
	ペーパーバッグ	400円	56	22,400円
ペーパーアイテム	招待状	400円	70	28,000円
	席次表	600円	70	42,000円
	メニュー表	150円	70	10,500円
	席札	150円	70	10,500円
演出関係	プロジェクター使用料	50,000円	1	50,000円
	プロフィールビデオ	40,000円	1	40,000円
	メインキャンドル	30,000円	1	30,000円
	司会者	70,000円	1	70,000円
記録関係	集合写真	18,000円	1	18,000円
	記念写真	16,000円	1	16,000円
	スナップ写真	180,000円	1	180,000円
	ビデオ撮影	120,000円	1	120,000円
	小計B			1,771,400円
	サービス料（※のついた項目にかかる）10％			115,700円
総合計				3,224,100円

料理、飲み物：料理の内容、飲み物は招待客の嗜好に合ったもの？

会場関係：控え室は何室使える？

装花関係：装花の内容は？ ブーケ、ブートニアはドレス別の数になっている？ 受付、キャンドル装花など他の装花の場所をチェック

衣装、着付け関係：衣装のランクはこれでOK？ お色直しする場合は、ヘアメイク、ブーケ代もプラス

引き出物関係：引き出物の内容や品数は招待客数に合っている？

演出関係：今頼んでいる演出内容でOK？

記録関係：写真、ビデオ、スナップの枚数制限、追加した場合の料金は？

本人・両親

見積もりに出てこない金額もチェック

予算オーバーの落とし穴

当初よりも100万円くらい余裕をみて

会場の担当者から見積もりをしっかり出してもらったつもりでも、最終的な支払い金額が当初の予算よりも上回るということは、よくあります。予算は余裕をもって組んでおくことが大切です。それでも、「一生に一度のこと」と思うと料理や装花をランクアップしたり、着たい衣装が予算より高かったりしても、ある程度の予算オーバーは仕方がないと考えるカップルも多いようです。

当初の予算よりも、だいたい100万円くらい余裕をもって用意しておけば、思いがけない出費にもあわてずにすむので安心でしょう。

見積書に出てこない項目に注意しよう

外部からもち込んだ衣装や引き出物には持ち込み料金がかかります。また、招待状や席札、ウェルカムボードなどのウエディングアイテムを手づくりする場合の材料費、遠方からの招待客の宿泊料や往復交通費など、会場の見積もりに入らない項目も意外とあるものです。一つひとつは小額でもまとまると大きな金額になるので、事前にしっかり確認しておきましょう。

Pick up

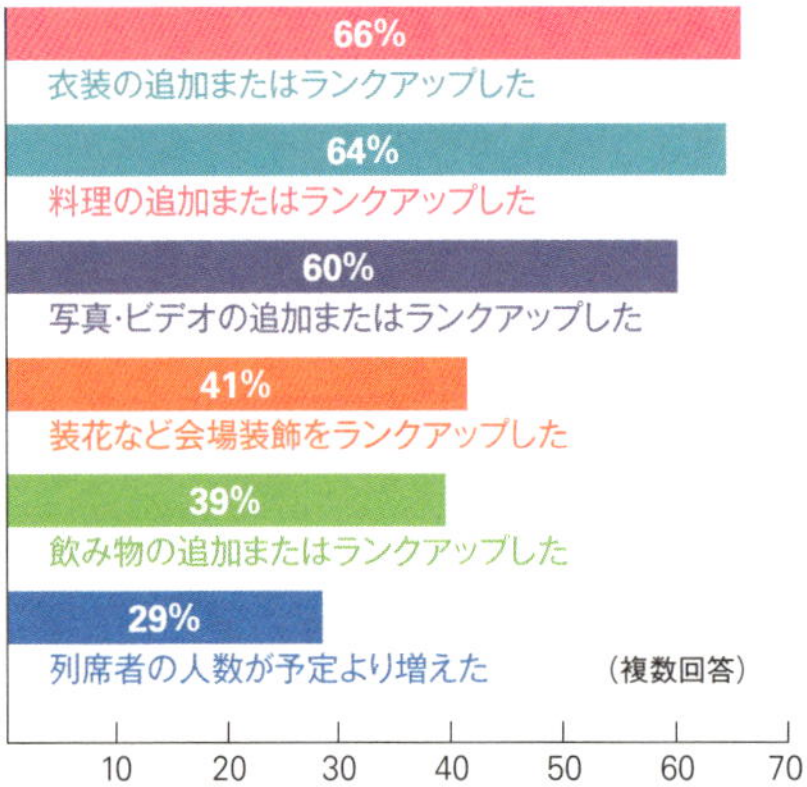

見積もりよりも上がった理由

衣装、料理、写真・ビデオはランクアップがほとんど

支払い金額が見積もり金額より上がった理由の第1位は「衣装の追加またはランクアップした」。項目によってはランクアップがほとんどなので、予定よりも予算が上がってしまうケースが多いこともうなずけます。

予算オーバーになりがちな項目

演出項目の追加

内容がバリエーション豊富な分、料金も幅広い披露宴の演出。一つひとつに料金設定されていることが多いので、欲張るとアッという間に数万円アップ、なんていうことにもなりかねないので何を取り入れるのか絞り込んで。

ウェルカムドリンク

会場にもよりますが、フリードリンクにウェルカムドリンクの料金は含まれていないことがほとんどです。ウェルカムドリンクを取り入れる場合、一人あたりの相場は300〜1000円程度が一般的です。

会場装花をボリュームアップ

装花にもこだわるなら花材や花器も希望したいけれど、内容によっては高額になってしまいます。トイレや受付、ケーキ回りなど飾る場所を増やすと金額もアップします。

両親

親族の引き出物は本人たちと確認を

引き出物は地域によって慣習はさまざま。親族への引き出物を分けて用意する場合はその内容を事前に本人・両親で一緒に確認しましょう。ランクアップや内容変更によって予算オーバーになることも。

メイクリハーサル

事前にリハーサルをしておきたいという場合は、その料金がヘアメイク・着付け代に含まれているのか確認しておきましょう。別料金になっていることも多く、その場合の相場は1〜3万円前後。

写真&ビデオの追加、ランクアップ

スナップ写真は、枚数が増えれば増えるほど金額アップ。ビデオの仕上げ方法をランクアップしても金額ははね上がります。

料理の内容をグレードアップ

一人あたり数千円アップでも招待客の人数分となると、その額は大きいため、ランクアップする場合は全員分の費用を計算してから決めましょう。

両親や親族分のヘアメイク・着付け代

結婚式当日、両親や親族が会場で衣装を借りたり、着付けやヘアセットをお願いしたりする場合にもお金がかかります。親族の分は、両親に確認してもらい、トータルで何人分必要になるのかをあらかじめ把握しておきましょう。

衣装とウエディング小物

パックプランの場合だと、ヴェールや手袋、アクセサリー、靴などが衣装の料金に含まれていることが多いようですが、その中で選べる衣装や小物は、ほとんど限られているということも。好みによってはランクアップすることになる場合も考えて。

本人

パックプランはここをチェック

手軽さと割安感で人気。オプションなどを上手に利用して

内容をよく確認し料金設定もしっかりチェック

結婚式まで時間のないカップルや、あまり手間やお金をかけたくないカップルには、挙式、衣装、料理、飲み物、装花など挙式・披露宴に必要な項目がセットになったパックプランがおすすめです。衣装や料理内容、引き出物などある程度制約もありますが、一定の範囲内であれば選択可能なプランや、オプションで追加も可能なプランもあるので、じっくり検討しましょう。

検討する際には、基本となるパックプランの内容を最初に確認し、どの程度オプションが必要になるのか、オプションを追加することでどの程度割高になるかをチェックして。

パックプランは大きく分けて三種類

パックプランのタイプは、ベーシックプラン、フルパッケージプラン、ウィークデイ&オフシーズンプランの大きく三つに分かれます。

主なパックプランのタイプ

□ベーシックプラン…挙式・料理・装花など必要最低限のものをセットにしたプラン。衣装や引き出物が含まれていないケースが多い。

□フルパッケージプラン…挙式や披露宴に必要なアイテムがほとんどそろうタイプ（引き出物は除く）。各アイテムの変更、ランクアップが可能かどうかをチェックして。

□ウィークデイ&オフシーズンプラン…婚礼利用客が少ない閑散期の販売促進のために用意されたプラン。通常のパックプランよりさらにお得な内容で割安感がある。

Pick up

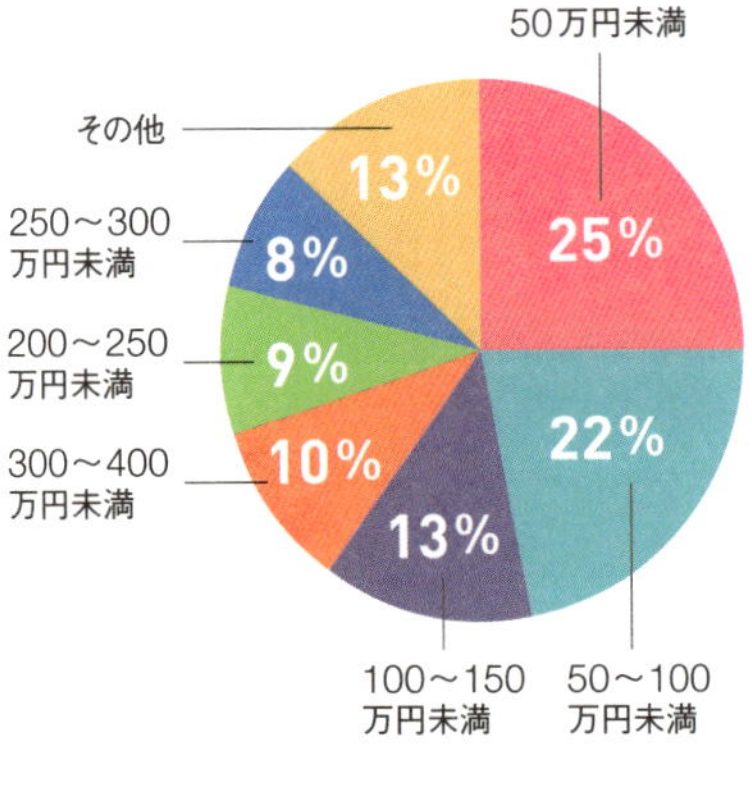

パックプランの基本料金

50万円未満が最も多い

パックプランを利用しているカップルは全体の約58%。基本料金は「50万円未満」が25%で最も多く、そのあと「50～100万円未満」、「100～150万円未満」と続きます。平均は144万円となっています。

パックプランのチェックポイント

挙式

- □装花、署名書などが含まれているか？
- □控え室料が含まれているか？

衣装

- □新郎･新婦の衣装がどのくらいの範囲で選べるのか？
- □ブランド･新作も選べるか？
- □ヘアメイク･着付け料は含まれているか？
- □かんざしなどの衣装小物のレンタルは？

ペーパーアイテム

- □招待状、席次表、席札、ウェルカムボードなどは含まれているか？　また内容は？
- □ペーパーアイテムをもち込んだ場合、割引または別の特典に変更可能か？

特典

- □結婚1周年記念ディナー招待、ハネムーンの割引特典などがあるか？

料理・飲み物

- □満足できる内容か？　また、ランクアップ、アレンジは可能か？
- □飲み物は、アルコール、ソフトドリンクが飲み放題になっているか？
- □入刀用のケーキは生ケーキか、イミテーションか？

装花

- □メイン･卓上装花･キャンドル装花は満足できる内容か？
- □両親贈呈用の花束の内容は？
- □花束贈呈をしない場合は、割引または別の特典に変更可能か？

写真・ビデオ

- □写真は集合、記念、スナップ写真の何が含まれているか？
- □写真は何カットまでか？
- □編集したビデオ、アルバムは両家の分が含まれているか？

Case 19

仏滅プランを申し込んだら親族からブーイング

結婚式はなるべくシンプルに、安くすませたいと考えていた私達。「仏滅プラン」があると知り、迷わず二人で申し込んだのですが、親族からブーイング。二人とも地方出身者で六曜を気にする人が多く、「仏滅に式を挙げるなんてとんでもない」と大反対されてしまい、結局日程を変更することにしました。

Advice

親にどの六曜ならOKか事前に相談を

とくに年配者や地方の人は六曜を気にするもの。すでに申し込んでいる場合でも、まずは親に相談を。どうしてもNGなら日程変更も検討する必要があります。神社で厄祓いをしてもらうなど、納得してもらえるような努力をすることによってクリアになる場合も。

本人・両親

挙式や披露宴の費用はいくらかかるの!?

会場・こだわり別 予算ケーススタディ

いろいろなタイプの会場を見学して

結婚式場は新郎新婦や招待客を〝幸せ〟で包む場所です。心に残る結婚式をかなえるには、その舞台となる会場探しは欠かせません。

「ゲストハウスでないと」と決めているカップルもいると思いますが、まずは、ホテル、ゲストハウス、レストランなどいろいろなタイプの会場を見学することをおすすめします。会場によって、イメージや衣装、そして演出も変わってきます。どのタイプの会場が自分たちに合っているのか、また招待客を喜ばせることができるのか。心残りがないよう、メリット・デメリットを比較しながら検討していきましょう。

予算とのバランスを考えダメもとで値下げ交渉を

ご祝儀などによって自己負担は変わりますが、挙式・披露宴費用の平均額は約330万円。もちろん会場によって料金設定は違いますし、同じ会場でもオプション追加などで、金額は変動します。いくつかの見積書を照らし合わせながら、予算と実現したいことの〝黄金バランス〟を探して下さい。

とはいえ、少しでも費用は抑えたいもの。意外かもしれませんが、時期によっては、費用の値下げ交渉ができる会場もあります。特典としてブライダルアイテムがついてくるなど、お得になるチャンスも。ダメもとで値下げ交渉してみましょう。

予算に限りがある時は自分達にかける費用をけずる

予算に限りがある時は、席次表や席札などペーパーアイテムを手づくりにするなど工夫しましょう。お色直しなしにすると、費用の節約だけでなく招待客との時間がたっぷりとれることも。

両親

少しでも新郎新婦の負担を軽くしてあげるために

結婚は親からの自立を意味するものですが、そうはいっても心配なもの。ある調査によると、7割以上の新郎新婦が親･親族からの結婚資金援助を受けています。結婚祝い込みでまとまった金額を渡すケースが多いようです。

専門式場

結婚式のみを専門に扱う施設なので、幅広いウエディングスタイルに対応できるのが魅力。提携先も充実しています。

会場を華やかにする装花はたっぷり装飾

人前式なので会場を華やかにしたいと装花はちょっと豪華に。専任フローリストが細かなリクエストに対応してくれました。

和やかな宴内人前式でコストも時間もカット

人前式を披露宴内に組み込むことでメリハリのある演出になり招待客の満足度もアップ! コストも時間もカットできます。

お色直しなしで招待客との時間を大切に

宴内人前式ということもありお色直しはなし。花嫁中座時間が少なく、招待客との時間をたっぷり確保できました。

[専門式場見積書の一例(60名の場合)]

※金額は目安です

内容	単価	数量	金額
料理	15,000	60	900,000
飲物	4,000	60	240,000
オリジナル生ケーキ	60,000	1	60,000
会場使用料	150,000	1	150,000
控室料(新郎新婦・親族)	100,000	1	100,000
プロデュース料	100,000	1	100,000
計			1,550,000
サービス料(10%)			155,000
小計❶			1,705,000
教会式	150,000	1	150,000
人前式	120,000	0	0
司会者	60,000	1	60,000
音響オペレーター	70,000	1	70,000
招待状	300	60	18,000
席次表	500	60	30,000
席札	150	60	9,000
スナップ撮影(式・披露宴)	100,000	1	100,000
DVD撮影(披露宴)	110,000	0	0
スタジオ写真	130,000	1	130,000
メイン装花	80,000	1	80,000
招待客装花	6,000	10	60,000
ブーケ・ブートニア	25,000	1	25,000
新郎・新婦　衣装	300,000	1	300,000
カラードレス	100,000	0	0
新郎新婦お支度	70,000	1	70,000
お色直し	30,000	0	0
小計❷			1,102,000
引き出物	3,000	40	120,000
引き菓子	1,000	40	40,000
プチギフト	200	0	0
小計❸			160,000
合計(小計❶〜❸)			2,967,000
消費税(8%)			237,360
ご請求総額			3,204,360

Check 見積もりのポイント

- □人前式なので会場を華やかに装飾
- □結婚式プロの専任スタッフに演出方法の相談も
- □式を宴内に組み込みコストも時間も省エネ
- □人前式で披露宴の進行にもメリハリが
- □お色直しなしで招待客との時間を確保

ホテル

ラグジュアリーな結婚式や少人数制のアットホームなスタイルなど、多様なニーズにこたえてくれるのがホテルウエディングです。充実した設備やアクセスのよさなど、招待客をもてなす環境も整っています。

[ホテルウエディング見積書の一例（60名の場合）] ※金額は目安です

バージンロードの長い荘厳な教会で挙式

大聖堂のような天井高のチャペルで挙式。高級ホテルなので挙式料は割高ですが、長いバージンロードでロングドレスが映えます。

メインテーブル装花をワンランクアップ

主役の二人が座るメインテーブルは注目されるので、料金をワンランクアップして花の数や種類を増加し、華やかなアレンジに。

料理をランクアップして引き出物をプラン内に

一人1万5000円の料理をランクアップして1万8000円に。予算がオーバーしそうだったので、引き出物と引き菓子をプラン内に収めて想定内の金額に。

内容	単価	数量	金額
料理	18,000	60	1,080,000
飲物	5,500	60	330,000
ケーキ	1,500	60	90,000
会場使用料	150,000	1	150,000
ヘアメイク・着付け部屋	80,000	1	80,000
音響オペレーター	60,000	1	60,000
音響照明設備	145,000	1	145,000
椅子カバー	1,000	100	100,000
計			2,035,000
サービス料(13%)			264,550
小計❶			2,299,550
チャペル式挙式	250,000	1	250,000
司会者	120,000	1	120,000
婚礼記念写真	30,000	3	90,000
婚礼スナップ写真（挙式・披露宴）	180,000	1	180,000
メインテーブル装花	150,000	1	150,000
卓上装花	15,000	12	180,000
ブーケ・ブートニア	40,000	1	40,000
新郎・新婦　衣装	300,000	1	300,000
新郎・新婦お支度	70,000	1	70,000
小計❷			1,380,000
引き出物	3,000	48	144,000
引き菓子	1,000	48	48,000
ペーパーバッグ	300	48	14,400
小計❸			206,400
合計（小計❶〜❸）			3,885,950
消費税（8%）			310,876
ご請求総額			4,196,826

Check 見積もりのポイント

- □荘厳な雰囲気のチャペル挙式を実現
- □記念写真、スナップ写真をしっかり残す
- □メインテーブルの装花にこだわる
- □料理をランクアップした分引き出物はプラン内に

レストラン

絶品料理と招待客との楽しい歓談を求めるならレストランウエディングがおすすめ。一流シェフが織り成す料理は招待客に喜んでもらえるはず。テラスや庭でのオリジナリティにとんだ演出などで、個性あふれる結婚式を。

[レストランウエディング見積書の一例（60名の場合）]

※金額は目安です

内容	単価	数量	金額
料理	15,000	60	900,000
飲物	4,000	60	240,000
オリジナルケーキ	60,000	1	60,000
会場貸切料	100,000	1	100,000
計			1,300,000
サービス料(10%)			130,000
小計❶			1,430,000
チャペル式挙式	150,000	1	150,000
司会者	60,000	1	60,000
音響オペレーター	70,000	1	70,000
スナップ撮影(披露宴)	50,000	1	50,000
メイン装花	30,000	1	30,000
招待客装花	3,000	8	24,000
ブーケ・ブートニア	25,000	1	25,000
新郎・新婦　衣装	300,000	1	300,000
新郎・新婦お支度	70,000	1	70,000
小計❷			779,000
引き出物	3,000	48	144,000
引き菓子	1,000	48	48,000
ペーパーバッグ	300	48	14,400
小計❸			206,400
合計（小計❶～❸）			2,415,400
消費税（8%）			199,232
ご請求総額			2,608,632

レストランウエディングの醍醐味は絶品料理

レストランのおいしい料理を招待客に食べてもらいたかったので、一人1万5000円のコースに。彩り、ボリュームともに大評判でした。

オリジナル生ケーキは二人のこだわりを込めて

専属パティシエのいるレストランで、二人の思い出の場所をモチーフにオーダーメイドのオリジナルケーキにしてこだわりを演出。

スナップ撮影は外部に頼んでリーズナブルに

披露宴のスナップ撮影は、知り合いを通じてフリーのカメラマンを紹介してもらい、リーズナブルな価格でお願いすることができました。

Check 見積もりのポイント

- □評判のフレンチレストランの本格コースを堪能
- □お色直しはせずヘアメイクのみに
- □スナップ撮影は外部のカメラマンに依頼
- □専属パティシエにウエデイングケーキをオーダー

ゲストハウス

一軒家を貸し切って行うあたたかくプライベートな雰囲気で、ロビーも会場も自分達だけという特別感が魅力。

貸切を生かしてユニークな演出も!

らせん階段を降りての入場、庭でのデザートブッフェなどのユニークな演出が可能。招待客とも触れ合える時間がたくさん。

絵になる写真や映像はたくさん撮って思い出に

ゲストハウスならスナップ写真やDVDも素敵な仕上がりに。予算オーバー気味ですが、一生残るものなので思いきりました。

招待状や席次表はコストダウンの工夫を

手づくりの招待状や席次表は、二人から招待客への心の込もったメッセージ。同時にコストダウンもできました。

[ゲストハウス見積書の一例(60名の場合)]

※金額は目安です

内容	単価	数量	金額
料理	12,000	60	720,000
飲物	3,500	60	210,000
オリジナルケーキ	70,000	1	70,000
会場使用料	300,000	1	300,000
音響オペレーター	60,000	1	60,000
計			1,360,000
サービス料(10%)			136,000
小計❶			1,496,000
チャペル式挙式	200,000	1	200,000
人前式	120,000	0	0
司会者	80,000	1	80,000
招待状	300	0	0
席次表	500	0	0
席札	500	0	0
スナップ撮影(披露宴)	135,000	1	135,000
DVD撮影(披露宴)	165,000	1	165,000
メイン装花	20,000	1	20,000
招待客装花	3,500	8	28,000
ブーケ・ブートニア	20,000	1	20,000
新郎・新婦　衣装	300,000	1	300,000
カラードレス	100,000	0	0
新郎・新婦お支度	40,000	1	40,000
アテンド	20,000	0	0
小計❷			988,000
引き出物	3,000	48	144,000
引き菓子	1,200	48	57,600
ペーパーバッグ	350	48	16,800
プチギフト	210	0	0
小計❸			218,400
合計（小計❶～❸）			2,702,400
消費税（8%）			216,192
ご請求総額			2,918,592

Check 見積もりのポイント

□プライベート空間を新郎新婦と招待客で独占
□ユニークな演出でオリジナリティを出す
□招待客との距離が近く和やかな式が実現
□絵になる写真や映像はたっぷり残す
□手づくりの招待状や席次表でコストダウン

海外挙式

南国リゾートや歴史ある教会など、日本では経験できない式を実現できる海外ウエディング。新婚旅行と合わせてトータルでプランできるのが魅力です。帰国後、披露パーティを行うカップルはその予算も忘れずに。

[海外挙式見積書の一例(20名の場合)] ※金額は目安です

新婚旅行と親孝行をかねてランクの高い部屋を

新婚旅行もかねてラグジュアリーホテルを選択。両親へのお礼の意味でぜいたくなオーシャンビューの部屋を予約しました。

旅費は負担してもらい食事をワンランクアップ

友人達の旅費は自己負担なのでご祝儀はもちろん辞退。パーティの食事の内容をゴージャスにして感謝を伝えました。

ドレスを購入して挙式とパーティで使用

帰国後のパーティのことを考えると、レンタルよりも購入したほうが割安に。思い切って一目惚れしたドレスを購入。

内容	単価	数量	金額
料理 飲物 オリジナルケーキ	14,000 4,000 84,000	20 20 1	280,000 80,000 84,000
会場使用料	180,000	1	300,000
計			624,000
サービス料(10%)			62,400
小計❶			686,400
挙式	280,000	1	280,000
挙式ビーチでの撮影200枚・DVD 30分編集	128,000	1	128,000
レストランでの装花 フラワーシャワー 生花レイ	10,000 20,000 2,000	12 1 2	120,000 20,000 4,000
送迎車(バン)	72,000	1	72,000
新郎・新婦　衣装	420,000	1	420,000
新郎新婦 Aクラスホテルツアー 6泊8日 両親 Aクラスホテルツアー 3泊5日 成田空港使用料 現地空港税	 256,000 148,000 2,040 5,600	 2 4 6 6	 512,000 592,000 12,240 33,600
小計❷			2,193,840
合計(小計❶〜❷)			2,880,240
消費税(8%)			230,419
ご請求総額			3,110,659

Check 見積もりのポイント

- □新婚旅行と親孝行をかねてホテルは豪華に
- □旅費自己負担の友人のために食事はワンランクアップ
- □ドレスは購入して挙式と帰国後のパーティで使用
- □帰国後のパーティでの報告用に写真とDVDはたっぷり
- □空港使用料や空港税も予算に組み入れる

国内リゾート

オーシャンウエディングやグリーンウエディングなど、ロケーションが魅力なリゾートでの結婚式は、外が明るい午前中に挙式をし、その後食事会というのが一般的なスタイル。場所によっては日帰り挙式も可能。

［国内リゾートウエディング見積書の一例（40名の場合）］ ※金額は目安です

内容	単価	数量	金額
お料理	12,000	40	480,000
お飲物	3,500	40	140,000
オリジナルケーキ	40,000	1	40,000
会場使用料	180,000	1	180,000
計			840,000
サービス料(10%)			84,000
小計❶			924,000
教会式	100,000	1	100,000
司会者	80,000	1	80,000
スナップ撮影(披露宴)	90,000	1	90,000
メイン・招待客装花	65,000	1	65,000
新郎·新婦　衣装(お支度含)	450,000	1	450,000
小計❷			785,000
引き出物	3,000	35	105,000
引き菓子	1,000	35	35,000
ペーパーバッグ	300	35	10,500
小計❸			150,500
合計（小計❶～❸）			1,859,500
消費税（8%）			148,760
ご請求総額			2,008,260

料理はゴージャスでリーズナブル

軽井沢のリゾートホテルなので、料理は豪華。一人1万2,000円と、都内で挙げるよりもリーズナブルな価格でおいしい料理を堪能できます。

衣装にこだわりカラードレスも着用

ウエディングドレスに加えカラードレスも着用してお色直しを。高くついてしまったけれど、違うドレスが着れて満足しています。

近場のリゾートなら日帰りでプランも組める

近郊の招待客が多かったので、招待客は日帰りプランを利用。新郎新婦は1泊宿泊サービスつきで、式の余韻にひたれました。

Check 見積もりのポイント

- □DVD撮影を控え費用を節約
- □近場のリゾート地なら日帰りでもOK
- □衣装にはこだわってお色直しを
- □豪華な料理をリーズナブルに
- □新郎新婦の宿泊サービスも利用

クルージング

海が大好きなカップルにお似合いなのがクルーズウエディング。潮風と波間から反射する光を体で感じながらの挙式は格別です。船内にチャペルのあるクルーザーでは、挙式と披露宴、両方行うことができます。

［クルージングウエディング見積書の一例（60名の場合）］

※金額は目安です

内容	単価	数量	金額
料理	12,000	60	720,000
飲物	5,000	60	300,000
オリジナルケーキ	1,000	60	60,000
会場使用料	250,000	1	250,000
乗船料	2,600	60	156,000
音響オペレーター	60,000	1	60,000
計			1,546,000
サービス料(10%)			154,600
小計❶			1,700,600
船長式（人前式）	50,000	1	50,000
司会者	60,000	1	60,000
スナップ撮影(披露宴)	80,000	1	80,000
DVD撮影(披露宴)	140,000	1	140,000
メイン装花	35,000	1	35,000
招待客装花	3,000	8	24,000
ブーケ・ブートニア	30,000	1	30,000
新郎・新婦　衣装	300,000	1	300,000
新郎・新婦お支度	70,000	1	70,000
小計❷			789,000
引き出物	3,000	48	144,000
引き菓子	1,000	48	48,000
ペーパーバッグ	350	48	16,800
小計❸			208,800
合計（小計❶～❸）			2,698,400
消費税（8%）			215,872
ご請求総額			2,914,272

クルーズウエディングだからこそ叶えられる

クルーザーの船長が承認者として参加する「船長式」、「キャプテンセレモニー」がプラン内にあるのもクルーズウエディングならでは。

オプションでDVD撮影を追加

撮りどころが多いクルージング挙式なので、DVD撮影をオプションで追加。サンセットクルーズでの夕焼けも、写真と映像両方に残ります。

招待客の乗船料の割引サービスを利用

招待客の乗船料は見積もりに含まれていませんでしたが、割引サービスを利用してリーズナブルに。招待客全員に乗船料無料招待券プレゼントのサービスも。

Check 見積もりのポイント

- □クルーザー内の宴会場を貸し切りに
- □人前式の趣が強い船長式費用はリーズナブル
- □招待客の乗船料の割引サービスを利用
- □オプションでDVD撮影を追加した分お色直しはなし

本人

予算に合わせて自由にコーディネイト

気軽なカジュアルウエディング

自由なプログラムで和やかなパーティに

形式にとらわれず、もっと気軽で自分達らしいパーティにしたいカップルにおすすめなのが、このカジュアルウエディング。披露宴ほどフォーマルではなく、かといって二次会ほどくだけていない、その中間の1・5次会のようなイメージです。会員制なのかご祝儀制なのか、着席なのかビュッフェスタイルなのか、予算に応じて自由にコーディネイトできるのがカジュアルウエディングの魅力。ウエディングドレスを着用してケーキカットをしたり、友人のスピーチなどが入ったプログラムにすれば、ウエディングらしいパーティになるでしょう。

失礼のないカジュアルを心がけたい

カジュアルなパーティといえど、〝おもてなしの心〟を忘れてはいけません。まず会費制にする場合、新郎新婦の衣装やヘアメイクなどは持ち出しにするのがマナー。会費の目安は、飲食代と記念品代を合わせて8000円〜1万5000円です。

客層に合わせてパーティプランをコーディネイト

カジュアルウエディングを成功させるコツは客層に合ったプランを考えること。友人が中心ならビュッフェスタイルにし、招待客が参加できるゲームなどで構成しても面白いでしょう。親族が中心なら、着席スタイルで二人の思い出やプロフィール映像を流します。

プログラムの一例

1. **人前式とスピーチ**
人前式とあいさつが終わったら、ケーキ入刀へ。

2. **乾杯から友人のスピーチ**
ファーストバイトと乾杯の後は歓談を楽しんで。

3. **ゲームや映像演出**
新郎から新婦へのサプライズ演出が好評です。

4. **新婦からブーケトス**
新婦が式で使ったブーケを後ろ向きになって投げるブーケトスを。

5. **謝辞と見送り**
プチギフトを渡しながら招待客を見送ります。

カジュアルウエディングの予算

カジュアルでアットホームな雰囲気の中、例えば着席でのフルコースを用意することで、招待客にゆっくりくつろいでもらえます。自由にプランを考えましょう。

パーティの最中に人前式で祝福を

プランの中に人前式の料金が含まれていたので、招待客全員に立会人となって結婚を承認してもらうことができました。

フリードリンクもリーズナブルに

カジュアルな雰囲気のレストランを会場にしたので、フリードリンクの料金もリーズナブルに抑えることができました。

感謝の気持ちは引き菓子で伝えて

感謝の気持ちは引き出物でなく引き菓子で。レストラン手づくりのお菓子をオーダーして自分達らしさを演出できました。

[カジュアルウエディング見積書の一例] (60名の場合)

※金額は目安です

内容	単価	数量	金額
料理	8,000	60	480,000
飲物	2,500	60	150,000
オリジナルケーキ	50,000	1	50,000
会場使用料	150,000	1	150,000
プロデュース料	100,000	1	100,000
計			930,000
サービス料(10%)			93,000
小計❶			1,023,000
人前式	120,000	1	120,000
司会者	60,000	1	60,000
音響オペレーター	70,000	1	70,000
招待状	300	0	0
席次表	500	0	0
席札	150	0	0
スナップ撮影(披露宴)	50,000	1	50,000
DVD撮影(披露宴)	110,000	0	0
メイン装花	25,000	1	25,000
ゲスト装花	3,000	4	12,000
ブーケ・ブートニア	25,000	1	25,000
新郎・新婦　衣装	120,000	1	120,000
カラードレス	100,000	0	0
新郎新婦お支度	70,000	1	70,000
お色直し	30,000	0	0
小計❷			552,000
引き出物	3,000	0	0
引き菓子	1,500	60	90,000
プチギフト	200	0	0
小計❸			90,000
合計 (小計❶～❸)			1,665,000
消費税 (8%)			133,200
ご請求総額			1,798,200

Check

- □招待客は友人中心でアットホームに
- □簡単な形式の招待状は手づくりで
- □カジュアルな中でも人前式はしっかり挙げる
- □着席フルコースでくつろいでもらう
- □お色直しはせずにドレス1着で

結婚式にかかるお金 Q&A

Q 結婚式のサービス料って？

A 見積もりを出してもらう際にわかりますが、サービス料を結婚式場に支払います。スタッフの人件費に当てられるもので、飲食代や席料に10％かけられるのが基本。式場によってはサービス料の対象が異なる場合もあるので、見積もり時に確認しましょう。

Q 結婚式の予算はどのように算出すればいいの？

A 結婚式を行う場合は、「どれくらいかかるのか」費用を算出する必要があります。予算を立てる際には、二人の貯金のほかに、両親からの援助、そして招待客からいただくご祝儀を含めて算出します。二人でおおよその招待客をリストアップし、一人当たり3万円程度としてご祝儀の総額を推測するとよいでしょう。

Q 貯金があまりないけれど当日精算やカード払いは可能？

A 結婚式の料金は、会場により支払うタイミングが異なります。たいていは「会場決定時」に支払いますが、「結婚式当日」または「結婚式後」に支払える会場も。決済も、現金のほかクレジットカードが使えるところもあるので、貯金の具合と相談し、事前によく確かめてから会場を決めるのがポイントです。

Q 予算があまりとれないお色直しはしなきゃだめ？

A 1着のドレスでも、お色直しをすることができます。ヘアメイクや合わせる小物、ブーケを変えるだけで、イメージもがらりと変わるもの。2wayのドレスもあるので、衣装選びの際に探してみましょう。

郵便はがき

104-8011

おそれいりますが
切手をお貼り
下さい

東京都中央区築地
5−3−2

株式会社
朝日新聞出版
生活・文化編集部 行

ご住所　〒 電話　（　　　）		
ふりがな お名前		
Eメールアドレス		
ご職業	年齢 歳	性別 男・女

このたびは本書をご購読いただきありがとうございます。
今後の企画の参考にさせていただきますので、ご記入のうえ、ご返送下さい。
お送りいただいた方の中から抽選で毎月10名様に図書カードを差し上げます。
当選の発表は、発送をもってかえさせていただきます。

愛読者カード

お買い求めの本の書名

お買い求めになった動機は何ですか？（複数回答可）

1. タイトルにひかれて　2. デザインが気に入ったから
3. 内容が良さそうだから　4. 人にすすめられて
5. 新聞・雑誌の広告で（掲載紙誌名　　　　）
6. その他（　　　　）

表紙　1. 良い　2. ふつう　3. 良くない
定価　1. 安い　2. ふつう　3. 高い

最近関心を持っていること、お読みになりたい本は？

本書に対するご意見・ご感想をお聞かせください

ご感想を広告等、書籍のPRに使わせていただいてもよろしいですか？

1. 実名で可　2. 匿名で可　3. 不可

ご協力ありがとうございました。
尚、ご提供いただきました情報は、個人情報を含まない統計的な資料の作成等に使用します。その他の利用について詳しくは、当社ホームページ http://publications.asahi.com/company/privacy/ をご覧下さい。

第四章

結婚式の準備①
招待状、衣装、小物

花嫁が最も力を入れるドレス選び。
もちろん、小物や新郎の衣装選びも重要です。
当日輝く二人になるためにも、
事前の情報収集はしっかりと。
自分たちに合う
衣装やアイテムを選びましょう。

本人

「失礼のないように」が大前提。マナーをわきまえて作成を

招待状の準備・発送のポイント

大事な招待状はプロに頼むのが安心

招待客が決まったら、招待状の作成に取りかかましょう。送る前に、電話などで結婚の報告をして披露宴への出席が可能かどうか確認を。

招待状には、あいさつの言葉、結婚の報告、披露宴の日時と場所、出欠の返信の期限などを記載します。二人の結婚を文書で伝えるフォーマルな手紙ですので、一定の格式を保つことが必要です。誤字などはもってのほか。とくに招待客の名前は、漢字の旧字体も含め、念入りに確認しましょう。

文面にも決まりごとが多く細心の注意が必要なので、会場もしくはプロの業者にお願いするのが安心でしょう。

招待状の準備期間は挙式4カ月前から

結婚式の招待状の準備は、約4カ月前から始めましょう。文面やデザイン選び、印刷の申し込みなど準備を始め、そのあとに校正や宛名書き。約2～3カ月前までに郵送しておくと安心です。返信は、1～2カ月前にいただくのが目安です。

招待状作成スケジュール

1 挙式3～4カ月前までに
- 差出人と文面を決める(P118参照)
- 依頼(発注)

2 挙式2～3カ月前までに
- 校正・印刷・完成品の受け取り
- 宛名書き、切手購入、封入、発送

3 挙式1～2カ月前までに
- 返信はがきの締め切り
- 返信はがきをもとに、席次を決める

宛名書きはパソコンの宛名名刺でもOK

招待状の宛名の正式な書き方は、毛筆の楷書。結婚式の招待状の宛名書きは毛筆や筆ペンがよいとされています。自筆では自信がない人は、筆耕業者へ頼むのも手、パソコンの宛名印刷でもかまいません。

また、招待状のデザインにもよりますが、縦書き、または横書きと、縦横をそろえましょう。

宛名の書き方

宛名は縦書きのほうがていねいですが、横書きでもOKです。切手は慶事用のものを使いましょう。慶事用の切手は郵便窓口で購入できます。

< 縦書きの場合 >

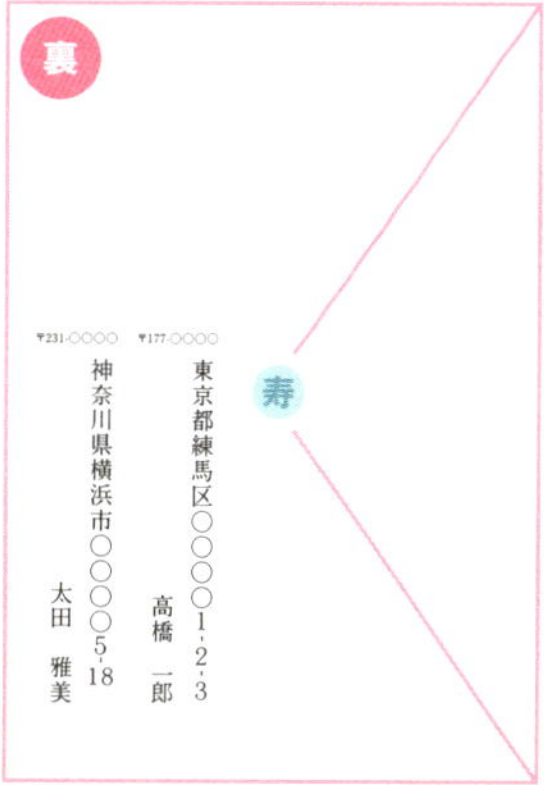

住所が長い場合は2行に分けて書いてもOK。宛名の名前は中央に大きく堂々と書きます。「様」をつけ、出席してほしい人全員の名前を入れましょう。夫婦で招待する場合は、夫婦それぞれの名前を書きます。上司を夫婦で招待する場合は、上司の名前の隣に夫人の名前もしくは「令夫人」と書きます。

封筒の裏には親の名前か新郎新婦の名前を書きます。すでに入籍して姓が変わっている場合でも、新婦の名前は旧姓に。寿シールで封を。

< 横書きの場合 >

< 返信はがき >

新郎新婦が差出人の場合、返信はがきの宛先は新郎の自宅か新婦の自宅に。52円切手を必ず貼りましょう。

本人・両親

招待状のデザイン

両親の了承を得ながら進めよう

招待状のデザインは二人の結婚式のイメージで選ぶ

正式な結婚報告でもある結婚式の招待状は、二人の結婚式のイメージに合わせてデザインを考えます。デザインの選び方はカップルによってさまざまですが、基本的に親族、仕事関係者、友人といった幅広い立場、年齢層の人達に送るものです。どなたに対しても失礼のないよう、二人だけでなく親にも確認してもらいながらきちんと進めていきましょう。

アットホームな結婚式にしたいからといって招待状をラフなテイストにしすぎると、カジュアルなパーティと思われる場合も。

デザインの選び方は大きく分けて三つ

招待状のデザイン制作は、会場が用意するものを選ぶ、業者に依頼する、すべて手づくりにする、の三つの方法があります。手づくりの招待状は手間と時間がかかりますが、自分達でつくった満足感と、思い出が残るのが魅力です。よく検討しましょう。

両親

文面だけはある程度決まった内容をすすめて

新郎新婦が招待状をオリジナルのデザインでつくりたいという場合は、当人たちを尊重して。ただし、目上の人にも送るものなので、内容を確認してあげましょう。

Pick up

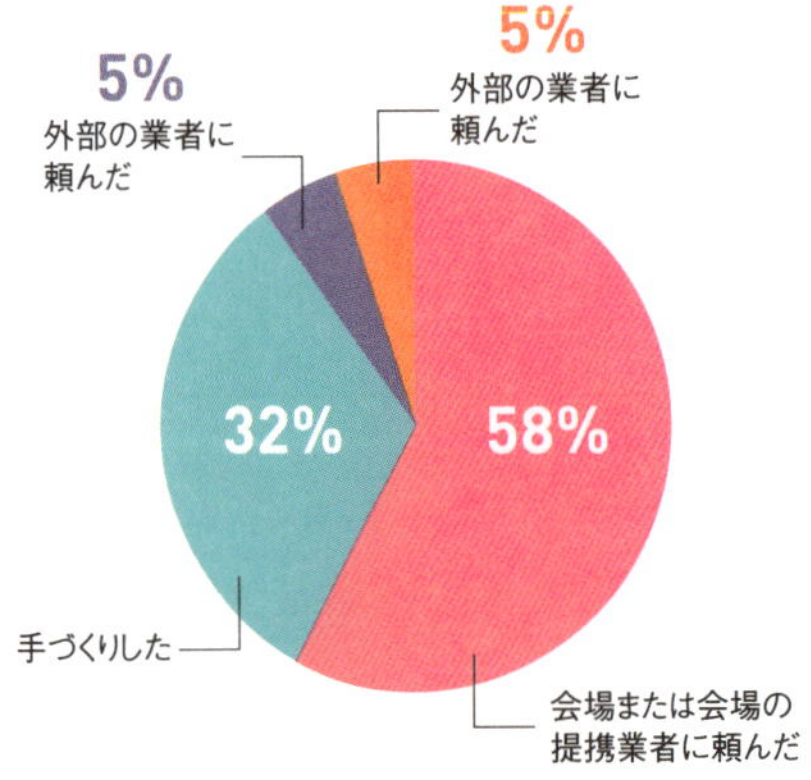

招待状作成の依頼先は？

会場または会場の提携業者に頼んだカップルが約6割

会場または会場の提携業者に頼んだというカップルが58%。手づくりしたというカップルが32%と続きます。招待状の手づくりはハードルも低く、パソコンソフトなどで手軽に制作できるという理由から第2位に。

招待状に必要なもの

会場案内図

会場までの地図や駐車場、交通案内を記したカードを同封すると親切です。

返信用はがき

招待客の出欠を確認するための重要アイテム。切手を忘れずに貼りましょう。

メッセージカード

祝辞などのスピーチや余興を依頼する場合は事前に口頭で依頼し、メッセージカードを必ず添えて。

封筒

慶事用切手を貼ります。料金不足になっていないか注意。

招待状

結婚の報告とともに「結婚式に来てほしい」という自分達の気持ちを素直に伝えましょう。

必要に応じて同封するもの

- 宿泊先などを用意してある場合は、宿泊の案内
- 遠方の招待客に用意した、交通チケット

メッセージカードの文例

スピーチや余興をお願いしたい人には、あらかじめ電話などで依頼して承諾を得ましょう。
招待状には承諾のお礼と確認の意味でメッセージカードを同封します。
メッセージは手書きで、送る相手によって文体を変えても構いません。

余興のお願い

このたびは、私たちのために余興の依頼をお受けいただきありがとうございます。当日を楽しみにしております。何とぞよろしくお願いいたします。

乾杯のお願い

先日ご連絡いたしました乾杯依頼の件、快く承諾いただき、二人でほっとしております。当日はどうぞよろしくお願いいたします。

主賓のあいさつのお願い

このたびは私達の結婚式におきまして、主賓のあいさつをお引き受けいただき本当にありがとうございます。何とぞよろしくお願いいたします。

本人・両親

親と本人の連名で出すケースも

招待状の文例

最初に差出人を決め、ふさわしい文章を考える

招待状の差出人は、かつては両家の親の名前が一般的でしたが、今では二人の名前で出すケースが多いようです。親族や親関係の招待客が多い場合などは、差出人が親の名前になることもあります。また、最近は親と本人の連名で出すケースも増えてきています。差出人をだれにするかは、必ず親と確認してから進めましょう。

招待状の文面は、親の名前で出す場合は格式高くまとめることを心がけます。二人の名前で出す場合は、難しい言い回しの表現をすることはありませんが、カジュアルになりすぎないよう十分注意したいものです。

基本ルールはしっかり守って文面づくりを

招待状の文章には、「区切る」を意味する句読点は入れない、段落の行頭は空けない、「たびたび」「再び」などは使わないなど、基本ルールがあります。媒酌人（仲人）を立てた場合は名前の記載をお忘れなく。

両親

誤字、脱字や表現を念のため確認を

招待状の文面は親の目線で内容を確認しましょう。二人が一生懸命考えたものですので、修正点を見つけたら「こうしてみたら？」とやんわり伝えて。

手書きのメッセージを添えて思いやりを

挙式スタイルやドレスコード、レストランや料理についてなど、招待客に知らせたいことや必要な情報があれば、ミニカードを添えるのもおすすめ。手書きのメッセージをしたためるのもよいでしょう。

また、披露宴に一人で出席する友人に対しては「披露宴の席では、隣に私の幼稚園の時からのお友達が座ります。音楽好きだからきっとあなたと話が合うと思うのでどうぞよろしくね」など一言添える気づかいを。季節感、香り、テーマカラーなどで、二人のウエディングスタイルのイメージがわくように工夫しましょう。

招待状の文例

〈両親の名前で送る場合〉

謹啓　初夏の候
皆様にはますますご清祥のこととお慶び申し上げます
さて　このたび　○○○○様ご夫妻のご媒酌により
鈴木俊雄　長男　浩一
岡本和久　長女　奈緒
の婚約が相ととのい　結婚式を挙げることとなりました
つきましては　幾久しくご懇情を賜りたく
披露かたがた粗餐を差し上げたく存じます
ご多用中誠に恐縮でございますが
何とぞご臨席賜りますようご案内申し上げます
謹白

記

日時　平成○○年○月○日（○曜日）
披露宴　午後○時～
場所　○○○○○
東京都渋谷区神宮前○-○-○
TEL　00-0000-0000

平成○○年○月吉日

お手数ながら　ご都合の程を○月○日迄に
ご一報賜りますようお願い申し上げます

鈴木俊雄
岡本和久

〈新郎新婦連名で送る場合〉

拝啓　新春の候
皆様にはお健やかにお過ごしのこととお慶び申し上げます
このたび　私たちは結婚式を挙げることとなりました
つきましては　日頃お世話になっております皆様に感謝の
気持ちを込めて　ささやかな小宴を催したく存じます
ご多用中誠に恐縮でございますが
ぜひご出席賜りますようお願い申し上げます
敬具

記

日時　平成○○年○月○日（○曜日）
披露宴　午後○時～
場所　○○○○○
東京都渋谷区神宮前○-○-○
TEL　00-0000-0000

平成○年○月吉日

お手数ながら　ご都合の程を○月○日迄に
ご一報賜りますようお願い申し上げます

鈴木浩一
岡本奈緒

Check

発送前に最終チェック！

- □封筒に入れ忘れたものはないか
- □メッセージと宛名は一致しているか
- □返信のはがきに切手は貼ったか
- □住所、氏名の書き間違いはないか
- □封はきれいに閉じられているか

本人・両親

披露宴の席の決め方

招待客の交友関係なども配慮したい

新郎新婦の席に近い方が上座に

発送した招待状に記載した締め切りを過ぎたら、リストを見ながら出欠を確認しましょう。返事が来ていない人がいたら、電話で問い合わせてみるなどして口頭で出欠を確認しましょう。

最終的な人数が確定したら、会場からテーブル配置表をもらい、披露宴の席次を検討します。

新郎新婦が座る高《たか》砂《さご》席に最も近い席が上座、出入り口に近く高砂から最も遠い席が下座となります。メインテーブルに向かって左が新郎、右が新婦で、新郎に近い側に新郎の関係者、新婦に近い側に新婦の関係者が並ぶように配置を考えるのが一般的なルールです。

会話がはずむような席の配置を考える

職場関係者の席次で気をつけたいのは、上下関係。高砂に近い席が上座となるので、円卓の場合は新郎新婦に背を向ける形の席から目上の方を配置するようにしましょう。友人は、高校や大学など学校によってグループも変わってきますし、共通の知り合いがいなくて一人で参加する招待客もいます。招待客の交友関係をよく考え、できるだけリラックスしてもらえるような席次を心がけましょう。

どのグループにも属さない招待客は、年齢の近い人や趣味の合いそうな人と隣り合わせにするなどできるだけ話しやすい環境をつくりましょう。

Case 20

親に親族席の席順を確認せず、直前にあたふた！

披露宴の席次を決める時、親族席の席順を、何も考えずに二人で決めてしまいました。式の直前に親から連絡が入り、「○○さんと○○さんは親族席の中でも席を離してほしかった」といわれ大慌て。ぎりぎりセーフで席次表の変更に間に合い事なきを得ましたが、親族同士の人間関係まで配慮が及ばず二人で大反省しました。

Advice

親族席は必ず両家に確認をとって決める

親族席は、親族間での親交の深さなどにも配慮したいものです。皆に祝福してもらえる結婚式にするためにも、親族席の席次は二人だけで決めるのではなく必ず両親にも確認をとるか、両家の親の主導で決めてもらうようにしましょう。

テーブルレイアウトと席次例

A…主賓、会社上司、恩師　B･C…先輩、同僚、友人、後輩　D･E…親族、家族　　※番号が若い方が上座です

長テーブルくし型

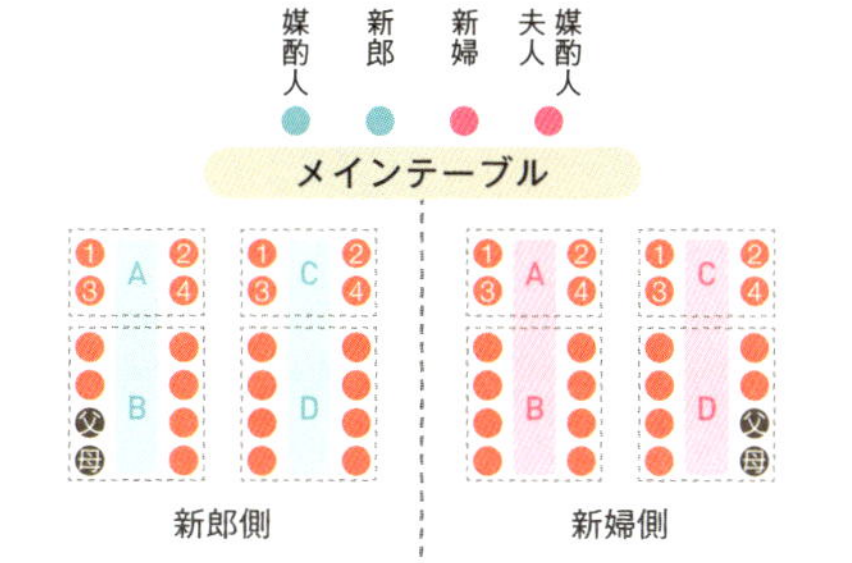

新郎新婦席に向かって、縦に長いテーブルを垂直に配置するスタイルです。図を見てもわかるように、たくさんの人が座れるので、招待客が多い披露宴にピッタリ。ただ、招待客同士が話しづらいという問題点があります。また、会場の大きさや形によっては難しい場合も。

円テーブルちらし型

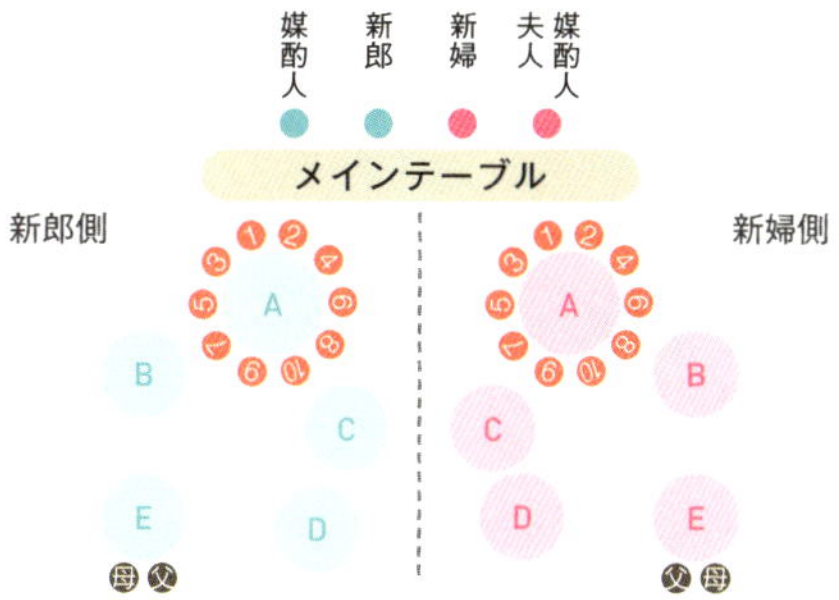

新郎新婦席の前に円テーブルをバランスよく配置する最もポピュラーなスタイルです。招待客はテーブル内の人とゆったり会話することができるので、和やかな雰囲気になります。人数の増減にも臨機応変に対応できるのが特徴。

オーバル型

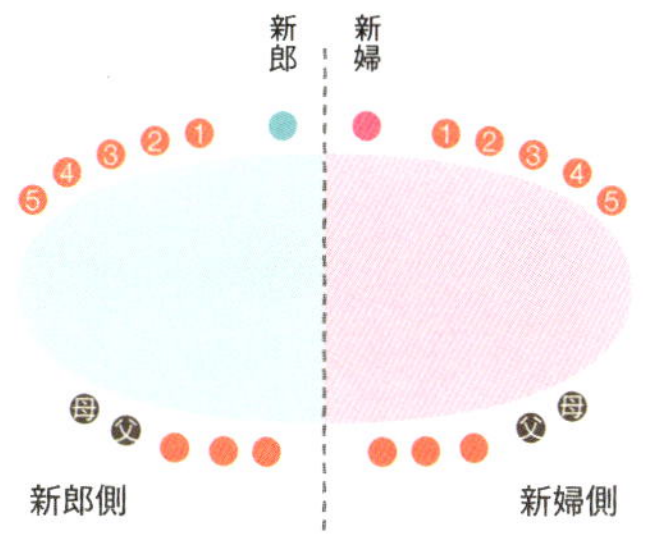

高砂席を設けずに、オーバル型のテーブルで新郎･新婦のまわりに皆で座る席次です。少人数制の披露宴に見られます。一つのテーブルに座りきれない場合は、親族が座る小テーブルをまわりに配置します。

こんな配慮も

妊娠中の女性、小さな子ども連れの招待客、体の不自由な人などは、上座下座にこだわらず、出口やお手洗いに近い場所に席を設けましょう。両家の人数に差がある時は、友人の席に両家をまぜて座ってもらう方法もあります。

本人

衣装選びの基本

花嫁を彩るウエディングドレスや和装。最高の一着を探したい

まずはイメージをふくらませ それに合うデザインを探す

美しいドレスをまとった新婦こそ結婚式の主役。挙式や披露宴の会場が決まったら、衣装選びです。「ドレスと和装両方にするのか」「小物と衣装の組み合わせはどうするのか」「レンタルか購入か」など、予算とスケジュールに合わせて決めていきます。

まずはカタログやインターネットなどを利用して、好みのデザインを探します。気に入ったデザインは、切り抜きや画像保存しておくと便利。それらを持参してショップに足を運べば、自分のイメージを具体的に伝えることができます。もちろんスタッフのアドバイスにも耳を傾けましょう。

準備が本格的に忙しくなる 3カ月前までに決めたい

ヘアメイクやブーケといった小物類は衣装をベースに考えます。ですので、打ち合わせの始まる3カ月前には衣装選びをすませましょう。ゆっくり探したい人は6カ月前から始めて。

衣装選びの流れ

1. 挙式の５～６カ月前
   予算やスタイルを決めてから、試着に行き、オーダーならデザインを決める
2. 挙式の３カ月前
   新婦と新郎の衣装に合わせて小物類を選ぶ
3. 挙式の１カ月前
   選んだ衣装や小物を確認し、最終フィッティングでサイズをチェック

Pick up

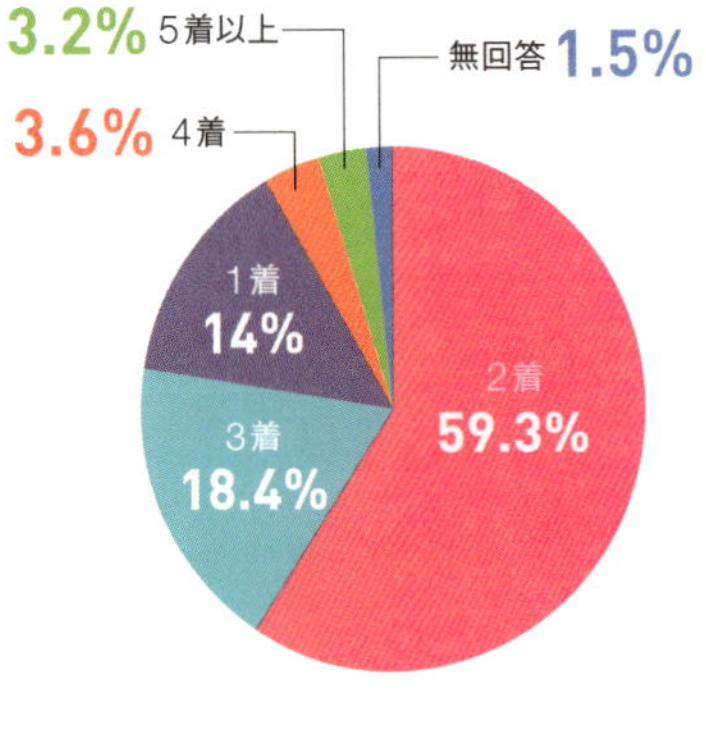

新婦の着た衣装総数は？

挙式当日の衣装は平均2着が大多数

挙式や披露宴で新婦が着た衣装総数は平均2.3着。挙式から披露宴前半で1着、披露宴後半でお色直しというパターンが一般的。1着目は挙式スタイルとのかね合いでドレスを選ぶ人が多いようです。

衣装の主流はレンタルドレス

ドレスの手配は、大きく分けるとレンタルするか購入するかの二つ。ショップで借りて使用後に返却するレンタルドレスは、手間がかからず安くつくのでおすすめですが、人気のドレスには注文が集中するので予約は早めに。最近ではプレタポルテ（既製服）のドレスも比較的お手頃な価格のものが多く、レンタルよりも安くつく場合もあります。

デザイナーのオリジナルドレスやインポートドレスが希望なら、複数のドレスショップを回りましょう。ショップごとに個性があるので、いろいろと試着してみてください。ただし、持ち込み料がかかる会場もあるので、事前に担当者に確認を。

オーダーレンタルを利用し自分に合ったドレスをつくる

オーダーメイドでつくったドレスを挙式後にドレスショップに返却するオーダーレンタルを利用する方法もあります。手元には残りませんが、自分の好みやサイズに合ったドレスを着ることができ、オーダーメイドよりはリーズナブルなのも魅力です。完成までに時間がかかるので、準備する場合は余裕をもったスケジュールで。

Pick up

新婦の衣装の組み合わせパターン

2着目は雰囲気をガラリと変えたカラードレスに

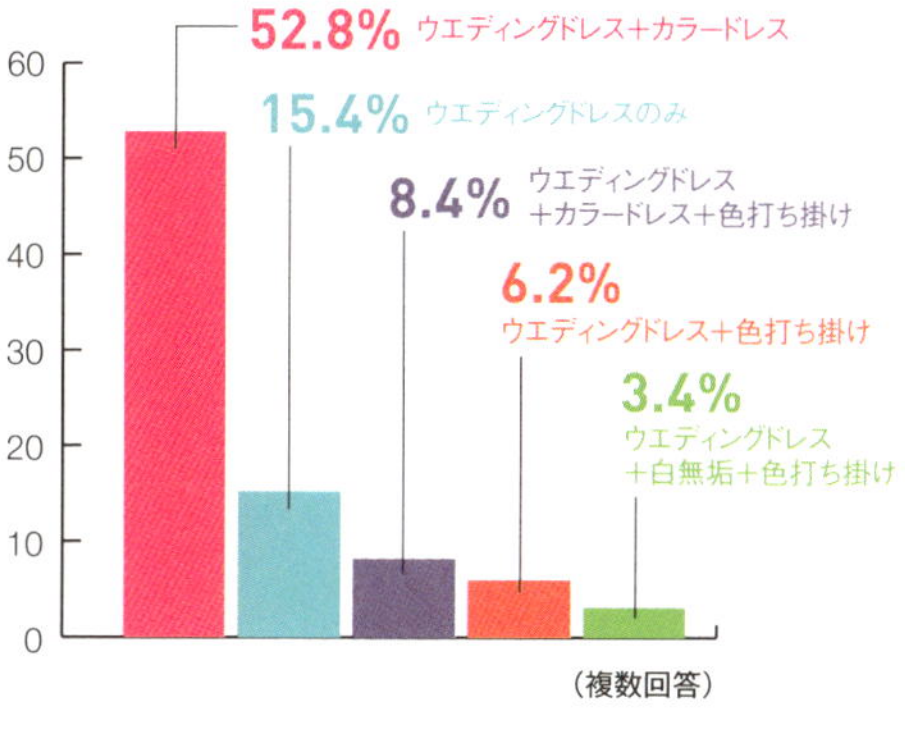

お色直しの定番はカラードレスですが、ウエディングドレスのみの新婦もいます。あでやかな和装も人気。3回のお色直しで、白ドレス、カラードレス、和装を選ぶ新婦も増えています。

本人

シルエットや素材によって印象が変わる

ウエディングドレスの種類

まずはビジュアルを見て イメージをふくらませて

素材やデザインなどさまざまな種類があるウエディングドレス。全体のシルエット、素材、トレーン（引き裾）の有無、ネックラインなどにより、着た印象や雰囲気が異なります。どんなウエディングドレスがよいのか迷ったら、ウエディング雑誌やドレスのカタログを見て気に入ったデザインを探し、イメージをふくらませていきましょう。

　ウエディングドレスのデザインや素材は、挙式や披露宴会場の広さや特徴などを考えて選ぶとよいでしょう。納得いくまで試着して、自分らしい一着を見つけてください。

代表的なシルエット

Aライン

定番人気のドレス。シンプルなシルエットで体型を全体的にスマートに見せてくれ、背が高く見えます。

プリンセスライン

ウエストラインからスカートがふんわり広がるデザイン。華やかでかわいらしい雰囲気に。

マーメイドライン

人魚のシルエットをデザインに取り入れ、ヒップラインを強調。背が高くメリハリある体型の花嫁向き。

スレンダーライン

マーメイドほどボディラインを強調せず、スレンダーなシルエットで花嫁を上品に演出するドレス。

エンパイアライン

ウエストをしめつけない、ゆるやかなドレスとしてマタニティの花嫁にも人気。クラシカルな雰囲気が魅力。

袖つきのフレンチスリーブが人気

ネックラインや袖回りなど、上半身だけでもデザインは豊富。ネックラインは丸く開いた襟元になるラウンドタイプ、両肩を出したオフショルダータイプ、肩ひもがないビスチェタイプなどさまざまなので必ず試着を。

袖回りのデザインは、イギリスのキャサリン妃が着ていたドレスの影響もあり、袖つきタイプが人気です。ノースリーブより肩先が出たフレンチスリーブ（左）はだれにでも似合うデザイン。二の腕が気になる人にも着こなせます。

素材のバリエーションも増えている

同じデザインでも素材で印象は変わります。シルクやレース、オーガンジーなどに加えて、チュール、コットン、シフォンなどの素材のウエディングドレスも人気です。会場の雰囲気に合う素材を選びましょう。

お色直しの手間がいらない2WAYドレスも人気

1着で2通りの着こなしが可能な「2WAYドレス」は、お色直しの時間や手間がかからず予算も抑えられるので人気です。スカートや袖を取り外したり、ケープやボレロでアレンジを加えるものなど種類も豊富。

素材の特徴

シルク
オフホワイトで軽くてやわらかく、美しい光沢がある天然繊維。ラグジュアリーなつややかさが魅力です。

レース
糸を編んだり刺しゅうを施して透かし模様にした布の総称で、フェミニンなものからシックなものまでさまざま。

オーガンジー
薄手で軽いシースルーの生地。とくにスカート部分によく使われ、ドレスをより華やかに彩ります。

チュール
細かい編目模様の薄手の生地で、透けて見えるのがエレガント。軽やか素材で花嫁の負担が少ないのが魅力。

コットン
高級なシルク素材とはひと味違う無垢な美しさをもつ素材。開放的な雰囲気で行うガーデンウエディングにぴったり。

シフォン
透明感があり、軽くてやわらかいため美しいドレープが出やすい素材。シルクテイストの化繊を用いたものが主流。

本人

ウエディングドレスの選び方

優先順位を決めて絞り込んでいくことが大切

まずは「表現したい自分」を考える

たくさん種類がありすぎて、どれを選んだらよいか悩んでしまうドレス選びですが、まずはどんな自分を表現したいかをイメージして言葉にしましょう。この時「エレガント」「かっこいい」や「シンプル」「上品」など、二つの形容詞を組み合わせると個性がしっかり出せます。そのあと、式を挙げるシーズン、会場、招待客の層、自分達の結婚式のテーマなどを考え合わせながら、じっくりと絞り込んでいきます。

迷ったら、専門知識をもつドレスショップの人に相談を。会場とのバランスや新郎の衣装との相性もありますので、トータルでコーディネイトを。

試着の際には動画で撮ることもおすすめ

試着は、あらかじめドレスショップに予約をしてから行きましょう。予約時には、制限時間の有無、1回に着られる枚数などを確認しておきます。試着当日は、母親や姉妹、同性の友人に頼んで後ろ姿やシルエットなどを客観的に見てもらうと安心です。

実際に試着したら、その姿をデジカメなどで撮影しておけば、あとで比較検討できます。ドレスを着た状態で少し歩き、そのようすを動画で撮っておくとよいでしょう。ドレスに合わせてメイクをしたり、髪の長い人はアップにすると、当日の雰囲気をイメージしやすくなります。

Check

試着の時はココをチェック

□バスト

サイズ選びに注意。トップとアンダーバストがフィットしているかチェックしましょう。

□首回り

さまざまなネックラインがあります。顔の形がすっきり見えるデザインのものを選んで。

□袖

腕へのフィット感が大切です。袖の長さや太さ、広がりなどを確認しましょう。

□ウエスト

くびれの位置が体にフィットしているかを確認。細いものを選ぶと不自然にしわがよってしまうので注意しましょう。

□裾

できれば当日用の靴と同じ高さの靴を履き、裾丈を確認してから選びましょう。

会場別ドレス選びのポイント

教会

由緒ある教会では、肌の露出を控えたほうがよい場合があります。ドレスはロング丈、手袋、ヴェールは必須。トレーンが長いドレスはエレガントな印象に。バージンロードの長い教会ではロングヴェールが映えます。

ホテル

広い会場では、ふくらみの大きいAラインやプリンセスラインといったボリュームのあるドレスを。上半身に装飾のあるドレスは照明で美しい光を放ち、花嫁の存在感をアピールできるでしょう。

レストラン

程よい広さで招待客との距離が近い場合は、歩きやすいトレーンなしのAラインやスレンダーラインのドレスがおすすめ。トレーンが長いと会場内を回りづらいので注意しましょう。

ガーデン

開放的な雰囲気の中、動きやすいひざ下丈のドレスはガーデンウエディングにぴったり。スレンダーラインもおすすめです。素材はチュールやコットンでナチュラルに演出。

ゲストハウス

会場内を移動して招待客をもてなす場合は、動きやすいAラインかスレンダーラインがおすすめ。招待客との距離が近いので、素材や細部が美しいドレスを選びましょう。

体型別ドレス選びのポイント

＜ 背が高くスリム ＞

どんなドレスでも着こなせますが、マーメイド、エンパイア、スレンダーラインのドレスは縦のラインが強調されるので、スリムさが引き立ちます。シンプルすぎると貧弱な印象になるので、上半身にボリュームをもたせる場合はブライダルインナー（P128）で補正しましょう。

＜ 背が高くぽっちゃり ＞

ラインが細すぎるドレスは、体をより大きく見せてしまうので注意。スカートの部分がゆったりと広がるプリンセスラインのドレスがおすすめです。肩をすっきり見せるようなシンプルなネックラインのドレスを選ぶと美しいシルエットになるでしょう。

＜ 背が低くスリム ＞

縦のラインが強調されるAラインのドレスやスレンダーラインのドレスがおすすめです。プリンセスラインもキュートに着こなすことができるでしょう。身長を高く見せたい場合はヒールの高さでカバーを。

＜ 背が低くぽっちゃり ＞

上半身はシンプルでおなか回りはすっきり、スカートはふんわりした雰囲気のデザインのドレスがおすすめです。中でもエンパイアラインはしめつけ感がなく、着こなしやすいでしょう。Aラインのドレスを選ぶ場合はギャザーが入りすぎないものを選びましょう。

Case 21

忙しくてドレス選びができず、満足いくドレスが着れなかった

挙式会場が決まってからも、働きながらの準備だったため毎日バタバタで、ウエディングドレス選びものばしのばしに。とくに着たいドレスがなかったので、会場担当の方にすすめられるままに選んだのですが、当日モチベーションが上がらず……。もっとじっくり時間をかけて選ぶべきだったと後悔しています。

Advice

ドレスにこだわりがなくても早めに探し始めて

ドレス選びは意外と時間がかかるもの。こだわりがなくても披露宴会場が決まったらすぐにでも検討を始めましょう。ショップや会場での試着は2時間で3着くらいが目安です。忙しい中でも時間をつくって試着し、後悔のない結婚式を。

本人

自分らしさを引き出すアイテムを

ドレス小物の選び方

ドレス小物は調和を考えて選ぶ

ウエディングドレスが決まったら、次は小物選びです。花嫁の全体の雰囲気は、合わせる小物や髪型などによって大きく変わります。なかでも顔回りのヘッドドレス（Ｐ１３１）やヴェールは招待客の印象に残りやすいので、慎重に選びたいものです。

小物選びの基本は、ドレスの雰囲気との調和を考えて選ぶこと。ドレスに近いモチーフの小物を選び、ドレスの色と小物の色を合わせるようにするとよいでしょう。選ぶ時は、実際にドレスを着てみるか、写真を持参するようにすると、イメージもわきやすくなります。

ブライダルインナーでドレス姿をより美しく

花嫁の美しいウエディングドレス姿を支えるのが、ブライダルインナー。バストトップの位置を上げてウエストの「くびれ」を強調したり、トレーンやパニエ（下着）でボリュームのあるウエディングドレスのラインをつくるなど、さまざまな役割があります。ブラジャー、ウエストニッパー、ガーターベルトがセットになった「スリーインワン」がよく使われているようです。

ブライダルインナーは、着用するドレスが決まってから結婚式場やドレスショップで購入を。購入時には必ず試着し、サイズは自分の体にきちんと合ったものを選びましょう。

Case 22

小物を選ぶ時、ドレス写真を忘れてしまった

ウエディングドレスが決まり、ウキウキしながらドレス小物選びに出かけたのですが、ドレスの写真を持参するのを忘れてしまいました。ドレスを選んだショップと違うショップで小物を選んだので、ドレスのイメージをうまく伝えられず苦労しました。小物選びの時は、ドレス写真は欠かせないことを痛感しました。

Advice

雑誌から似たイメージの写真を見つけるなどして対処を

ドレス写真を忘れてしまったら、スマホなどで借りる予定のショップの映像が見れるならそれを見てもらったり、お店に置かれたウエディング雑誌から似たイメージの写真を見つけてセレクトの参考に。大前提として、ドレス写真や画像は忘れないようにしましょう。

ドレス小物いろいろ

ヴェール オーガンジーやチュール素材が一般的。教会で映えるのは優雅なロングヴェール、ガーデン挙式などでは軽やかなショートヴェール（左）がお似合いです。レース使いが美しいマリアヴェール（右）も人気。キリスト教式で挙式する場合、顔を隠すフェイスヴェールのついた正式なものを選びましょう。

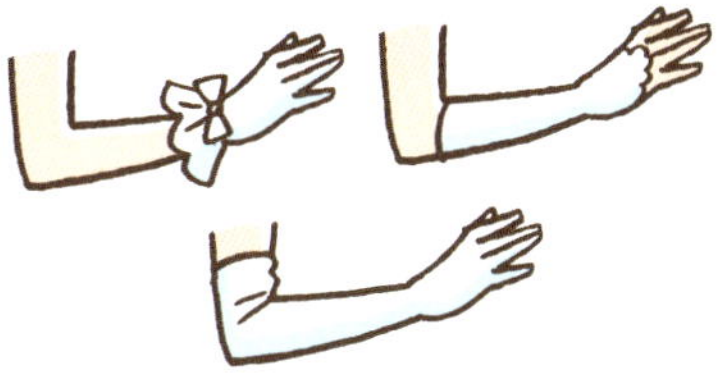

グローブ ロングタイプ、フィンガーレスタイプ、ショートタイプなど丈だけでなく、素材やデザインもさまざま。正当派挙式にはロングタイプがおすすめですが、ドレスの袖丈とのバランスを見て決めてOKです。格式のある式場でドレスがノースリーブの場合、サテンのロンググローブを。

アクセサリー ドレスの装いに欠かせないアクセサリーは、イヤリング（ピアス）とネックレスをそろえるとよいでしょう。挙式ではパール、披露宴では華やかなものなど、場面に応じてつけ替えるのもよいでしょう。ヘアスタイルをアップにすると、耳元が目立ちます。イヤリング（ピアス）でアクセントをつけて。

シューズ ドレスの裾を持ち上げる時など、足元は想像以上に見えるもの。白いドレスには、白いパンプスと白いストッキングが基本です。ヒールの高さは新郎との身長差とドレスの丈に合わせて。当日に長時間履くものなので、足にフィットして疲れにくいものを選びましょう。

Case 23

教会での挙式でマリアヴェールが禁止……

チャペルの荘厳な雰囲気に憧れて、キリスト教式の結婚式を挙げることに決めました。でも、その教会ではマリアヴェールが禁止だったのです。レースがとても素敵なマリアヴェールにも憧れていたので、禁止と聞いた時にはとてもショックでした。結局ロングヴェールを着用することにしました。事前にしっかり調べておくべきでした。

Advice

キリスト教式は、事前にヴェールの確認を

花嫁に人気のマリアヴェールは、キリスト教式の中でも厳格な正カトリック教会では禁止されている場合があり、マリアヴェールではヴェールアップの儀式もできないことがあるので要注意。教会での挙式の場合は、事前に禁止事項の確認をしておくと安心です。

本人

ウエディングドレスが映える髪型を探す

ヘアメイクのポイント

ヘアメイク担当者とのイメージの共有が大切

ヘアメイクは華やかなドレスアップをさらに引き立てる重要な要素です。会場が手配する美容師や専門スタッフといった熟練者にお願いして、自分がなりたい花嫁のイメージに近づけてもらいましょう。

事前の打ち合わせでは、言葉だけではなく、雑誌の切り抜きなどで希望のヘアスタイルや雰囲気を伝えることが大切です。まずは髪の長さや、「似合う」「似合わない」はあまり考えなくてもOK。ヘアメイク担当者にいろいろ相談しましょう。リハーサルでイメージを共有すれば、結婚式当日を安心して迎えられます。

なりたい花嫁像を伝え、プロと一緒につくり上げていく

肝心なのは、憧れの花嫁像を具体的に伝えること。雑誌などから自分が素敵だと感じるスタイルを集めます。あとは、ヘアメイク担当者のアドバイスを参考に、理想の花嫁像に仕上げていきましょう。

挙式と披露宴で雰囲気を変えて輝く花嫁に

キーワードは〝メリハリ〟。挙式では清楚でやわらかな雰囲気の花嫁を、披露宴ではシックで落ち着いた大人の女性を装うなど、いかにギャップを演出するかがポイント。生花のサイズや飾る位置で変化を出すのもよいでしょう。

ヘアメイクのプロセス

1 ヘアメイクを手配する

会場側が美容師を手配する場合、費用面のチェックを忘れずに。個人に依頼する場合、会場側に事前確認を。

2 打ち合わせを行う

希望するヘアスタイルの資料と当日着るドレスや小物の写真を持参。担当者とイメージを共有する。

3 ヘアサロンへ行く

リハーサル後のカットやカラーはご法度。カットやカラーをしたいなら、事前にすませましょう。

4 リハーサルで詰める

リハーサルの目安は1カ月前。イメージ通りの髪型やメイクかを確認して。必要なら微調整を。

5 最終確認で準備は万全

結婚式当日のヘアメイクの時間や段取り、持ち物などを確認します。当日まで疑問点をもち越さないように。

ヘッドドレス（髪飾り）の種類

< ボンネ >

ボンネとはつばのない帽子の総称。シニヨンや頭の形に沿わせて飾ります。アップが基本ですが、サイドに飾るタイプも。ノーブルな雰囲気を醸し出し、ウィッグやヴェールのつなぎ目を隠すのにも重宝。

< ティアラ >

宝石やビーズをあしらい、古来より高貴な女性が正装時に使用。ミニティアラはキュート、アンティーク調のものはクラシカルな佇まいを演出。アップスタイルに映え、ヴェールとも好相性。

< クラウン >

クラウンは王冠の意。直径10cmほどの小さなクラウンを斜めにのせたアレンジがキュートな花嫁を演出。大きさやデザイン次第で可憐にも、エレガントにもなる万能アイテムです。

< フラワー >

ブーケと合わせた生花を使用。飾る位置でゴージャスさや、大人っぽさをつくり出します。ブーケとヘアメイクの各担当者に相談し、スタイルに合わせて加工した花材を用意しもらいましょう。

< カチューシャ >

なじみのあるヘアアクセサリー。細めのカチューシャなら可憐で純真な印象、太めなら高貴なイメージとアレンジは自在。ショートヘアには、大ぶりのコサージュなどで華やかさをプラス。

ネイルにもこだわりたい

マニキュア	前日に塗るのが基本。除光液で落とせるので塗り直しが簡単です。
ネイルチップ（つけ爪）	挙式と披露宴で変えられるのが人気。好みのチップをつくって。
ジェルネイル	艶があり美しいのが特徴。もちがよいので挙式後も楽しめます。
スカルプチュア	人工爪を自爪につけて形を変えられるので、自爪が短くても安心。

指先を彩るネイルで結婚式に華やかさを加えてみては？

指輪の交換やケーキカットの時に手元を華やかにしてくれるのが、ネイルです。挙式1週間前から前日までに施します。チップネイルは1カ月前までにオーダーするのが無難。ハンドクリームなどでの日常のケアも忘れずに。

本人

ドレスに合った花材で魅力的に

ブーケの選び方

季節感のある花を使ったブーケが新婦を美しくする

ウエディングドレスの美しさを際立たせるブーケ。会場の雰囲気やドレスの形を考え、相性のよいブーケを探すのがポイントです。旬のみずみずしい花でブーケをつくれば、新婦の魅力をいっそう引き立ててくれます。

ブーケを発注するタイミングは、ドレスや小物が決定した直後がベスト。遅くとも挙式の2カ月前には発注をすませましょう。髪に生花を飾るなら、同時に注文を。髪に飾る花はブーケと合わせたものを使うのが基本です。最近は、プリザーブドフラワーを使ってのブーケを注文している人も増えているようです。

ブートニアはブーケと同じ花をあしらうのが基本

ブーケのデザインと使用する花が決まったら発注します。一般的には会場装花を担当している花屋さんに依頼。外部の業者や知人に頼みたい場合、事前に会場に確認しましょう。持ち込み料や搬入方法・時間なども相談を。

新郎の胸に飾る花・ブートニアは、ブーケと同じ花を使うのが一般的。ブーケと一緒にオーダーを。挙式後はブーケをそのまま持ち帰ることができますが、押し花やドライフラワーに加工してもらえるので、記念に残したい人にはおすすめです。最近では手まり風ブーケや扇子ブーケなど、和装用のブーケも人気。

Pick up

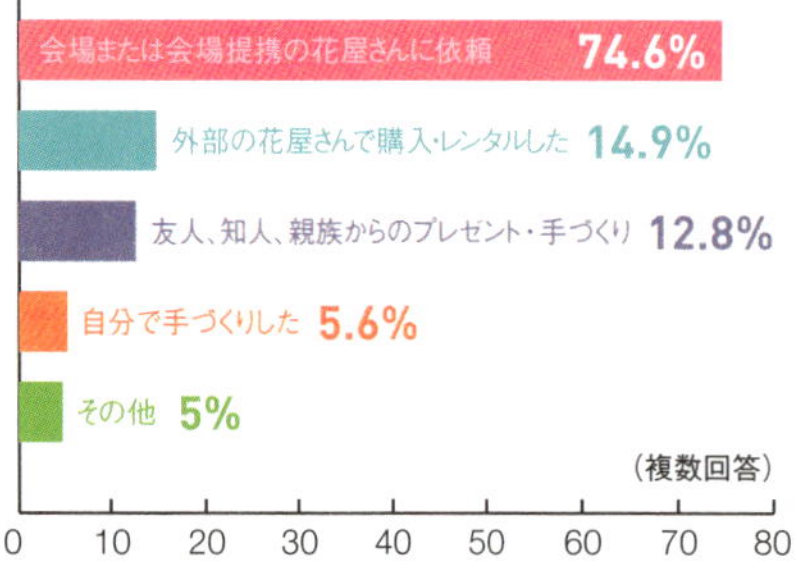

ブーケの依頼先

会場か提携の花屋さんに依頼するのが一般的

ブーケの依頼先は「会場または会場提携の花屋さんに依頼」が7割以上を占めています。外部の業者を利用した人の中でブーケをレンタルしたのは全体の0.6%と少数派。基本的にブーケは外注せず、会場にお願いするのが主流のようです。

ブーケの種類

＜ラウンド＞

丸い半球体のブーケ。花や色合いによって“かわいらしく”も“大人っぽく”もなります。どのドレスにも似合いますが、可憐なドレスやAラインと相性抜群です。

＜クレッセント＞

三日月形のフォルム。ナチュラルさの中に優雅さを漂わせます。ドレスの前があまり隠れないので、スレンダーラインやプリンセスラインのドレスに合います。

＜キャスケード＞

格調高いブーケの代名詞。上から下に流れ落ちる華麗さが特徴。ボリュームがあるので、トレーンを長く引くドレスにぴったり。Aラインには長く細い変形版で対応。

＜クラッチ＞

英語で「ぎゅっとつかむ」という意味のある通り、花材を片手でもてるくらい小ぶりにして束ねたブーケです。

＜オーバル＞

涙のしずくに似た楕円形のシルエット。別名“ティアドロップ”。大ぶりな花や動きのある葉ものが映えます。

＜リースアーム＞

丈の長い花を茎ごと束ねたブーケ。腕に抱えてもつタイプで、スタイリッシュで落ち着きのある印象を与えます。

＜ハンギング＞

持ち手やリボンをつけ、ハンドバッグのようにアレンジ。「バッグブーケ」とも。可憐な雰囲気が人気の理由。

Pick up

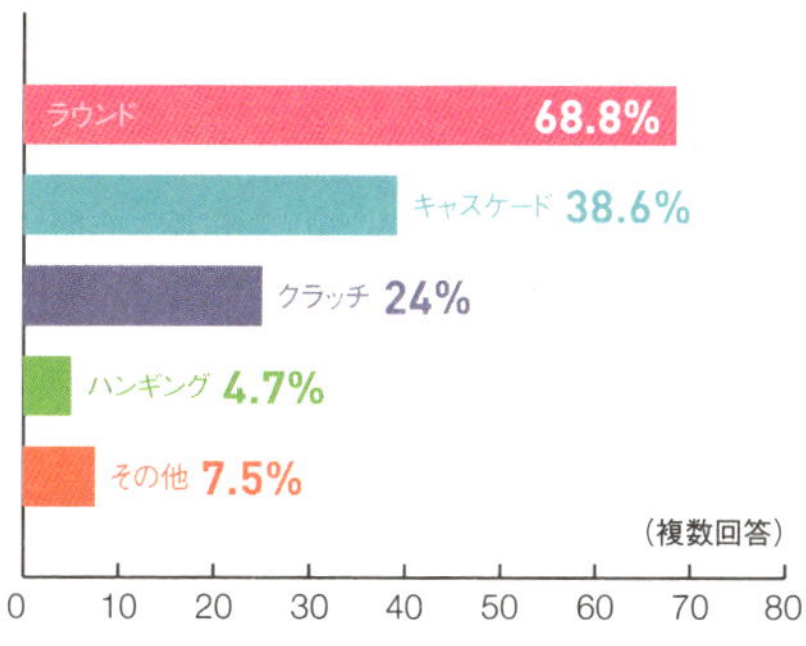

ブーケのスタイル

ブーケスタイルは、ラウンドとキャスケードが人気

ブーケスタイルで7割近くの支持を得たのが、丸い半球体のラウンドブーケです。クラッチとは花材を花束のようにまとめたブーケで、ナチュラルな雰囲気をつくります。

本人

ウエディングドレスとは違う印象で

お色直しのカラードレス

カラードレスは披露宴の時間帯によって選ぶ

多くの花嫁がお色直しとして着用するカラードレスは、披露宴の時間帯によって種類が異なります。昼の時間帯は、肌の露出を控えたアフタヌーンドレス、夜の披露宴の場合はイブニングドレスかカクテルドレスが基本です。

色は好みのものを選んで構いませんが、ドレスのシルエットも、自分の好みだけでなく、会場の雰囲気やウエディングドレスとのギャップを考えて選ぶことも大切です。

セレクトした色によっては、表情が明るく見えたり逆に顔色が悪いように見えたりすることもあるので、顔回りにくる色は注意が必要です。

試着して自分の肌の色が映えるカラードレスを

カラードレスもウエディングドレスと同様、納得いくまで試着しましょう。似合わないと思ったものも、実際に着てみたら思いの他よかった、なんてことも。ドレスショップや会場担当者の意見を聞きながら選びます。ガーデンウエディングなど自然光があふれる明るい会場ではパステルカラーなど淡くてやさしい色合いのドレスが、ホテルなど荘厳な雰囲気の会場では赤やネイビーなどの色合いが映えます。

ウエディングドレスでAラインを着用したのでカラードレスはスレンダーラインにするなど、シルエットを変えてみると印象もガラリと変化します。

パーソナルカラー診断で似合う色を見つける

自分に似合う色が思い浮かばない…という花嫁には、パーソナルカラー診断（その人の生まれもった肌や髪、瞳などの雰囲気から、似合う色を見つける診断）がおすすめ。パーソナルカラー診断サロンの他、ヘアサロンやネイルサロンでも行っています。プロの力を借りてベストなカラーを選びましょう。

カラー選びのポイント

あなたに合うカラードレスはどんな色でしょう。色そのものがもつ特徴や魅力を知って、ドレス選びのヒントに。

ピンク

日本人の肌の色によくなじむ、人気のカラーです。膨張色でもありますが、濃いピンクを選べば気になりません。

オレンジ

表情を自然と明るく見せてくれるオレンジ。健康的でビビッドなイメージの花嫁にはピッタリ。どんな肌の色にも合います。

レッド

鮮やかな赤はインパクトがあり、とくにクリスマスシーズンの挙式におすすめ。荘厳な雰囲気のホテルウエディングでも映えます。

イエロー

ビビッドな印象を与えるイエローは、どんな肌の色にもフィットするのが魅力。クリーム系にするとエレガントな着こなしに。

ブルー

淡いブルーは清潔感にあふれ、幅広い世代に人気です。濃いブルーはシックで大人っぽい印象を与えることができます。

グリーン

秋冬の挙式にはダークグリーン、新緑の季節の挙式には淡いグリーンを。華やかなブーケと合わせましょう。

パープル

シックで上品なイメージのパープル。淡いパープルにするとかわいいイメージになり、肌の白い花嫁にジャストフィット。

ゴールド

ベージュに近いシャンパンゴールドやオレンジゴールドなど、日本人の肌の色によくなじみ、華やかで上品な印象です。

ブラック

明るい色のスパンコールやレースを使ったデザインのドレスを選べば、豪華で華麗なイメージに。クラシカルな会場で映えます。

Pick up

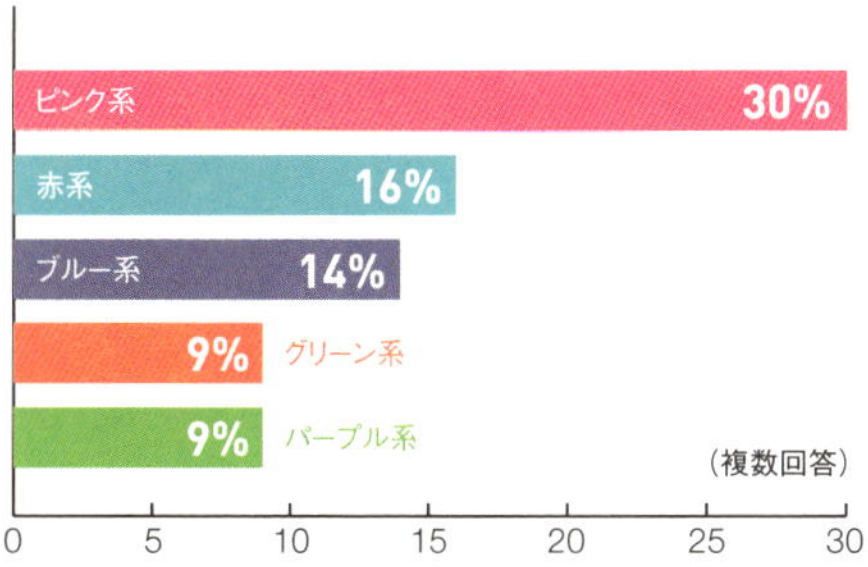

カラードレスの色

色はピンク系が一番人気!

カラードレスを着た花嫁の間での一番人気は「ピンク系」で、30%。女性らしく優しい雰囲気のものが人気のようです。次いで赤、ブルー、グリーン系と続きます。黒系は2%とごく少数でした。

本人

おごそかに、あでやかに装う

和装の選び方

人気が高まる和装スタイル。スタイリッシュな振り袖も

最近の〝和婚〟ブームもあり、日本の伝統の和装も、ここ数年人気が高まっています。日本の花嫁衣装といえば白《しろ》無《む》垢《く》。親や祖父母に喜んでもらいたくて和装を選ぶ女性は多いもの。挙式には白無垢や黒引き振り袖、披露宴では色打ち掛けを着ることが多いようですが、ゴージャスで存在感のある色打ち掛けや、スタイリッシュな黒引き振り袖も人気。また、オーガンジーやレースなどを素材とした「新和装」は洋風の結婚式場にもマッチしてインパクトが強く、注目を集めています。会場によっては和装で挙式ができるチャペルもあります。

和装の試着はくわしい人と一緒に

和装には着方や小物などにルールがあるので、試着はくわしい人に一緒に行ってもらうと安心です。

試着には、洋服で行ってかまいません。ただし、襟ぐりがしっかり開くものを着ていきましょう。髪もアップにまとめていくのがベスト。

かつら選びはフィット感を重視して選んで

最近では、洋髪に和装の組み合わせが人気を集めていますが、「重たい」「痛い」と敬遠されがちだった和装のかつらも改良されてきています。とはいえ普段かぶることがないだけに、選ぶ時にも注意が必要。かつら合わせは式の1カ月前までにすませて。

Check

試着の際はココをチェック！

- □後ろ姿が美しいか
- □地色が肌の色に合うか
- □外袖の柄の出方はどうか
- □顔色が明るく見えるか

Check

かつら選びのポイント

- □サイズがきつくないか、ゆるくないか
- □びん（耳際の髪）の長さのバランスが美しいか
- □かんざしとこうがいは、着物の柄や色に合っているか
- □立ち上がったりお辞儀をした時のフィット感はどうか

和装の種類

白無垢

上から下まで純白で統一した格調高い和装の婚礼衣装。打ち掛け、掛下、帯、草履まですべて白。挙式の儀式に白無垢を着るのには、「邪気を払う」「神聖な儀式に挑む」という意味が込められているそう。

色打ち掛け

赤、金、青、銀など多種多様な色を使用した打ち掛けのこと。正式な和装で、挙式などでも着られることはありますが、一般的には披露宴、祝宴でのお色直しに用いられます。

黒引き振り袖

もともと、江戸時代の武家の娘の婚礼衣装として用いられていた正式な和装。昭和30年頃までは最も多く着られていたそう。クラシックで凛とした雰囲気の立ち姿が魅力的。

大振り袖

振り袖の中では最も格式が高く、袖丈が長く裾を引かないのが特徴。お色直しに着られます。歩きやすく、ヘアアレンジも自由。ドレス姿に負けないくらいのゴージャスさです。

体型別 似合う織り・柄

背の高い人は光沢の美しい「緞《どん》子《す》織《おり》」の着物を選ぶと、華やかに着こなすことができます。小柄な人には織り地がしっかりしていて柄が浮かび上がる「唐《から》織《おり》」がおすすめ。ぽっちゃり体型の人は柄が斜めに描かれている振り袖や縦縞の柄を選べばすっきりして見えるのでよいでしょう。

新和装

今どきアレンジで洋風に着こなせます。オーガンジー素材の打ち掛けなど、新しいスタイルの和装。バラや蝶といった現代風の柄やパステルカラーの色調、スパンコールの装飾などバラエティも豊か。

本人・両親

必要なものを事前に確認

和装小物の種類

和装には和装のための小物がある

ウエディングドレスにヴェールやグローブが必要なように、和装にも必要な小物があります。現在は装飾的に使われていますが、そのほとんどが江戸時代には実用品だったもの。はこせこ、かいけん、末広などその意味を知っていれば、それを装って嫁ぐ日も特別な思いでのぞめます。もちろん、帯や草履、肌襦袢、足袋なども必需品です。

和装小物は挙式・披露宴の時に一度しか使わないものが多いので、レンタルするのが一般的。衣装をレンタルする場合は、レンタルセットに含まれている小物、用意すべき小物を予約時に必ず確認しましょう。

直接肌につけるものは自分で用意

肌襦袢や裾よけ、白足袋など新婦が直接肌につけるものは、自分で用意します。寒い冬の季節に式を挙げる場合は、防寒効果のある和装用ストッキングを用意しておくと安心です。用意するものは会場によって異なるので、事前に確認を。

自分で用意するもの

裾よけ
裾さばきをよくするために使う腰巻きのこと。白無垢には白を用意。

肌襦袢
和装で使うガーゼ地の肌着のこと。襟ぐりの大きなものを選びましょう。

腰ひも
着くずれの防止や体型を補正するために使う。4～6本用意。

伊達じめ
腰ひもの上に締める幅の細い帯のこと。2本ほど用意。

白足袋
試着して足にぴったり合うサイズを購入しておきます。

タオル
体型を補正するために数枚使うこともあります。

和装用ストッキング
防寒対策に。ひざ下丈のものを用意しましょう。

両親

着物にくわしい知り合いに尋ねるのも手

和装小物は見慣れないものが多く、新婦は何を準備すればよいかわからないことも多いもの。レンタル先に加え着物の着付けにくわしい知り合いに尋ねるなどして、親が一緒に準備を手伝ってあげると安心です。

和装に欠かせない小物

白無垢の小物はすべて白で統一しますが、それ以外の和装の小物は華やかなものを選んでOK。自分らしい着こなしを目指しましょう。

A はこせこ

胸元を飾るアクセサリー。江戸時代の風習の名残りで「いつも美しく」と、身だしなみを整えるための化粧道具入れが本来の意味。模様が少し見えるように、胸元にさします。

B 半襟（はんえり）

長襦袢につける替え襟。

C かいけん

左の胸元にはさむ布袋に入った護身用の短剣。「いざという時に自分の身を守れるように」という意味があり、組ひもを前にたらします。現在では花嫁の胸元にさしてアクセサリーのように用いています。

D 末広

「末広がりの幸せ」を意味する扇子のこと。お祝い事に欠かせない縁起のよい小物として、当日は、新郎新婦とともに扇子を用意します。右手に水平にもち、左手は下から支えるように添えましょう。

E 帯揚げ、帯じめ

帯の上部を整えて装飾するひものこと。白無垢は白で統一、それ以外の着物には好みの色柄を合わせてOK。

F 綿帽子

白無垢に合わせて着用する、真綿を伸ばしてつくった帽子状の白い布。「婚礼が終わるまで夫以外の人に顔を見せない」という意味があります。

G 角隠し

文金高島田を覆う帯状の布で、「角をかくして夫に従う」という意味があります。白無垢、色打ち掛け、振り袖などどのような着物にも合わせられます。

H かんざし、こうがい

髪にさす飾りで、かんざしにはべっこうやさんご、こうがいはつげ、象牙などさまざまな素材があります。かんざしは4本さすのが基本。

本人

新婦のドレスとコーディネイトして 新郎の洋装の選び方

新婦のドレスとのバランスを意識して選ぶ

結婚式は男性にとっても晴れ舞台。爽やかで色気を感じる衣装を選びたいものです。ポイントは新婦のドレスとの相性。新婦のドレスがボリュームのあるもの、トレーンが長いものの場合は、新郎はジャケット丈が長いものにするとバランスよく見えます。新婦がスレンダードレスの場合は新郎も細身のシルエットの衣装を選ぶなど、トータルバランスをイメージしながら考えましょう。

タイやポケットチーフも、新婦のドレスと色や雰囲気が似ているものでコーディネイトしましょう。

ベストやタイの色を変えるだけで新鮮

お色直しでは新婦が中座する時間が長くなるので、新郎は簡略化して招待客をおもてなしする傾向にあります。その場合、ベストやタイの色を新婦のドレスとそろえるだけで、華やかな印象になります。ポケットチーフやカフスなど、小物で遊び心を演出するのもよいでしょう。

なお日本ではあまり浸透していませんが、男性のフォーマルウエアは時間帯によって着用の原則があります。午後6時までの正式礼装はフロックコートかモーニングコート、それ以降はテールコートです。覚えておきましょう。

Pick up

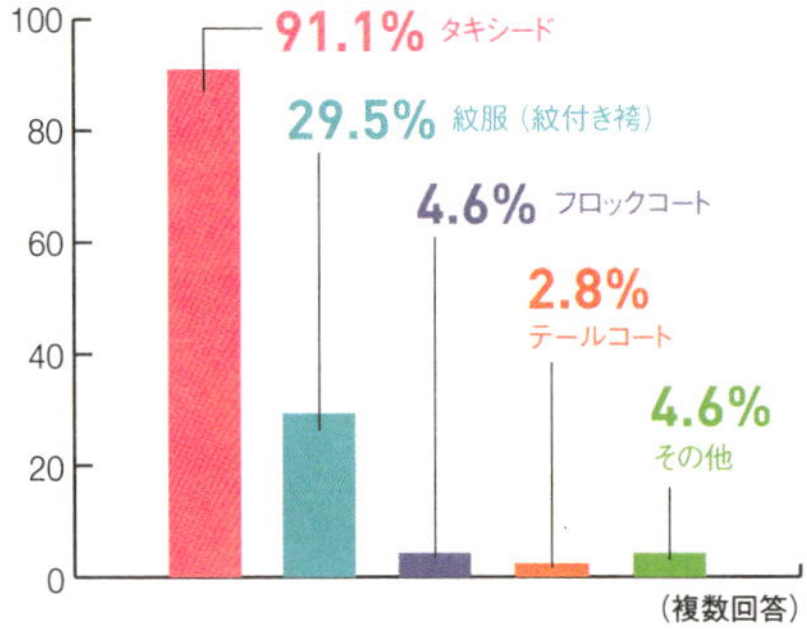

新郎の衣装の種類

昼夜問わず使えるタキシードが人気

「挙式や披露宴での新郎の衣装」で選ばれているのは、体型を問わずだれにでも着こなしやすいタキシードです。9割以上の新郎から支持を得ています。次いで紋付き袴が3割近くと人気です。

洋装の種類

昼

フロックコート

昼間の正式礼装。ひざまであるジャケット丈が独特のシルエットをつくり出します。ボリュームのあるドレスと好相性。背の高い人に似合う装いです。

モーニングコート

午後6時までの正式礼装。前の裾丈が短く、背面へ斜めに流れるジャケットは、体型にかかわらず、スタイリッシュなスタイルに。

夜

タキシード

午後6時以降の準礼装。体型に関係なく着こなせるため多くの新郎から支持。バリエーションが豊富なのも魅力です。最近はロング丈が主流。

テールコート

午後6時以降の正式礼装。「燕《えん》尾《び》服」とも呼ばれ礼装で最も格式が高いものです。短い前身ごろと後ろがツバメの尾のように長く伸びた上着が特徴的。

欠かせない小物

ウイングカラーシャツ

色は白でプリーツなしのシャツが一般的。袖口にカフスボタンが着用可能か要チェックを。

手袋

色は白が基本。手にはめるのではなく、バージンロードなどで新郎が手にもつアイテムです。

ポケットチーフ

正装色は白ですが、お色直し時は新婦のドレスと合わせるとおしゃれ。

サスペンダー

ズボンのずり落ちを防ぎ、ラインをきれいに見せる足長効果も。

本人

新郎の和装の選び方

正礼装と準礼装を使い分けるのがマナー

新郎の正礼装には黒五つ紋付き羽織袴のみ

新婦が和装なら、新郎も同じく和装を選びます。和装で気をつけるべきことは、新婦の衣装と格をそろえることです。新婦の正礼装に見合った新郎の婚礼衣装は、「黒五つ紋付き羽織袴」のみ。「黒五つ紋付き羽織袴」は、日本の伝統的正装です。レンタルの場合は、布を切り抜いてつくった家紋を貼りつけることがほとんど。自分の家の家紋についていては事前に調べておくとよいでしょう。新婦が正礼装である白無垢、色打ち掛け、黒引き振り袖、大振り袖の場合は威厳と風格漂う「黒五つ紋付き羽織袴」を選びましょう。

着物を選ぶポイントはサイズ感とバランス

普段着慣れていない和装は、なかなか見立てが難しいものです。新婦の和装と同様、試着の時は、着物にくわしい人に同行してもらうと安心。ブライダルフェアで和装の試着できるところもあるので、事前にチェックして訪れてみるのもよいでしょう。

Check

試着時のチェックポイント

- □羽織はジャストサイズか
- □袴は長すぎないか
- □全体のバランスは問題ないか
- □裄丈はちょうどよいか
- □新婦の衣装との相性はどうか

色紋付き袴はカジュアルな披露パーティやお色直しで

新郎の和装の略礼装は「色紋付き袴」です。羽二重《はぶたえ》・紋綸子《もんりんず》・縮緬《ちりめん》などの素材に白・グレー・茶色・紺色などの色がついています。略礼装ですので、披露宴やお色直しのシーンで着用します。新婦の正礼装にあたる白無垢や色打ち掛けとは格が異なりますので、伝統的な挙式での着用はNGです。

和装小物のうち、自分で用意するものは、足袋、肌着、すててこ、タオルなどですが、事前に確認して早めにそろえましょう。

和装の時は、腕時計やアクセサリーの着用はNGですので外し忘れないようにしましょう。

和装の種類

＜ 色紋付き袴 ＞

羽二重・紋綸子・縮緬の素材に紺や青、グレーぼかしなどの色の入った紋付き羽織袴です。三つ紋か一つ紋が施されています。披露宴用の装いです。

＜ 黒五つ紋付き羽織袴 ＞

男性の和装の正装。厳粛な式にふさわしい装いです。羽織は黒の無地の羽二重で、背中心、両胸、両外袖の5カ所に染め抜きの家紋が施されています。

羽織
染め抜き五つ紋付き黒無地羽二重で羽織ひもは白。

白扇
竹骨に白紙を貼りつけた扇。帯の左手側にさす。

袴
縞織りの仙台平あるいは博多平。色は黒か茶。

羽織
長着と同じ素材で、同数の紋が施されます。

長着
羽二重、御召などに三つ紋、または一つ紋。

足袋
袷《あわせ》仕立の足袋は白木綿とネルに分類されます。

紋付きの種類

一つ紋

背中の中心に1カ所のみ家紋が入ります。

三つ紋

背中の中心と両外袖の3カ所に家紋が入ります。

五つ紋

背中心、両胸、両外袖の5カ所に家紋が入ります。

本人・両親

披露宴の雰囲気に合わせて

親や親族の衣装

両親の衣装は新郎新婦と格をそろえる

　結婚式では、親族は挙式から披露宴まで出席することになります。新郎新婦の両親は最も高い格式の服装（新郎新婦や媒酌人と同格の衣装）を着用しますが、新郎新婦や媒酌人よりも控えめにします。モーニングコートや、紋付き羽織袴、留袖などは結婚式場やホテルなどで貸衣装（レンタル）を利用してもよいでしょう。礼装の格が合っていれば、洋装と和装がまじっていてもかまいません。一般的には父親は洋装、母親は和装が多いようです。

　また、大切なのは両家の格をそろえること。準備の段階から新郎新婦が両家の間に入り、バランスがとれる働きかけを。

兄弟、姉妹の装いは両親より控えめがベター

　新郎新婦の兄弟や姉妹の服装は、新郎新婦や両親、媒酌人よりも少し控えめにし、準礼装・略式礼装を着用するのが一般的。兄弟の場合は和装を着用することはあまりなく、洋装のほうが多いようです。姉妹で既婚者の場合は黒留袖を着ることもあります。家族でバランスのとれた装いを。

　高校生以下の子どもは学校の制服が一般的です。小さい子どもはすぐに大きくなってしまうので、披露宴のための衣装をわざわざ新調するのもお金がかかってしまいます。七五三などの写真館のレンタルを利用するのもよいでしょう。

身内の服装ルール

挙式では、家族も主催者側になります。招待客を迎えるのにふさわしい品位のある服装を心がけましょう。

洋装

〈男性〉

	昼	夜
正礼装	モーニングコート	テールコート
準礼装	ディレクターズスーツ・ブラックスーツ・タキシード	
略礼装	ダークスーツ	

〈女性〉

	昼	夜
正礼装	アフタヌーンドレス	イブニングドレス
準礼装	セミドレス	カクテルドレス
略礼装	ドレッシーなワンピース、スーツ	

和装

〈男性〉

正礼装	紋付き羽織袴
略礼装	紋服

〈女性〉

	既婚者	未婚者
正礼装	五つ紋付き黒留袖	振り袖・訪問着
準礼装	紋付き色無地・付け下げ	

親の装い

和装

父親は、紋付羽織袴（黒紋付き五つ紋、黒羽二重五つ紋）が一般的。主役の新郎や媒酌人夫妻よりも控えめがよいでしょう。母親は、黒留袖（五つ紋付き黒留袖）が一般的。主役の新婦より控えめにし、おめでたい裾模様のあるものを。

洋装

父親は、燕尾服と白ネクタイ、タキシードと黒ネクタイ、フロックコート、モーニングコート（昼間用）を。母親は、イブニングドレスやアフタヌーンドレスを着用し、ネックレスやイヤリング、コサージュなどで華やかに。

家族の装い

兄弟

兄弟はどちらかというと洋装が多いようです。

［既婚者］

ディレクターズスーツやブラックスーツ。

［未婚者］

ダークスーツやブラックスーツ。

姉妹

［既婚者］

和装の場合は黒留袖（五つ紋付き黒留袖）、洋装の場合はフォーマルなセミドレス。

［未婚者］

和装の場合は色留袖（五つ紋付き）、振り袖、洋装の場合はドレッシーなワンピース。

レンタルについて

新郎新婦の衣装だけでなく、親族の衣装についても、ホテルや結婚式場などでレンタルすることができます。留袖などは、さまざまな絵柄の中から選ぶこともできますし、着付けも予約することができます。

レンタルできるのは、和服（黒留袖、色留袖など）、ドレス、紳士用礼服、子ども用ドレス、子ども用フォーマルなど。予約はできるだけ1カ月前までにすませましょう。

子ども

制服があれば制服が礼服となります。なければ男子はブレザーとズボン、女子はブレザーとスカート、ワンピースなどを。

本人

マリッジリングの選び方

一生身につけるということを意識しよう

既製品を買う以外にもオーダーなどの方法が

古代エジプト時代からパワーアイテムとして身につけていた指輪を、男女が結婚の証として交換するようになったのが古代ローマ時代。結婚式の儀式として定着したのは11世紀頃といわれています。指輪交換の儀式がありますので、挙式の3～4カ月くらい前から準備を始めるとよいでしょう。

既製品を買う方法以外に、好きなデザインのパターンを選んでから素材や石などをアレンジするセミオーダー、デザインの段階からオーダーするフルオーダーの方法があります。フルオーダーは完成するまで3カ月くらいかかるので、余裕をもって準備を。

指輪の裏側に文字が入れられる場合も

一生身につける結婚指輪は、飽きのこないものを選びたいもの。素材やつけ心地、デザインを吟味しましょう。結婚指輪の裏側には、10～15文字程度の文字を入れられます。アルファベットと数字が一般的ですが、イラストや和文などを入れられる場合もありますので確認してみましょう。

Pick up

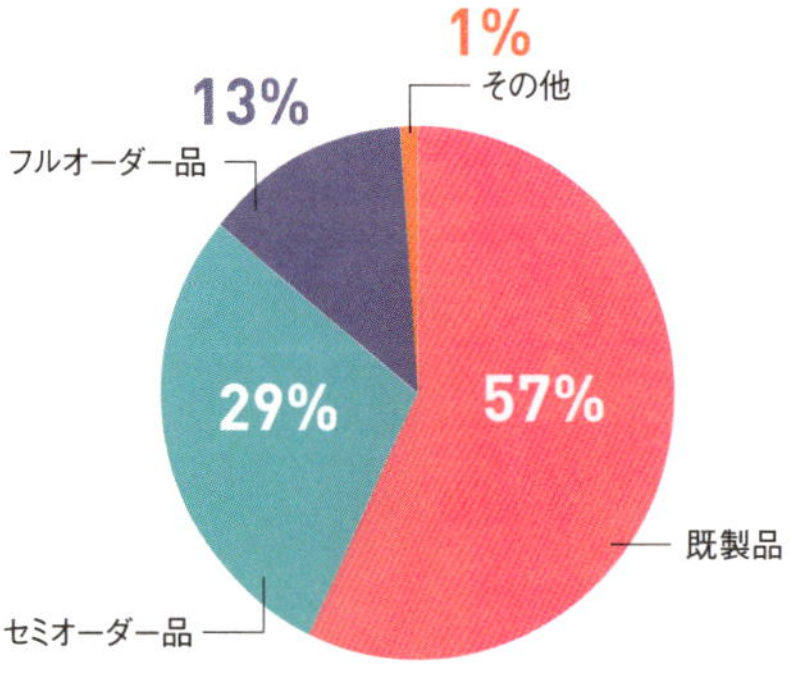

マリッジリングの種類

既製品を購入したカップルが57%

結婚指輪の種類は、既製品を選んだカップルが57%、セミオーダーを選んだカップルが29%、フルオーダーを選んだカップルが13%という数字に。結婚指輪の素材は夫婦ともにプラチナが最も多く、77%に上りました。

マリッジリングのデザイン

ストレート

リングのアームがまっすぐな、最もシンプル&ベーシックなデザインです。重ねづけがしやすいのも◎。素材はプラチナ、ゴールド、プラチナトゴールドのコンビなどが主流。アームの太さで印象が変わります。

S字ライン

ゆるやかなウェーブがS字のように見える流線形のデザイン。"ウェーブライン"と呼ばれることもあります。指を細く、長く見せる効果があります。メレダイヤの入り方によって印象が違って見えるのが特徴。

V字ライン

手の甲へ向かってV字形をしたデザインは、シャープでスタイリッシュな印象に。Vの角度やアームの大きさはいろいろあるので、好みのものを選びましょう。V字ラインは縦の切り込み具合でイメージが異なります。

X字ライン

2本のリングを1カ所でクロスさせたデザイン。重ねづけをする場合は、細めのリングを選ぶとバランスがよいでしょう。指にはめた時にX字に見えるため、細いながらもボリュームが感じられるデザインです。

エタニティリング

同カットの宝石がリング上を途切れることなく一周するスタイル。デザインに切れ目がないので、"永遠の愛"の象徴とされています。婚約指輪兼用の結婚指輪として選ぶ人も。結婚指輪の新定番として人気を集めつつあります。

重ねづけセットリング

結婚指輪と婚約指輪を重ねづけすることを前提にセットで購入するカップルが増えているようです。ボリュームのあるものとシンプルなものを組み合わせるなど、メリハリをつけるとバランスがよいでしょう。

Pick up

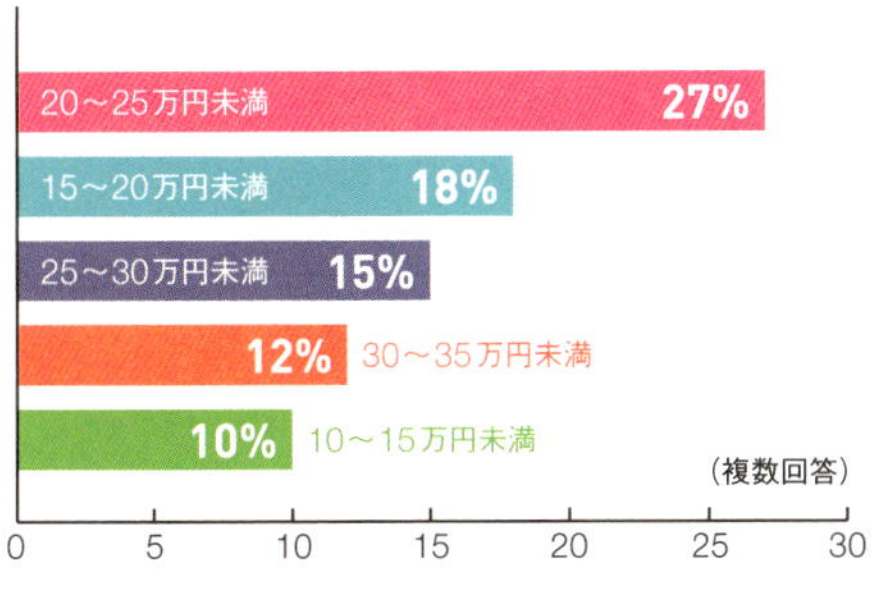

マリッジリング(2人分)の購入金額

20～25万円未満が最も多い

2人分のマリッジリングの購入金額は、「20～25万円未満」が27%で最も高く、次いで「15～20万円未満」と、20万円前後で用意する人が多数。15万円未満は10%と少なめの結果に。平均は23.9万円でした。

本人

挙式に向けてプロがサポート

ブライダルエステ

プロの力を借りて最高にきれいな花嫁に

ブライダルエステは、挙式日に目標を定めた集中ケア。一番きれいな状態で当日を迎えられるようにコンディションを整えるのが目的で、ドレスを美しく着こなすため、顔やデコルテ、背中などドレスから露出する部分を中心に、肌トラブルの軽減、脱毛で外見を磨くなど、花嫁の心身をリラックスさせる効果もあります。

ブライダルエステは種類も豊富なので、あらかじめ予算を決めておくことが大切。マッサージやパックなどのフェイシャル、ボディマッサージ、顔や襟足、背中や足のシェービングなど、予算の範囲内で利用するようにしましょう。

美容スケジュールは挙式の3カ月くらい前から

花嫁のビューティプランは、挙式の3カ月くらい前から立てましょう。とくに夏場は、紫外線防止対策をしっかりと行いましょう。ダイエットをするなら適度な運動とバランスのよい食事を心がけながら、無理のないペースで。

美容スケジュール

1. 挙式の３カ月前
お試しコースなどを利用してプランを具体的に検討します。
2. １～２カ月前
むだ毛の処理、背中や腕などのマッサージ、フェイシャルケアを。
3. 前日～１週間前
シェービング、背中のトリートメント、デコルテのマッサージを。

Pick up

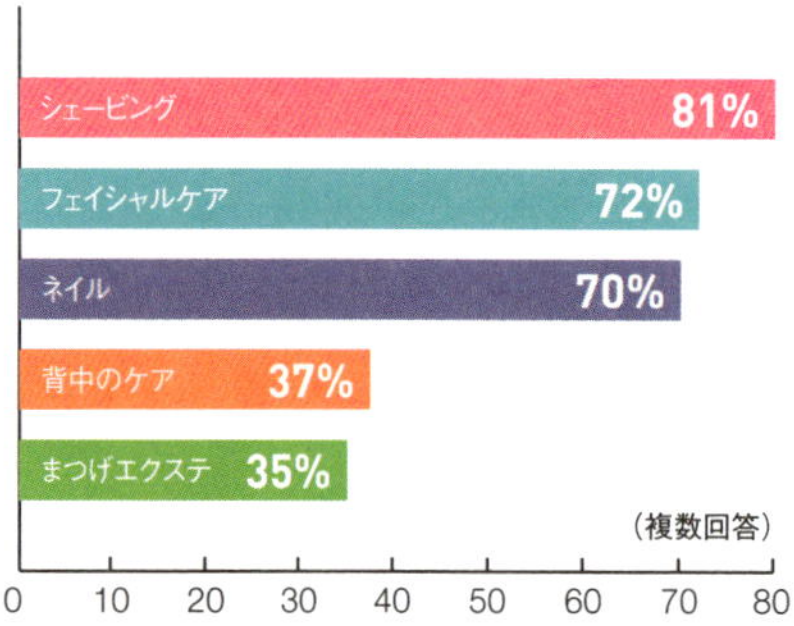

結婚準備のための美容ケアのメニュー

一番人気はシェービング

結婚準備のために受けた美容ケアメニューの一番人気はシェービングで81％。次いで、フェイシャルケア、ネイル、背中のケア、まつげエクステと続きます。美容ケアを受けた花嫁は全体の96％に上ります。

第五章

結婚式の準備②
プログラム、演出、引き出物

二人にとっても招待客にとっても思い出に残る
結婚式にするために、
メリハリのあるプログラムを心がけましょう。
準備する二人が楽しみながら、
そして、自分達らしさにこだわりながら、
じっくりプランを練って。

本人・両親

プログラムの考え方の基本

自分達らしい演出をするためにプロの力を借りて

コンセプトを決めて メリハリのあるプログラムを

かつては儀式的な意味合いが強かった披露宴ですが、最近では「おもてなし色」が強まっています。新たに家庭を築く二人が、これまで育ててくれた親や、お世話になった人たちへの感謝の気持ちを表すためのものになってきているのです。

会場が用意している基本のプランだけでなく、自分達らしいオリジナリティあふれる演出を加えましょう。

披露宴のプログラムは式の3～4カ月前には決めるようにします。披露宴をどのようにしたいのか、招待客にはどう過ごしてもらいたいのかなど、具体的にイメージして。

プランナーや司会者の力を 借りながら計画を立てよう

プログラムを考える時に、力になってくれるのがウエディングプランナーや司会者です。自分達らしい演出が思い浮かばない時は、漠然としたイメージだけでも伝えて相談してみると、思いもよらなかった演出のアイデアを出してくれることも。「こんなこと聞いてはいけないのでは？」などと遠慮せず、気軽に相談を。

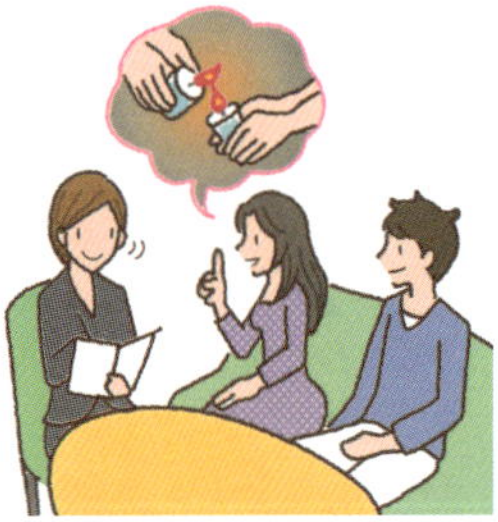

個性的で 多彩な演出が増加

披露宴の演出といえば、以前はケーキカットやキャンドルサービスが主流でしたが、最近では生演奏やＶＴＲ上映、プロジェクションマッピング（建物や物体などに映像を映す技術）など斬新でバラエティに富んだ演出を行うカップルも増えてきています。

Check

プログラムを考える時のポイント

- □コンセプトを決める
- □自己満足にならないように
- □プログラムのメリハリを考慮
- □歓談の時間はしっかりとる
- □プロの力を借りる

プログラムづくりの段取り

1 披露宴のコンセプトを固める

「アットホーム」「神聖な雰囲気に」「みんなに楽しんでもらいたい」「季節感を出したい（梅雨の時期なら雨やアジサイにちなんでみる）」「家族の絆を表現したい……」など、二人の間で披露宴のキーワードを検討してみましょう。

2 行いたい演出の候補を挙げる

披露宴のコンセプトがイメージできたら、行いたい演出を具体的に紙に書き出していきます。ビデオ上映など大きな演出から乾杯の発声、スピーチまで、最終的には大小合わせて5～8くらいにできるとよいでしょう。候補が多すぎたら披露宴のコンセプトと照らし合わせて再度検討し、絞り込んでいきます。

3 プログラムに演出を当てはめていく

一般的な披露宴のプログラム（P153）を基本に、候補に挙げたそれぞれの演出をプログラムのどこに当てはめるか検討しましょう。わからないことがあった時は、随時プランナーや司会者に相談を。バランスよく演出を配置し、抑揚のある流れをつくりましょう。

4 招待客にスピーチ&余興をお願いする

招待客のスピーチ&余興は新郎新婦それぞれ1～2名（余興は1～2組）ずつ行います。自分たちで行う演出のバランスをみながら、プログラムに沿って新郎側、新婦側と交互にスピーチ&余興をしてもらいましょう。

二部制披露宴とは？

最近では、招待客を二つのグループに分け、一部は親族中心、二部は友人や仕事関係の人中心にするなど、1日に2回披露宴を行う「二部制披露宴」をする人が増えてきました。たくさんの招待客を呼びたいカップルにおすすめですが、当日は、新郎新婦にとっては一日がかりの長丁場の披露宴になりますので、体調管理をしっかりと行いましょう。

Case 24

プログラムをつめ込みすぎて慌ただしい式に

レストランでのウエディング。準備の段階からアイデアを出し合い、自分達にとって完璧なプログラムができました。ところが当日、スピーチや余興が少しずつ長引き、気づいたら披露宴終盤には押せ押せムード。招待客に食事を楽しんでもらう時間がかなり減ってしまって反省。つめ込みすぎはよくないですね。

Advice

プログラムは司会者やプランナーのアドバイスをもらう

「何もしない時間があると間がもたないのでは？」と心配する人もいますが、歓談しながら食事したり、新郎新婦と写真を撮ったりなども演出の時間の一つです。司会者やプランナーからアドバイスをもらいながら、つめ込みすぎず、メリハリのあるプログラムをつくりましょう。

本人・両親

プログラムの流れを知る

基本をふまえて自分達らしさを演出する工夫を

メリハリをつけて招待客に楽しんでもらえる進行を

披露宴の平均所要時間は2時間～2時間半ほどです。どの部分に重点をおくかで構成も変わってきますが、二人の紹介や主賓の祝辞を聞く前半はおごそかな雰囲気。乾杯がすんで会食が始まると賑やかに、お色直し後は、個性に富んだ演出や余興で盛り上がり、花嫁の手紙で感動のエンディング、というのが基本の流れです。

会社の上司や目上の方のあいさつばかりが続くと退屈してしまう場合もあるので、友人の楽しいスピーチや余興を効果的に入れるなど、メリハリを意識して招待客がリラックスできる流れをつくっていきましょう。

披露宴の開宴前も招待客をおもてなし

おもてなしを重視する今どきの結婚式は、受付から挙式、披露宴開始までの時間も、招待客に心地よく過ごしてもらう工夫を凝らします。会場に早めに到着した方のために、開宴前の時間にシャンパンをはじめとするウェルカムドリンクと一口で食べることができるオードブルなどを用意し、おもてなしするのもよいでしょう。

Pick up

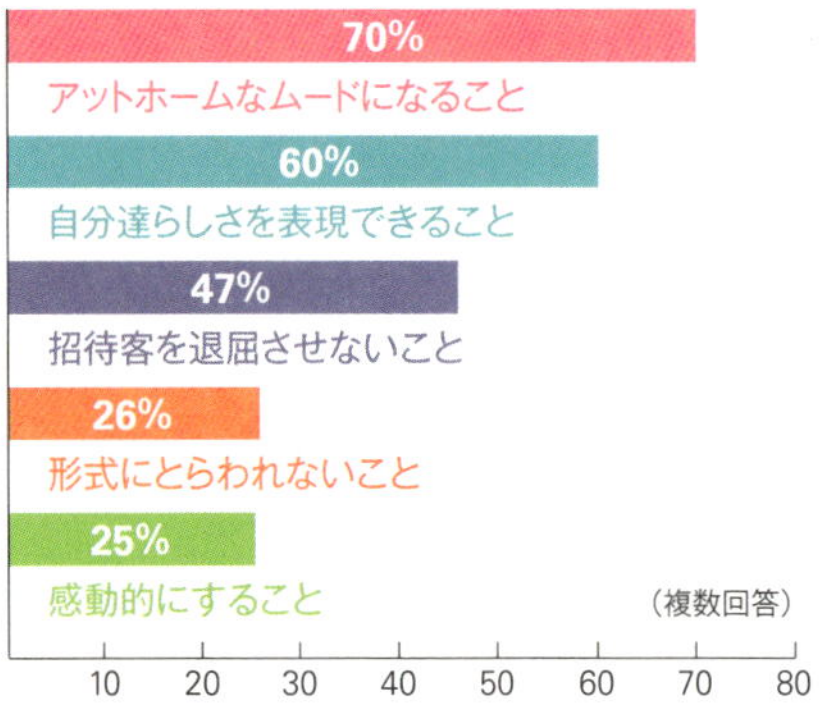

演出で心がけたこと

アットホームなムードになるように心がけたカップルが第1位

挙式・披露宴の演出を決める時に心がけたことは、「アットホームなムードに」が1位で7割、以下「自分達らしさを表現できること」と続きます。招待客のことを考えた演出づくりを意識していることがわかります。

一般的な披露宴の流れ

1 招待客入場

招待客が控え室から披露宴会場に向かいます。両家の親は入り口で出迎えます。

2 新郎新婦が入場

招待客が着席後、両親が着席したら、司会者の言葉でBGMとともに、新郎新婦が入場します。（媒酌人なしの場合）

3 開宴のあいさつ

新郎新婦が着席したら、司会者が開宴を告げます。（媒酌人なしの場合）

4 新郎新婦の紹介

媒酌人がいる場合、媒酌人が結婚式が無事終了した報告をし、新郎新婦を紹介します。いない場合は司会者が紹介。

5 主賓のあいさつ

新郎側の主賓、新婦側の主賓の順でスピーチします。

6 乾杯

招待客の代表が一言あいさつをしてから乾杯の発声をします。全員起立して乾杯します。

7 ウエディングケーキ入刀

序盤のメインイベント。ケーキカット用のナイフを新婦が両手で握り、新郎が右手を添えて、一緒に入刀します。

8 会食スタート

招待客は歓談をしながら、会食します。

9 お色直し退席

お色直しをするために、新郎新婦別々に退席。

10 新郎新婦再入場・キャンドルサービス

お色直しをした新郎新婦が再入場します。各テーブルを回り、あいさつをしながらキャンドルサービスなどをします。

11 祝辞・余興

スピーチと同じように、新郎側、新婦側交互に行います。新郎新婦は起立する必要はありません。

12 祝電の披露

司会者が祝電を披露。お色直し退席の時に行う場合もあります。

13 両親へ記念品贈呈

新郎新婦は両親が並んでいる下座まで進み、新婦から両親への手紙の朗読のあと、新郎から新婦の両親へ、新婦から新郎の両親へ花束を贈ります。

14 両家による謝辞

結婚披露宴を主催した両家を代表して、新郎の父親または新郎がお礼と謝辞を述べます。

15 閉宴のあいさつ

司会者が閉宴を告げます。

16 招待客お見送り

新郎新婦と両親は出入り口で招待客を見送り、来てもらったお礼の気持ちを伝えます。

本人

アイデアをバランスよく取り入れて

定番の演出を知っておく

定番の演出はケーキカットやキャンドルサービス

披露宴の主役は新郎新婦ですが、だからといって二人の自己満足で終わることのないようにしましょう。大切なのは二人を祝福するために、わざわざ時間を割いて集まってくれた招待客に楽しんでもらうことです。そのための演出が必要だということを忘れずに。

披露宴での定番の演出といえば、ウエディングケーキ入刀、キャンドルサービス、両親への花束贈呈などです。これらをプログラムのメインに配置し、それにプラスする形で音楽系、撮影系、余興系などいくつかのタイプの演出をバランスよく組み込んでいくとよいでしょう。

招待客参加型の演出も最近は人気

最近の披露宴は、「招待客に楽しんでもらう」ことを意識しているため、参加型の演出を多く取り入れる傾向があるようです。招待客テーブルでの写真撮影、キャンドルリレー、お色直しのエスコート役を指名など、いろいろなアイデアを盛り込んでみましょう。

Pick up

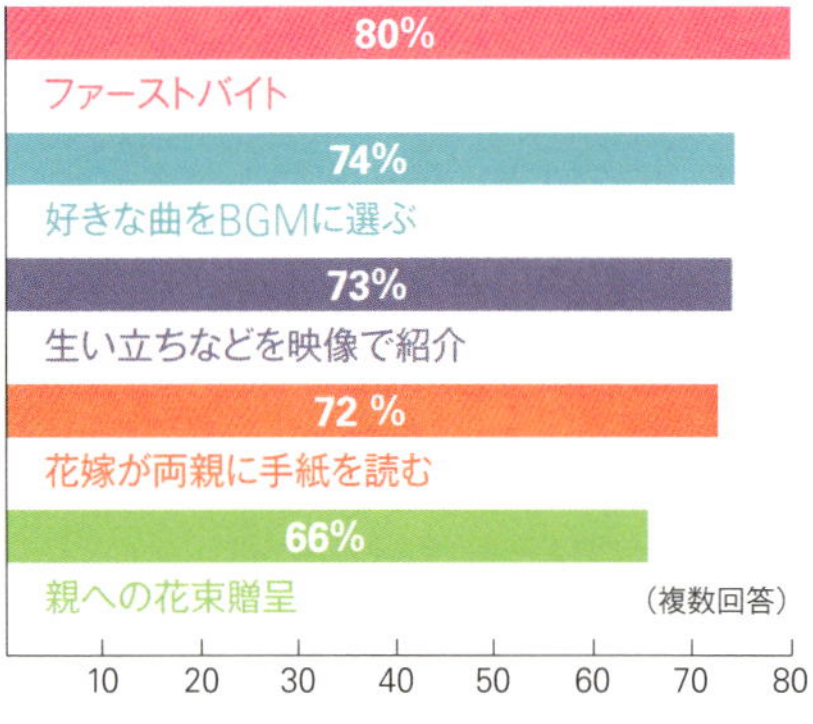

披露宴で行った演出

ファーストバイトを8割のカップルが実施

披露宴で実施した演出の第1位は、ウエディングケーキをお互いに食べさせ合う「ファーストバイト」。次いで、「好きな曲をBGMに選ぶ」、「映像演出」、「花嫁の手紙」となっています。他に「会場装花をもち帰れるようにする」というのも。

定番の3大演出

ウエディングケーキ入刀

披露宴の中盤あたりに行われるセレモニー。新郎新婦がお互いにケーキを食べさせ合うファーストバイトとセットで行うのが定番です。招待客にとっても絶好のシャッターチャンス。

親への花束贈呈

披露宴のクライマックスを盛り上げる花束贈呈。両家の親に感謝の気持ちを込めて花束を贈ります。花束だけでなくプレゼントも贈ったり、花束を贈らずプレゼントのみを贈るカップルも。

キャンドルサービス

お色直し後の再入場の際の定番の演出。招待客の各テーブルを回り、キャンドルに点火します。「かまどの火を両親からゆずり受ける」という風習から始まったともいわれています。

〈その他の演出アイデア〉

招待客テーブルでの写真撮影

新郎新婦が招待客の各テーブルを回り一緒に記念撮影を行います。テーブルごとの雰囲気を楽しめる演出。

入退場のエスコートをしてもらう

お色直しの入退場時のエスコート役を招待客に務めてもらう演出。母親が定番ですが、意外な人でも盛り上がります。

プロフィールパンフレット

披露宴開始前に配る、新郎新婦の人柄やなれそめがわかるプロフィールパンフレットは、招待客同士の会話のきっかけに。

生演奏

弦楽四重奏、ピアノ、ジャズバンドなど、プロやプロ級の友人による生演奏は、華やいだ雰囲気を演出します。

ブーケトス

花嫁が後ろ向きになって挙式で使用したブーケを未婚の女性へ投げる演出。受け取った女性は次に結婚できるといわれています。

ラッキードラジェ

ケーキの中にドラジェ(P209)を数個入れ、当たった人にプチギフトを渡したり、スピーチをお願いしたりする人気の演出。

デザートブッフェ

料理による演出。招待客が好きなデザートを自由に選んで食べられ、「食事のあとのお楽しみ」で盛り上がります。

キャンドルリレー

キャンドルサービスに代わる演出として人気。招待客がキャンドルの火をリレーし、最後に二人がメインキャンドルに点火。

ファーストバイト

新郎新婦によるウエディングケーキ入刀のセレモニーのあと、新郎新婦がお互いにケーキを食べさせ合う演出です。

本人

感動に包まれるサプライズ演出

担当者と相談して、招待客の心に残る演出を

だれを驚かせるかで演出の内容も変わる

招待客や親族に喜んでもらうために、新郎新婦が内緒で用意したり、逆に招待客に驚かされることもあるサプライズ演出。招待客の感動を一気に盛り上げるカギでもあります。

演出の内容は、だれを驚かせるかによって異なります。両親や新郎から新婦、または新婦から新郎、招待客など、バリエーションもさまざまです。

サプライズ演出は、対象となった人の驚きや喜びはもちろん、会場が大いに盛り上がります。自己満足や内輪受けにならないよう、だれにどんなサプライズをするのかじっくり考えて効果的な演出を。

実現可能かどうか会場担当者に確認を

相手に内緒で行うサプライズ演出は事前の準備が必須。対象が両親や新郎新婦の場合、準備段階から会場の担当者と打ち合わせを重ねていくことが必要になってきます。準備の段階から今のアイデアが実現可能か確認をしておきましょう。

サプライズ演出の一番の目的は、ひと味違った形で感謝の気持ちを伝えて相手に喜んでもらうこと。これを忘れずに準備することが成功の秘訣です。驚かせる相手が新郎側、新婦側のどちらかにかたよりすぎないよう、バランスも考えるとよいでしょう。

Case 25

会場担当者に相談し忘れヒヤヒヤ

新婦には秘密で、新郎から新婦へ公開プロポーズをするサプライズ演出を提案。司会者には伝えておいたのですが、会場担当者に伝えるのを忘れてしまい、当日を迎えました。披露宴の直前にそのことに気づき、新婦から怪訝な顔をされたりしてヒヤヒヤでした。

Advice

会場担当者は披露宴を成功させるパートナー

会場担当者は、当日の進行を滞りなく進めるための大切なパートナー。当日の進行すべてについて把握してもらえるよう常に気を配りましょう。把握していない演出が入ることで、延長料金が発生するなどトラブルの原因にも。

こんなサプライズ演出が人気！

新郎から新婦、新婦から新郎へ

公開プロポーズ

新郎が、招待客全員の前で新婦にプロポーズしたり、二人で幸せになる誓いの宣言を行います。「まさかこの場でいってくれるとは」「その言葉を聞きたかった」と新婦の涙を誘います。新婦から新郎への公開プロポーズもあり。

二人の思い出を集めたDVD上映

相手に内緒で二人の思い出の写真を編集したDVDを準備し、当日そのDVDの映像を流しながら、相手へメッセージ。DVDには共通の友人達の姿も一緒に録画すれば、ますます盛り上がるはず。

新郎、新婦から招待客へ

バースデー、結婚記念日サプライズ

誕生日や結婚記念日が近い招待客がいたら、バースデーソングを歌ったり、ちょっとしたプレゼントを渡します。

招待客全員にメッセージ

招待客一人ひとりに手書きのメッセージを用意して席札の近くに一緒に置いておくなどすると、二人の思いが伝わります。席札そのものにメッセージを書き加えるのもOK。

新郎、新婦から両親へ

新郎からの手紙

親への手紙は新婦からのものが一般的なので、新郎からの手紙ということ自体がサプライズといえます。両家の親には秘密にしておき、当日新婦に続いて新郎も親への手紙を朗読。普段はなかなかいえない感謝の気持ちを伝えましょう。

母親からのラストバイト

ケーキカットを、新郎新婦だけでなく、二人の両親も含めて6人で行い、カットしたケーキを新郎新婦が自分の母親に食べさせてもらうサプライズです。幼い頃から自分にご飯を食べさせてくれたことへの感謝が込められた、アットホームな演出に心が和みます。

Pick up

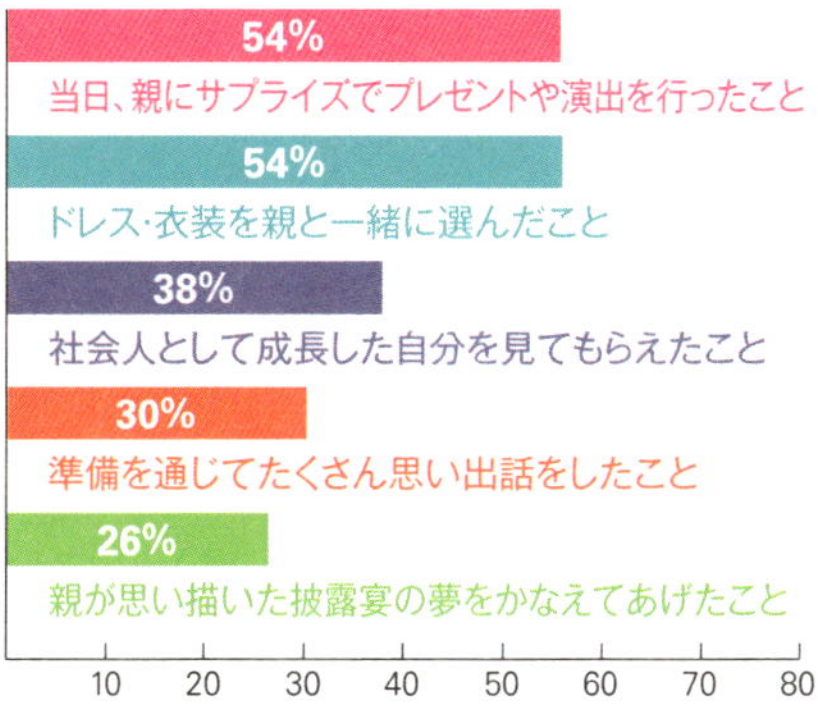

（複数回答）

結婚式準備から当日を通じて親がうれしそうにしていたこと

子どもと一緒に式をつくる楽しさ

結婚式の準備から当日にかけて親がうれしそうにしていたことは、「ドレス･衣装を親と一緒に選んだこと」と共に「当日、親にサプライズでプレゼントや演出を行ったこと」。親へのサプライズは意外性もあり、思い出にも残るようです。

本人・両親

全体の流れを考えてから決めよう

音楽（BGM）による演出

二人らしさを演出できるBGM選びを

披露宴のプログラムが決まったら、次はそれに合ったBGMを考えます。披露宴で流れるBGMは、新郎新婦の一つひとつの行動を印象づけて会場を盛り上げ、シーンの転換などの大切な役割を果たします。BGM一つで招待客の思い出に残る結婚式になる場合もありますので、曲のセレクトが肝心です。

BGMは二人の好きな曲や思い出の曲から選曲するのが一般的ですが、あまりこだわりすぎず、全体の流れを考えてシーンに合った選曲をすることが大切です。選曲は思った以上に時間がかかるので早めに準備を。

シーンによって生演奏を頼むのも効果的

招待客に評判がいいものの一つに、クラシックやジャズなどの音楽の生演奏があります。生演奏を頼む場合は、結婚式場やプランナーに相談すれば、希望に合わせて提案をしてくれますので検討しましょう。

Check

BGM選びのポイント

- □タイミングとシーンに合ったものを選ぶ
- □全体のメリハリを考えて選曲する
- □新しさにこだわらず、多くの人が知っている曲も選ぶ
- □好きな曲ばかりを選んで自己満足にならないよう注意
- □生演奏を頼むのも効果的

披露宴全体で12〜13曲セレクトしておくと安心

披露宴全体の中でBGMが流れない時間は、あいさつや余興、スピーチの時です。その他の時間は何らかの音楽を流す場合が多いので、披露宴全体で12〜13曲くらいセレクトしておくと安心です。すべての曲を自分達で決める自信がない場合は、会場の音響担当者に相談しましょう。最近では結婚式専用のCDなども出ていますので、こうした中から選ぶのもおすすめです。

「このタイミングでこの曲を流したい」というBGMを最初に選んでから、残りのBGMをどうするか考える手順がよいでしょう。

〈シーン別BGMの選び方〉

招待客入場

招待客が明るい気持ちに、またリラックスできるような曲を。歌詞のないインストゥルメンタル、クラシック、ボサノバなどが◎。

☆例えばこんな曲

「ノクターン第2番」／ショパン

新郎新婦入場

新郎新婦の入場時は、グッと注目を集められるような「聴かせる音楽」をチョイス。華やかな曲で主役の登場を盛り上げます。

☆例えばこんな曲

「Part of Your World」／Q;indivi

ウエディングケーキ入刀

ケーキ入刀とファーストバイトは、新郎新婦や友人達がワイワイと騒いで楽しめるシーンの一つ。ドラマチックで盛り上がる曲を。

☆例えばこんな曲

「Baby I Love U」／Che'Nelle

乾杯

ケーキ入刀の歓談タイムは、招待客が楽しくおしゃべりしたり楽しんだりできるよう明るくポップなメロディーの曲をチョイス。

☆例えばこんな曲

「Cinderella」／Sweetbox

両親

こだわりすぎの選曲になっていないか確認を

思いを込めすぎて偏った選曲になっていないか確認し、さりげなくアドバイスしてあげましょう。子どもが小さい頃好きだった曲や、自分達の披露宴の時に選んだ曲の思い出話をしてあげても。

会食・歓談

食事や会話を楽しみたい招待客のために、ミディアムテンポでくつろげる曲を。二人が出会った頃の思い出ソングを流しても。

☆例えばこんな曲

「Marry You」／Bruno Mars

お色直しの退席

新婦が退席する場合は明るくエレガントな曲、家族がエスコートする場合は情緒ある曲に。新郎が退席する時は軽快な雰囲気の曲が◎。

☆例えばこんな曲

「The Gift」／Blue

新郎新婦の再入場

再入場にセレクトする音楽は、披露宴の区切りをつける音楽になりますから、「聴き入るような歌詞」の曲を選ぶのがおすすめです。

☆例えばこんな曲

「愛をこめて花束を」／Superfly

キャンドルサービス

お色直し入場の曲と連動させ、ムードあふれるバラード系などで盛り上げましょう。

☆例えばこんな曲

「365日」／Mr.Children

花嫁の手紙

披露宴の最大の見せ場であり、招待客全員が感動するシーンである花嫁の手紙。ここでは、花嫁が手紙を読む言葉を邪魔することなく、感動を引き立ててくれる曲を選びます。

☆例えばこんな曲

「ひまわりの約束」／秦基博

招待客お見送り

感動的な演出が続いたあとの新郎新婦退場・送賓のシーンでは、それまでの涙を吹き飛ばすような明るくポップなメロディーの曲で。

☆例えばこんな曲

「Wonderful World」／ETERNITY∞

本人

スライドショーはもはや定番

映像による演出①

プロフィールや思い出の映像が主流

披露宴の演出の中で、いま最も注目され多くの新郎新婦が取り入れているのが、映像による演出です。披露宴での映像演出は、ひと昔前は写真をスライドで映しだすだけのシンプルなものでしたが、最近ではＤＶＤによるオリジナルのスライドショー形式が主流になってきています。

二人の人となりや結婚までのなれそめをまとめたプロフィールビデオはもはや定番。新郎新婦の入場時に流すオープニングムービー、映画のエンドロールのようなエンディングムービーも人気で、披露宴を盛り上げる演出として注目されています。

映像演出は制作会社に依頼。自分達でつくる場合も

映像は、プロの制作会社に頼んで打ち合わせしながらつくってもらう方法と、パソコンを使いこなして自分達でつくる方法があります。また、映像制作が好き、または得意な友人にお願いするカップルもいるようです。打ち合わせに時間をとられるなど、デメリットもありますので、考えて頼みましょう。

Pick up

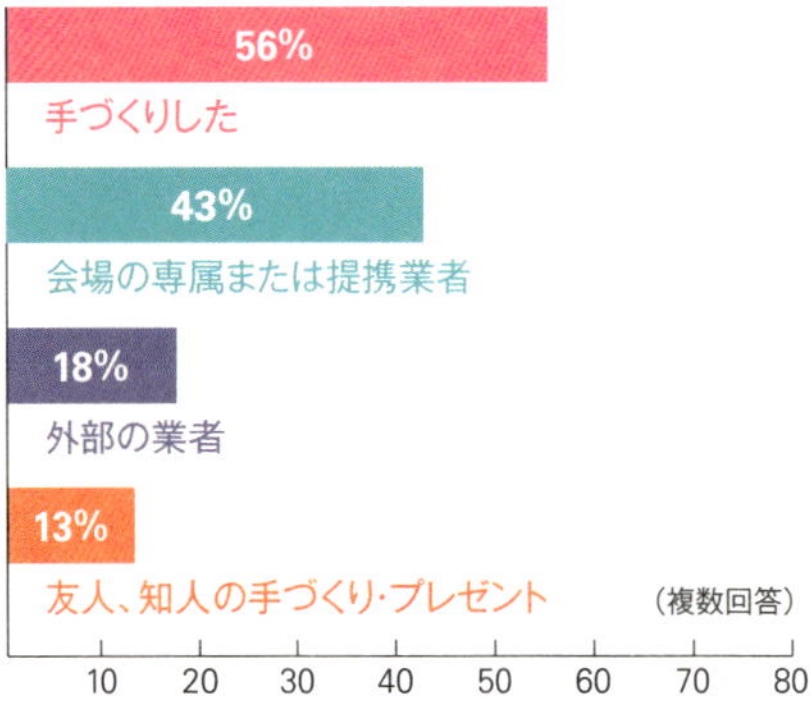

映像演出の依頼先

自分達で手づくりしたカップルが約6割

映像演出を行ったカップルの56%が手づくりと、こだわり派が増えています。パソコンのソフトなどを使えば、プロ顔負けの映像が低予算でつくれるのが魅力のようです。

〈人気の映像演出〉

プロフィールビデオ

披露宴の演出として上映される、新郎新婦の写真と音楽を一つの映像にまとめた作品。映像制作が以前よりも簡単に行えるようになったため、今では披露宴で上映されるようになりました。子ども時代から現在までの二人の写真や、効果的なBGM、テロップなどを盛り込んでつくられる新郎新婦のストーリーで、披露宴のオープニングやお色直し、余興のシーンで上映されることが多いようです。招待客に二人のこれまでの歩みや人柄などを深く知ってもらえるだけでなく、二人からの感謝の気持ちが伝えられます。

エンディングムービー

披露宴の最後に、招待客、両親、スタッフなどの名前やメッセージを映像と共に流します。映画のエンドロールのようなイメージで、披露宴のクライマックスをますます盛り上げます。

オープニングムービー

結婚式場や披露宴会場への新郎新婦入場時に映像と音楽で招待客の注目を集めるオープニングムービー。新郎新婦の入場を知らせ、映像でその場の空気を盛り上げます。招待客に来場の感謝を伝える他、新郎新婦の自己紹介などの情報を盛り込む構成が一般的。新郎新婦のどちらかしか知らないという招待客にも人となりを知ってもらうことで、場の空気をより温かくできるというメリットもあります。

Case 26

**長い映像にして
招待客に飽きられた**

二人そろって映像制作が大好きだったのでプロフィールビデオを凝りに凝ってオリジナルのものをつくりました。上映時間は12～13分で、自分たちはちょうどいい長さだと思っていたのですが、招待客にとっては長すぎたようで、上映の後半は明らかにだれた雰囲気に。自己満足だったかな、と反省しました。

Advice

**招待客目線で考えた
ビデオ制作を**

招待客にビデオを飽きずに見てもらうには、ストーリーがきちんとできていることが必要。演出として流す場合は、長くても5分を目安につくるのがよいでしょう。自分達が見せたいものをつくるのではなく、「招待客の立場で見た時に楽しめるのか?」という目線で映像をつくると◎。

本人

映像による演出②

二人らしい素材を使って盛り上がる映像を

写真が少なくても大丈夫。工夫次第で何でも素材に

映像を自分達でつくる場合は、編集ソフトが必要です。編集ソフトの中には無料でダウンロードできるものもあるので、インターネットなどで調べてみるといいでしょう。

自分達で用意できる写真が少ない場合は、親や親戚、友人に聞き、借りることはできないか相談を。この他にも、携帯電話やスマートフォンで撮った写真、プリクラ、卒業アルバム、学生時代の作文や絵なども使い方を工夫すればいい素材になります。アイデアを出し合って二人らしい映像をつくりましょう。

招待客の写真も使って楽しく盛り上がる映像を

映像演出は、招待客も楽しめるような内容にすることが成功のポイント。新郎新婦の2ショットだけでなく、招待客の写真や、招待客と新郎新婦が一緒に写っているような写真があれば、ぜひ盛り込むことをおすすめします。招待客も盛り上がる、印象に残る披露宴になるでしょう。

Pick up

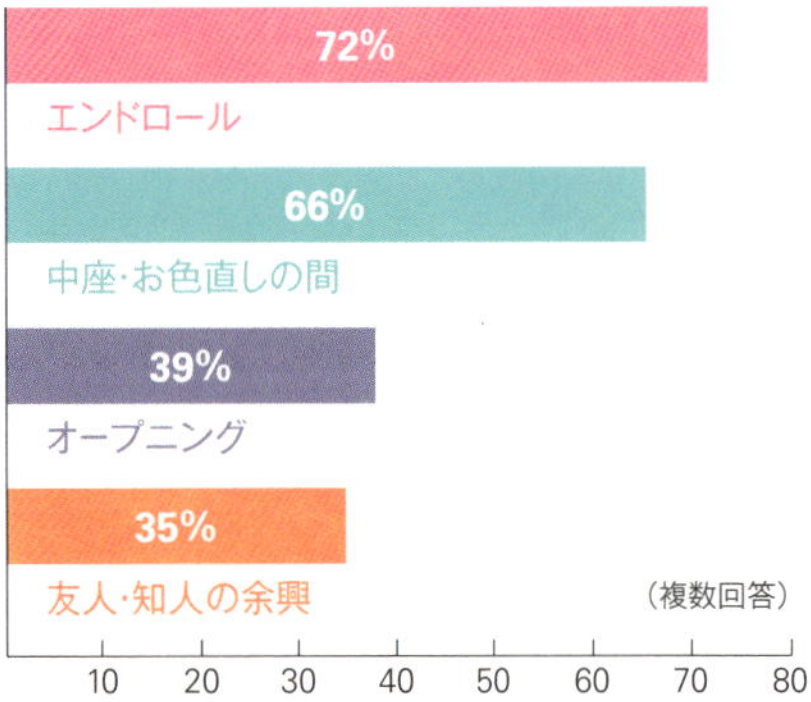

映像を使った演出の実施場面

エンドロールを流す披露宴が約7割

披露宴の中で映像を使った演出の実施場面は、クライマックスを飾るエンドロールで使用したというカップルが72%で第1位。披露宴の最後を盛り上げる手段として欠かせない演出になりつつあります。

映像のつくり方とアイデア

プロフィール映像

つくり方

出会いの頃の写真や思い出のスナップなどをスキャナーで取り込み、映像やスライドを流す順番を決め、音楽やナレーション、キャプションを添えます。長さは3～5分程度がベスト。

アイデア

二人とかかわりの深い人を登場させコメントをもらうなど招待客とのつながりをもたせると、会場内に一体感を生むことができます。

オープニングムービー

つくり方

ストーリーパターンを決め、映画やドラマのオープニングのようになれそめなどを映像とテロップ、音楽で構成。長さは2～3分が標準です。

アイデア

ドラマチックな演出で関心を引くために、最近は空撮を効果的に使用することも。撮影会社により映像ストックもあるので、相談してみましょう。

エンドロール

つくり方

招待客や両親の名前、感謝のメッセージを映画のエンドロールのようにしたベース映像をあらかじめ用意。当日撮った画像や映像をその中にリンクさせていきます。2～3分が標準です。

アイデア

オープニングとリンクさせた雰囲気につくると一つの物語風にまとまります。ライブ撮りを即編集する必要があるため、プロに任せるのが安心。

Pick up

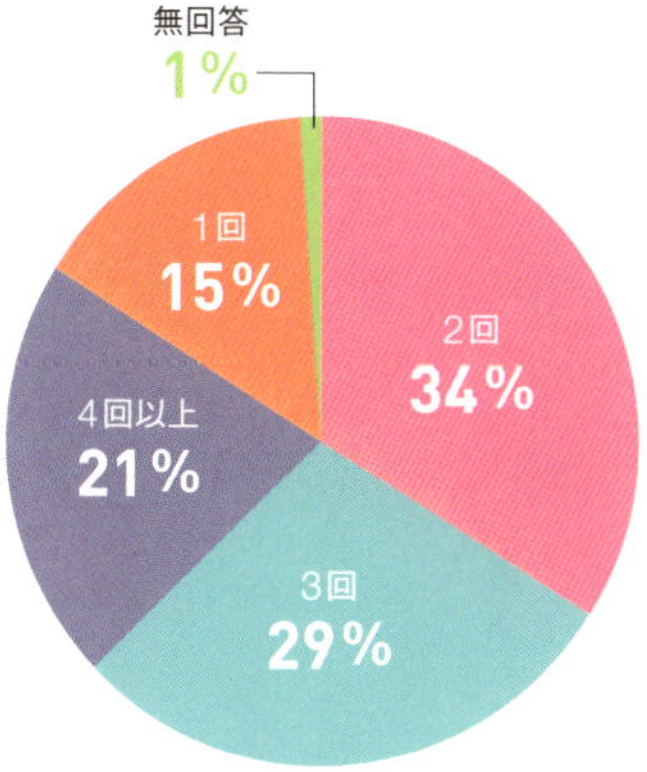

映像を使った演出の回数

映像による演出は2～3回が主流

映像を使った余興や演出は、1回5分間程度の映像を2～3回流すカップルが多いようです。なかには4回以上使ったというカップルも21%いました。プロフィール映像とエンドロールを流すことが多いようです。

本人・両親

披露宴を和やかにスタート

ウェルカムスピーチ

主役の二人から おもてなしの気持ちを伝える

　最近の披露宴の演出として、新郎（あるいは二人）が行う「ウェルカムスピーチ」が増えています。開宴の言葉のあとに行う最初の演出でもあり、招待客の注目を一身に浴びる大切なスピーチ。結婚式は、主役の夫婦が幸せを誓い合うだけでなく、参加する招待客をいかにもてなすかが重要となります。スピーチでは、招待客を歓迎して感謝すると共に、「結婚式を楽しんでください」というおもてなしの気持ちを伝えましょう。

　披露宴の始まりは緊張感が漂っているもの。心を込めた言葉で感謝の気持ちを伝え、和やかなスタートを。

落ち着いた口調ではっきり話すのがポイント

　感謝の心をきちんと伝えるためには、早口にならないよう落ち着いた口調ではっきりと話すことがポイントです。句読点を意識するとスピーチが引き締まります。スピーチ原稿を読みながら話してもかまいませんが、棒読みになってしまうので、事前にしっかり練習して。時間の目安は1、2分。会の最初のあいさつなので、あまり長くならないようにしましょう。

披露宴のテーマを親しみを込めた言葉で

　ウェルカムスピーチの一般的な構成は、①最初のあいさつと招待客へのお礼②結婚の報告③結びの言葉です。「自分達はどんな思いで結婚式の準備をしてきたか」など素直な気持ちや招待客にどのように過ごしていただきたいかなどを入れると、オリジナリティが出せるでしょう。

Check

ウェルカムスピーチのポイント

- □感謝の気持ちを伝える
- □会場の雰囲気を和ませる
- □招待客の気持ちを盛り上げる
- □言葉は簡潔に、1～2分の長さで
- □披露宴のテーマをさりげなく伝える

〈ウェルカムスピーチの例〉

新郎が行う場合

本日はお忙しいところ、私達二人のためにお集まりいただき、誠にありがとうございます。

先ほど、ホテルのチャペルにて、皆様方に祝福を受けながら、無事挙式を挙げることができました。私達二人にとっても生涯忘れることのない、大切な時間を過ごすことができました。

本日は、日頃お世話になっている方々に感謝の気持ちを込めて、ささやかではございますが、この席を設けさせていただきました。

限られた時間の中で行き届かないことも多々あるかとは思いますが、お開きまで、楽しい時間をお過ごしいただければ幸いです。本日は本当にありがとうございます。

本日は大変お忙しい中、私達の披露宴にお越しいただきましてまことにありがとうございます。一年で一番美しく過ごしやすい秋に結婚式を行いたく、本日を選びました。天も私たちを祝福してくれるかのような青空のもと、本日のよき日を迎えることができましたこと、とてもうれしく思っております。

本日は、日頃お世話になっている皆様をお招きして、この会を開かせていただきました。これからお食事を楽しんでいただいたあとは、庭園でデザートをお召し上がりいただきます。料理もデザートもとてもおいしいので、ぜひ存分にお楽しみください。よろしくお願いいたします。

新郎、新婦で行う場合

新郎 本日は連休のさなか、また遠路はるばるお越しいただきまして本当にありがとうございます。皆様に見守られながら、夫婦としての誓いをたてたいとの思いから、さきほど人前式にて結婚を執り行いました。皆様には、日頃より私達二人を温かく見守っていただき、本当に感謝申し上げます。

新婦 本日は、日頃の感謝の気持ちを込めまして、皆様をお招きさせていただきました。

本日のお料理のメニューは、レストランのスタッフのご協力のもと、二人で一生懸命考えて決めました。皆様に楽しんでいただけるとうれしいです。

新郎 短い時間の中、いたらないこともあるかとは思いますが、どうぞごゆっくりお楽しみください。

本人

スピーチや余興の頼み方

早めに、具体的にお願いしよう

スピーチや余興の依頼は「早めに」が基本

披露宴を思い出深いものにするスピーチや余興。とくにスピーチは、新郎新婦とのエピソードや祝福の言葉などをいただくわけですから、失礼のないようにお願いしましょう。直前にお願いすると相手も困ってしまいますので、結婚式の日取りが決まったらスピーチをお願いする人を決めて、早々に依頼することが大切です。

代表的なスピーチは、主賓のあいさつ、乾杯の発声、披露宴中のスピーチです。職場の上司や同僚をはじめ、幼なじみや学生時代からの友人など、新郎新婦をよく知っている人にお願いするようにしましょう。

〈各スピーチの依頼の仕方〉

主賓のあいさつ

【だれに頼む？】

結婚式での主賓のスピーチは、結婚披露宴の冒頭に行われる大切なスピーチです。新郎新婦の会社の上司や、恩師といった目上の方にお願いします。


【頼み方や所要時間は？】

両家から１名ずつの合計２名が一般的ですが、１名だけの場合も。依頼の際は主賓として招きたい旨を伝えたうえで「主賓のあいさつをぜひお願いします」と二人から直接お願いを。スピーチ時間の目安は約３分。

乾杯の発声

【だれに頼む？】

列席者は全員起立して飲み物のグラスをもち、代表者の「乾杯」の発声を合図に周りの人とグラスを掲げてから飲む行為です。主賓と同等あるいは主賓の次に大切な人が行うのが一般的で、上司や恩師、親戚の方が発声することが多いです。


【頼み方や所要時間は？】

依頼する場合は１名に。依頼の際は「乾杯の発声と何かひと言お願いします」と頼みます。乾杯前のスピーチは30秒から長くても１分くらいですので、事前にその旨も伝えましょう。

披露宴の最中のスピーチ

【だれに頼む？】

披露宴の最中のスピーチをお願いする場合、新郎新婦の友人からそれぞれ１～２名がよいでしょう。仲のよいグループで参加する場合は、グループ単位でお願いすることもあります。


【頼み方や所要時間は？】

個人に頼む場合は、新郎あるいは新婦から直接「スピーチをぜひお願いします」と頼みましょう。スピーチの時間の目安は約３分。グループ単位でお願いする場合はどのくらいの時間でおさめてほしいかを伝え、間延びしないように。

〈お願いする人へのマナー〉

- □主賓のあいさつ、乾杯の発声をだれに頼むかは職場の先輩や親に相談する
- □遅くとも披露宴の2カ月くらい前までにお願いする
- □スピーチをお願いする人には当日の出番や持ち時間を知らせる
- □式の前日に「明日はよろしくお願いします」と電話かメールであいさつする

余興は招待客全員が楽しめるような内容に

楽しくユニークな内容で進行にメリハリをつけてくれる余興。新郎新婦それぞれから1～2組にお願いするのが一般的で、スピーチ同様早めに依頼することが大切です。準備などで相手に負担がかかるので、直接会ってお願いするか、事前に電話で話してていねいに打診するようにしましょう。

なるべく内容が重ならないよう依頼し、内容が決まったら使用する機材などを確認して会場に伝えます。

〈こんな余興が人気〉

エンターテイメント系

手品

だれもが楽しめる演出。手品の最中に新郎新婦も手伝うなどするとますます盛り上がるでしょう。手品好きな友人以外に、プロに頼むという手もあります。

寸劇

男女の友人による、新郎新婦の出会いから結婚にいたるまでのダイジェスト版の劇。地元の友人からコメントをもらうなど、映像を使って構成しても◎。

ビデオレター

子どもの頃一緒に遊んだ場所、披露宴に来れない地元の友人からのおめでとうコメントなど、新郎新婦の友人が取材してビデオレターとして紹介。

記者会見

友人がレポーターに扮し、芸能人の記者会見風に二人のなれそめ、プロポーズの場所、これからの抱負、新婚旅行などについて聞き出します。

音楽・ダンス系

生演奏

ピアノやギターなど、楽器の得意な人による生演奏。披露宴の雰囲気がガラリと変わるので、二人の好きな曲や思い出の曲をリクエストして。

歌

結婚式の定番ソングや二人の思い出の曲、学生時代の友人が多ければ出身校の校歌など、招待客の構成や披露宴の雰囲気に合う歌を。

ダンス

ダンスが得意な友人1名あるいは数名にお願いします。新郎新婦も一緒に踊れば、披露宴がますます盛り上がります。

クイズ系

新郎新婦にクイズ

新郎新婦に紙を渡して二人にちなんだクイズを出し、間違ったらほっぺにキスなどの罰ゲームを与えるクイズも人気です。

新婦の香り当てクイズ

女性グループにおすすめの定番の余興。目隠しした新郎に、新婦の持ち物の香りを嗅がせ、新郎に新婦のものを当てさせます。

新郎の手を当てるクイズ

新婦が目隠しをして、新郎を含めた5名と握手をして新郎を当てようというゲーム。5名のうち新郎のお父さんが混ざっていたりすると注目度もアップ。

これはNG! 控えてもらう余興

- □新郎新婦の過去の異性関係の暴露
- □間延びした、または長すぎるもの
- □過度な下ネタ
- □内輪ノリのもの
- □騒がしすぎるもの

本人

両親への感謝の気持ちの伝え方

手紙を読んだりプレゼントを渡して

手紙の朗読だけでなく ビデオレターも

披露宴の後半、花嫁が両親に手紙を読む演出は、親に感謝の気持ちを伝える絶好のチャンス。あとで思い返してみても、「やってよかった」と話す花嫁が多いようです。

手紙には、子どもの頃の思い出やこれまで育ててくれたことへの感謝の気持ち、新生活への期待や決意、目標などをしたためましょう。

最近では、手紙を読む代わりに事前に準備したビデオレターを流すこともあります。どちらも受け取る相手がうれしいのはもちろん、招待客も心温まるシーンに感動するものです。心を込めて感謝の気持ちを伝えましょう。

花束だけでなく ギフトを贈るカップルも

手紙の朗読やビデオレターに続いて両親への花束贈呈も行われます。この時、新郎新婦から記念として形に残るプレゼントを贈るのも喜ばれています。両親の似顔絵を額に入れてプレゼントしたり、二人が生まれた時と同じ体重のクマのぬいぐるみをプレゼントするのも人気。新郎新婦らしい感謝の気持ちを形に変えましょう。

Pick up

親へのギフトの内容

花束を贈るのがスタンダード

両親へのギフトは、花束が最も多く61%。以下、手紙、写真、時計、ぬいぐるみ、食器と続きます。その他、食器や絵画という回答もありました。ちなみに、披露宴で親へギフト贈呈を行ったカップルは、全体の88%でした。

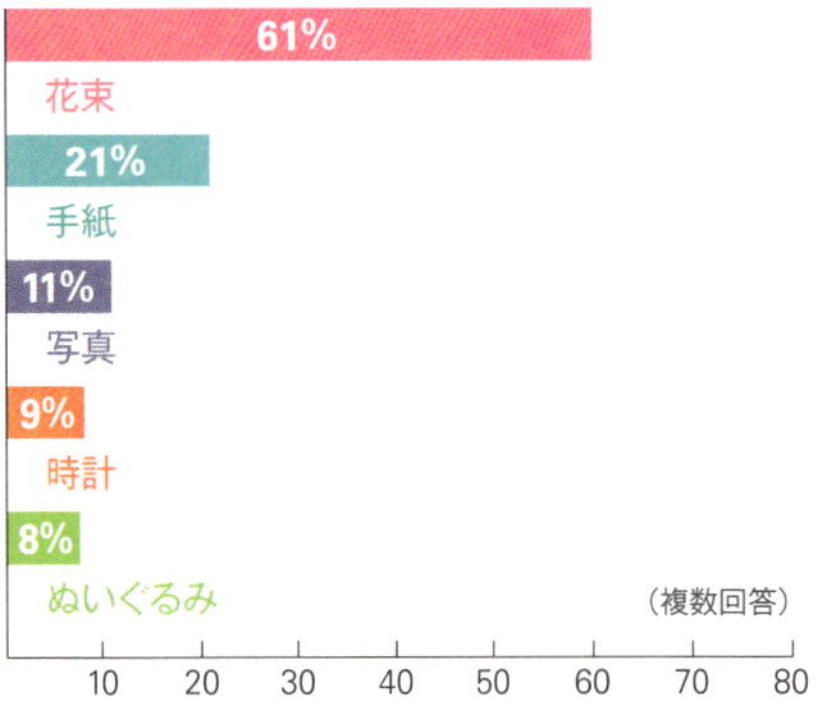

両親への手紙と花束贈呈の流れ

1 新婦からの手紙の朗読

司会者より新婦の手紙の朗読の案内があったら、新郎新婦と両家の親は会場の後方に移動し、新婦はマイクの前に、親は新郎新婦と向き合う形に並びます。そのあと、新婦は用意した手紙をゆっくり読み上げます。途中で涙が出そうになったらひと呼吸おいて気持ちを落ち着けて。新郎にフォローを頼んでおくのもよいでしょう。

2 花束贈呈

新郎新婦は両家の親の前に行き「今までありがとう」という思いを込めて自分の両親へ、または「これからよろしくお願いします」という意味で、相手の両親へ花束を渡します。

〈花束以外に人気の両親へのプレゼント〉

感謝状

ちょっとユニークで、温かみが伝わる演出。直筆の感謝状をつくって、それを読み上げ、気持ちを表します。両親の似顔絵やオリジナルの詩などでも◎。

ウエイトベア

生まれた時の自分と同じ重さのテディベアのこと。新郎新婦がこの世に誕生した日のことを、両親に思い起こしてもらおうという演出です。

手づくりの品

アクセサリー、刺しゅうを施したハンカチなど、ちょっとしたものでも気持ちが伝わります。いつまでも手元に残るものがいいでしょう。

プリザーブドフラワー

生花の代わりに、長期保存できるよう加工された花を贈ることも。いつまでも変わらない感謝の気持ちを表します。

旅行券

今までの感謝の気持ちと、「二人でゆっくりしてください」という意味を込めて、旅行券をプレゼントすることもあるようです。

鉢植えの植物

植物の好きな親には、切り花より鉢植えのほうが喜ばれるかもしれません。結婚式の日付けを鉢に入れて「記念樹」としても。

Pick up

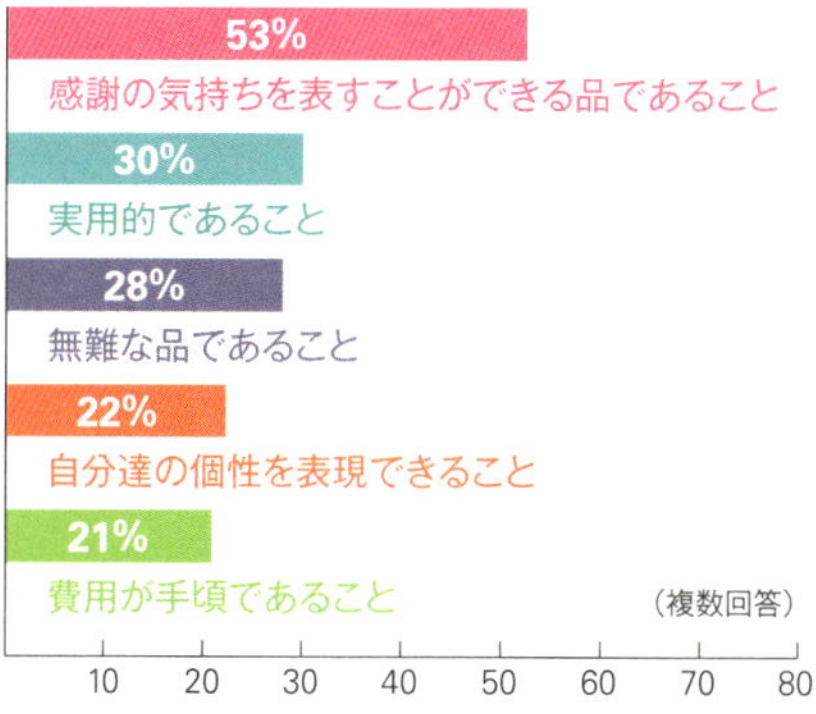

親へのギフトを選ぶ際の重視点

形に残るもので感謝を伝える

親へのギフトを選ぶ際の重視点は「感謝の気持ちを表すことができる品であること」が第1位で53%。費用や自分たちの個性ではなく「感謝を伝える」ことがキーワードのようです。

本人両親に「ありがとう」の気持ちを伝えたい

感謝の言葉の文例①

新婦から両親へ

新婦の両親への手紙は列席者の心にひびくもの。
家族の思い出を語り、感謝の気持ちを素直に表します。

お父さん、お母さん、今まで28年間育ててくれて、ありがとうございました。今日という日を迎えられたのも、二人がずっと支えていてくれたおかげです。

私は子どもの頃、体が弱く、些細なことですぐ高熱を出してはお父さんとお母さんに心配をかけていました。小学生になってバスケットボールを始め、なかなか練習についていけなかった私を、二人はいつも応援してくれましたね。練習や試合のたびにつくってくれたお母さんのお弁当、本当においしかったです。

お父さんは、仕事で忙しいのに毎朝一緒にジョギングをしてくれましたね。そのおかげで体も丈夫になった私が初めてレギュラーに選ばれた時には、自分のことのように喜んでくれました。

あの頃、お父さん、お母さんと一緒に頑張った経験が、大人になってからもつらい時に支えになってくれました。そして何より、バスケを通じて、○○（新郎名）さんにも出会うことができました。

これからは○○（新郎名）さんと、お父さんとお母さんのような笑顔があふれる家庭を築いていきたいと思います。最後に、○○（新郎名）さんのお父様、お母様、本日お集まりくださった皆様、いたらないことの多い私ですが、どうぞご指導のほどよろしくお願いいたします。

平成○年　○月○日　△△（新婦名）

ポイント

- 無理に凝った内容にする必要はありません。「お父さん、お母さん」「パパ、ママ」と普段の呼び方で呼びかけましょう。
- エピソードの中で、とくに心に残っている場面を振り返る時は、両親のほうを見て語りかけるようにすると○。エピソードは列席者にもわかりやすいものを。
- 結びは、将来への前向きな気持ちで締めくくります。新郎の両親への感謝の言葉を添えるのもよいでしょう。

新婦から天国のお父さんへ

花嫁姿を見せたかった父親に向けて、感謝の気持ちを綴る手紙です。
伝えたかった言葉を、心を込めて読み上げましょう。

お母さん、今まで本当にありがとう。お父さんがいない中、ここまで育ててくれたこと、感謝しています。たくさんの方々に祝福されて、○○（新郎名）さんと今日という日を迎えることができました。今日は天国のお父さんへ、この手紙を読みたいと思います。

お父さん、あれからもう３年が経ちました。私のウエディングドレス姿、見てくれていますか？ お父さんのことだから、今頃、「馬子にも衣装だな」なんて笑っているかもしれないですね。

このドレスは、きっとお父さんにも見覚えがあると思います。お母さんがお父さんとの結婚式で着たドレスを、少し手直ししてもらいました。似合っているでしょう？

お父さんは、私がまだ小さい頃から休みのたびにいろいろなところに連れていってくれましたね。おかげでたくさんの楽しい思い出ができました。

○○（新郎名）さんは、やさしくていつも明るいところがお父さんにそっくりです。

今日、私たちは結婚しました。お父さんとお母さんのような、お互い信頼し、支え合える夫婦になりたいと思っています。お母さんが一人になってしまうのが心配かもしれないけれど、お父さんの分まで、○○（新郎名）さんと親孝行するので安心してくださいね。

お父さん、どうか天国から私たちを見守っていてください。

平成○年　○月○日　△△（新婦名）

ポイント

- 亡くなった父親のことを話す時、病名などについて詳しく説明する必要はありません。悲しい話題は最小限にとどめましょう。
- 天国の父親に語りかけるように話します。ドレスの話題の時には、裾をもつなどの動作を加えてもよいでしょう。
- 手紙の朗読中に、感極まって泣いてしまっても問題ありません。その時は少し間をおいて、気持ちを整えましょう。

おめでた婚の場合（新婦から両親へ）

最近は「おめでた婚」もめずらしくなくなっています。
披露宴で妊娠のことに触れるかどうかは両家で相談を。

お父さん、お母さん、28年間ありがとうございました。そして、すべてが急に決まってしまい、慌ただしく結婚式を挙げることになった私達を祝福してくれて、本当にありがとうございます。

本来なら「結婚したい人がいます」という報告になるはずだったのに、結婚の話よりも先に赤ちゃんの話になってしまい、順番が逆になってごめんなさい。すごく驚かせてしまいましたね。きっと私が妊娠したと知った時、内心はとても複雑だったと思います。しかも、私の体調が思わしくなく、今日を迎えるまで心配ばかりかけてしまいました。

お母さんは、母親の先輩として、不安がる私を力強く励ましてくれました。お父さんは口数は少ないけれど、いつも私の体調を気にかけていてくれました。改めて、これまで二人に大切に育ててもらったことを実感し、そして感謝しています。

まだまだ未熟な私たちですが、おなかに宿った新しい命と三人で、幸せな家庭をつくっていきます。そして二人のような、頼もしい親になりたいと思っています。

お父さん、お母さん、そして○○（新郎名）さんのお父様、お母様、本当にありがとうございます。これからも、末永くよろしくお願いいたします。

平成○年　○月○日　△△（新婦名）

ポイント

- 親戚関係や招待客が新婦の妊娠について知らない場合は、手紙で触れるのは避け、後日改めて報告するようにしましょう。
- 結婚よりも妊娠が先になった場合、両親にとってはやはり複雑です。心配をかけた分、きちんと感謝の言葉を。
- 結びは、新婦だけでなく、新郎もそろってお互いの両親に一礼するようにしましょう。

新郎から両親へ

新郎が手紙を読む姿は新鮮なものです。
朗読はしないで、花束と一緒に両親に手渡すという方法も。

本日は、こんなにも多くの皆様に祝福していただき、披露宴を行うことができました。本当にありがとうございます。

新婦から両親への手紙というのが一般的となっておりますが、この場を借りて、私からも両親への感謝の気持ちを伝えたいと思います。

かしこまった席ではありますが、普段の呼び方で呼ばせてください。

父さん、母さん。二人には、今までいろいろなことを教えてもらいました。仕事ばかりに熱中して、心配ばかりかけていたと思います。不規則になりがちな生活でも風邪ひとつひかないでいられたのは、父さんと母さんが丈夫に育ててくれたおかげです。

仕事仕事で、いつまでも結婚しない私に、口には出さないけれど、内心ではやきもきしていたのではないでしょうか。そんな私も、今隣にいる△△（新婦名）さんと出会い、今日という日を迎えることができました。

これからは二人で、温かく笑顔の絶えない家庭をつくってまいります。これまでの恩を少しでも返せるように、親孝行するつもりです。

そして△△（新婦名）さんのお父さん、お母さん、まだまだ未熟な新米夫婦を、これからもよろしくお願いいたします。

平成○年　○月○日　○○（新郎名）

ポイント

- 新郎の手紙で両親にいつも通りの呼び方で呼びかける時は、ひと言ことわりを入れるのがマナーです。
- あまりしんみりしないように明るく話し、会場の雰囲気を和らげましょう。
- 新郎の手紙は、列席者へ新郎の人柄を伝えるものにもなります。しっかりした口調で読むようにしましょう。

本人・両親

謝辞のポイント

披露宴を締めくくる大事なあいさつ

だれが行うか両家で話し合うことが大切

「謝辞」とは、招待客へ感謝の言葉を述べ、式の締めくくりとして大切なあいさつです。披露宴で花束贈呈のセレモニーが終わったら、新郎新婦と両家の親が一列に並び、招待客に謝辞を述べます。以前は新郎の父親が行うのが一般的でしたが、父親に続いて新郎も行ったり、新郎のみ、あるいは新郎新婦が二人で述べるケースも。

謝辞をだれが述べるのかを事前に両家で話し合って決めます。新郎の父がいない場合は、新婦の父、新郎の母やおじなどが代わって謝辞を行うことも。複数の人が謝辞を行う時は、同じ内容の繰り返しにならないよう注意。

謝辞の言葉は3分前後。はっきりと明るい口調で

謝辞の言葉は2~3分を目安に簡潔にまとめます。晴れの日の最後を飾るのにふさわしく、堂々と自分の言葉で感謝の気持ちを述べるのがポイントです。メモを見ながら話すのもＯＫですが、しっかり練習しておきましょう。

Check

やること・心得

- □あらかじめ原稿をつくり、練習する
- □背筋を伸ばし、下を向かない
- □マイクに口を近づけすぎないよう注意する
- □はきはきした口調を心がける
- □メリハリをつけて話す

原稿は早めに準備し1週間前には完成を

披露宴の直前は他の準備で忙しくなるので、謝辞の原稿は遅くても1週間前までには書き終えておきましょう。気持ちが伝わるよう、当日までしっかり練習を。

感謝の気持ちを伝えながらも起承転結をつけて

披露宴にわざわざ来てくださった招待客を思い、感謝の気持ちを伝えながらも起承転結をつけることが大切です。基本の構成をふまえて、まずは原稿にまとめてみましょう。時間を計りながら実際に読む練習をし、微調整を行います。

●謝辞の構成

〈新郎の父が述べる場合〉

1. 招待客や各方面へのお礼
2. 親としての率直な気持ち
3. 二人へはなむけの言葉
4. おもてなしの不行き届きへのお詫び
5. 結びのあいさつ

〈新郎、または新郎新婦が述べる場合〉

1. 招待客や各方面へのお礼
2. 結婚式の感想
3. 将来の抱負
4. 二人への支援のお願い
5. 結びのあいさつ

同じ話の繰り返しに気をつけて

お酒も入り、いい気分になってだらだらととりとめもなく話し続けてしまったりすると、披露宴の大切な締めが台無しになってしまいます。また、結婚式では、別れを連想させる言葉や再婚を暗示する重ね言葉などは避けるべきとされています。忌み言葉には十分注意しましょう。

Check

こんな謝辞には注意！

- □長すぎる
- □自慢話ばかり話す
- □もごもごした口調で話す
- □同じ話を何回も繰り返す
- □会社の名前や友人の名前を間違える

Case 27

酒に酔って同じ言葉を繰り返してしまった

披露宴の最後を締めくくる謝辞。両家との話し合いで、新郎が一人で述べることになりました。当日までに何度も練習し、準備万端で臨んだのですが、披露宴の最中にすすめられたお酒を飲んでいるうちに酔ってしまい、自分の意思とは裏腹に同じ言葉を繰り返すはめに。いま思い返しても恥ずかしくなるくらいで大反省でした。

Advice

酔ってしまったら短い言葉で簡潔に伝えて

結婚式の最後が全体の印象となります。新郎による謝辞は、きちんと伝えることで結婚式の締めとなる大事なシーンですので、ミスは禁物です。当日もし酔っぱらってしまったら、「本当にうれしいです。ありがとうございます」など、短い言葉で感謝の気持ちを伝えましょう。

謝辞のスピーチの文例①

格調ある雰囲気の中で行う場合

新郎の父親が述べる場合

両家の親の名前で招待状を出した場合は、
新郎の父親が謝辞を述べるのが一般的です。

本日は、ご多用中にもかかわらず、このように多数の皆様のご列席を賜り、誠にありがとうございました。新郎の父親として、両家を代表いたしまして、ひと言ごあいさつ申し上げます。

このたび、○○様ご夫妻のご媒酌と、皆様の温かいご支援によりまして、○○（新郎名）と△△（新婦名）の両名の結婚式を挙げることができましたこと、心より御礼申し上げます。

また先ほどより、皆様からお心のこもった祝辞や励ましのお言葉をちょうだいし、感謝の念に耐えません。新郎新婦ともども今後の励みとし、支えとさせていただく所存でございます。

こうして二人の幸せそうなようすを見ておりますと、親としての感激もひとしおでございます。しかし、何ぶん二人ともまだ年若く、これからも皆様のご指導を仰ぐことも多いかと存じます。何とぞ末永くお引き立てのほど、よろしくお願い申し上げます。

なお、本日はせっかく皆様方にお集まりいただきましたにもかかわらず、十分なおもてなしもできず、行き届かぬ点も多々あったかと存じますが、どうぞお許しくださいませ。

皆様、本日は、誠にありがとうございました。

ポイント

- 両家を代表して列席者に対するお礼とあいさつを述べます。媒酌人がいる場合は媒酌人へのお礼も忘れずに述べましょう。
- 新郎新婦に代わって、今後の指導や励ましをお願いします。親としての素直な心情を述べるのもよいですが、あまり感傷的にならないように注意しましょう。
- 主催者として、披露宴に行き届かない点があったかもしれないことをお詫びする言葉を加えます。

新郎の父と新郎が続いて述べる場合

新郎の父に続き、新郎がお礼のあいさつを述べるケースもあります。
どちらのあいさつも、招待客への感謝の言葉を中心に。

（新郎の父）

本日は、お忙しい中、○○（新郎名）と△△（新婦名）の結婚披露宴にご出席いただきまして、本当にありがとうございます。

皆様から温かい励ましのお言葉をいただき、心より感謝いたしております。このように、二人が新しい人生のスタートラインに並び立つことができましたのも、ひとえに皆様のご厚情の賜物と、深く御礼申し上げます。

まだまだ未熟な二人ですので、今後もご迷惑をおかけすることがあるかと存じます。どうか末永くご指導、ご支援くださいますよう、心からお願い申し上げます。

本日は誠にありがとうございました。

（新郎）

皆様、本日は貴重な休日にもかかわらず、私たちのためにお集まりいただきまして、誠にありがとうございました。たくさんの皆様からお心のこもったお祝いや激励のお言葉などをいただき、感激で胸がいっぱいです。

私たち二人は、今日の皆様のお言葉を心に刻み、ご期待に添えるような明るく温かい家庭をつくってまいります。これからも、今までと変わりなく、ご指導くださいますようお願い申し上げます。

本日は、本当にありがとうございました。

ポイント

- 二人で続けて謝辞を述べる場合は、同じ内容の繰り返しにならないように、事前に打ち合わせをしておくとよいでしょう。
- 父親はかしこまった態度で、新郎は明るく爽やかな雰囲気で述べるようにします。
- 新郎の謝辞では、感謝の気持ちに添えて、将来への抱負や決意も述べるようにします。それが、いただいた祝辞へのお返事ということにもなります。

新郎が謝辞を述べる場合

共通の友人が多いカジュアルな雰囲気の中で行う場合は、新郎が謝辞を述べることが多くなっています。自分の言葉で感謝を伝えるよう心がけて。

　皆様、本日はお忙しい中、私どもの結婚披露宴に足をお運びくださいまして、本当にありがとうございました。

　皆様から心温まるご祝辞や励まし、身に余るおほめの言葉をちょうだいし、感激で胸がいっぱいでございます。このように大勢の方々に祝福していただき、新しい人生の第一歩を踏み出すことができる私達は、このうえない幸せ者でございます。

　私と△△（新婦名）さんは、これまで５年ほど交際を続けてまいりましたが、△△（新婦名）さんは明るい性格で、いつも周りにいる人たちを楽しくさせてくれていました。△△(新婦名)さんと共に人生を歩めば、喜びは何倍にも、悲しみは半分になることと思っております。今日のこの喜びを胸に、これからは二人で、どんな困難があっても幸せだと思える人生を築いてまいります。

　とは申しましても、私どもはまだまだ未熟者でございます。どうぞ今後ともご指導ご鞭撻くださいますよう、心よりお願い申し上げます。

　皆様、本日は、誠にありがとうございました。

ポイント

- 新婦への思いやりと愛情のこもった言葉は招待客の心を和らげます。ただしほめすぎは禁物です。
- 謙虚な心で周囲の人々への感謝の思いを表しましょう。
- 両親のつながりの招待客が多い場合などは、「差し出がましいとは存じますが」とひと言添えるとよいでしょう。

新郎新婦で謝辞を述べる場合

新郎に続いて新婦が謝辞を述べるケースです。
共通の友人・知人が多い席では、より自分らしい言葉を選んで。

（新郎）

皆様、本日はお忙しい中お越しいただき、本当にありがとうございます。ここにこうして二人で立っていられるのも、皆様のお支えがあったからこそだと、改めて心より感謝申し上げます。

ご存知の方もいらっしゃるかもしれませんが、私と△△（新婦名）さんは大学のサークルで知り合い、8年間の交際を続けてまいりました。何事にも慎重な私に比べ、△△（新婦名）さんは行動力があり、時には私を引っ張り上げてくれることもありました。

これからも二人で手を取り合って助け合い、幸せな家庭を築いてまいります。

（新婦）

△△（新婦名）でございます。本日は、こんなにも大勢の方からご祝福をいただき、感激しております。

○○（新郎名）さんがいったように、反対の性格をもつ私達ですが、同じ趣味を楽しみ、同じものを美しいと思う心が一緒だったことが、二人で一生を過ごしたいと思った理由でした。

これからも、お互いの欠点をカバーし合いながら、共に歩んでまいります。皆様、どうぞ温かく見守っていただければと存じます。

（新郎）（新婦）

本日は、誠にありがとうございました。

ポイント

- 新郎新婦が共に、結婚の日の喜びや将来への抱負を、明るく前向きに述べましょう。
- 新郎は、新婦にマイクを渡す前に、一度結びの言葉をいっておきます。新婦は話し始める前に名前を名乗るようにしましょう。
- 前もってお互いの原稿を見せ合い、内容のバランスをとっておきましょう。新婦の言葉は短めにまとめます。

本人

司会者の選び方

披露宴の進行に欠かせない大切なポジション

披露宴の成否を分けるのは司会者の腕

披露宴を成功させるために重要な司会者は、プロまたは友人に頼むのが一般的。進行に欠かせない大切な役割であり、力量次第で式がスムーズにいくか、会場が盛り上がるかなど、はっきりと差が出るので、おろそかにしないことです。また、披露宴のイメージに合った人を選ぶことも大切。披露宴をアットホームな雰囲気にしたいのか、フォーマルな雰囲気にしたいのかでも変わってきます。自分たちにとって、どんな司会がよいのか、二人でよく話し合ってから依頼しましょう。また、式場によっては、司会者が決められている場合もあるので、事前に確認を。

必要条件を考え、候補を絞り込んで

会場に司会者を手配してもらう時は、先に条件を伝えておくとスムーズです。男女どちらかといった基本的なところから、自分たちの求める披露宴のイメージを伝え、合う人を紹介してもらいましょう。友人に頼むなら、聞き取りやすい話し方の明るいタイプの人が司会に向いています。

Check

司会者を選ぶポイント

- □男女どちらにするか
- □披露宴のイメージに合うか
- □ベテランか若手か
- □新郎新婦との相性（話しやすさ）はどうか

司会者との打ち合わせはしっかりと

司会者とは、披露宴の約2週間～1カ月前に打ち合わせを行います。この頃には進行・演出の内容が決まっているので、確認しながら具体的に詰めていきましょう。紹介の仕方や演出に沿ったいい回し、強調したいところ、NGな部分など、こまかいところまでしっかりと伝えて。

司会者に伝えておくこと

- 新郎新婦のプロフィール
- 披露宴のイメージ
- 披露宴のプログラム＆演出
- 紹介してほしい話、ほしくない話
- 招待客について
- あいさつやスピーチ、余興を行う人の情報

司会者の人選で費用も変わってくる

司会者へ支払う費用は、人選により変わってきます。会場紹介のプロよりフリーのプロのほうがやや安く、友人に依頼するなら、謝礼という形でお礼を渡します。それぞれメリット、デメリットがあるので、費用の額だけで決めることなく、自分たちの披露宴に合う人を選びましょう。

	会場紹介のプロ	フリーのプロ	友人
メリット	会場やプログラムを熟知しているのでスムーズ	会場紹介より費用が抑えられ、選択肢が多い	新郎新婦のことをよく知っているので、アットホームな雰囲気に
デメリット	費用が高め。打ち合わせは通常１回のみ	自分たちで探す必要がある。ギャラ以外に心づけと交通費が必要	打ち合わせを念入りにする必要がある。相手が負担を感じることも
費用	７～12万円	３～10万円	１～３万円（謝礼）

司会者の出番

【新郎新婦の入場】
二人が入場し、高砂へ到着するまで案内する。

↓

【新郎新婦の紹介】
開宴を宣言し、新郎新婦のプロフィールを紹介する。

↓

【祝辞】
来賓の祝辞を主賓から案内する。

↓

【ケーキ入刀・乾杯】
ケーキカットの案内をし、乾杯へ。そのあと会食開始を案内する。

↓

【お色直し】
二人のお色直しの退出・入場を案内。

↓

【スピーチ・余興】
スピーチや余興の案内をし、時間をみて祝電を紹介。

↓

【両親への花束贈呈】
両親への手紙の朗読後、花束贈呈、両家代表の謝辞を案内。

↓

【閉会】
新郎新婦、両親により見送りの準備ができたら閉会を告げる。

司会者の性別も考慮する

披露宴の雰囲気は、司会者が男性か女性かによっても変わります。女性の司会者の場合は披露宴全体がやわらかく明るい感じに、男性の司会者の場合はきびきびとした進行になることが多いようです。司会者の年齢にもよりますので、希望するイメージに合う人を選ぶとよいでしょう。

本人

華やかさで招待客をおもてなし

会場装飾・装花のポイント

イメージに合った装飾・装花で統一感を

会場の印象を左右する装飾・装花。二人の思い描くイメージに合わせ、センスよくまとめたいものです。花嫁のドレスや会場にふさわしいテーマカラーやテーマアイテムでコーディネイトすると統一感が出て素敵です。費用を抑えつつも招待客に喜ばれるようにするには、印象に残る場所にお金をかけ、他で節約といったメリハリを意識するとよいでしょう。

生花よりリーズナブルなフェイクグリーンやキャンドル、バルーン、チュールといったものを活用するのも、費用の節約につながります。予算を決め、その範囲でできる装飾を考えましょう。

装花は花の種類や使い方で費用に差が

装飾に欠かせない生花（装花）ですが、ふんだんに使うと費用がかさみます。費用を抑えるには、その季節の旬の種類を使うこと。季節外れの花は値段が高く、状態もあまりよくありません。見積もりの内容もしっかり確認しながら検討しましょう。アレンジができるかどうかも聞いておくと○。

Check

確認するポイント

- □見積もりの内容はどうか
- □装花はどこまでアレンジ可能か
- □花の種類の指定はできるか
- □香りが強すぎたり、花粉が飛ばないか

Pick up

会場装花の費用

装花にかけるお金は平均17.3万円

50万円以上費用がかかったケースもありますが、最多は10～15万円未満で21%。招待客の目につかないところの装花を減らしたり、グリーンを使うことで予算を抑えているようです。

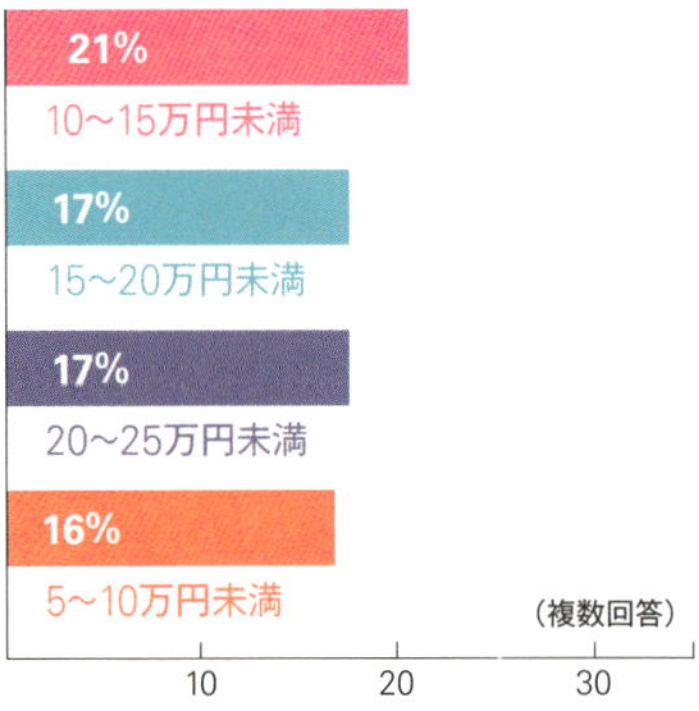

〈装飾・装花のポイント〉

メインテーブル

一番華やかに飾りたいところです。主役の二人がかすんだり、見えにくくならないよう、花を飾る位置や高さに配慮しましょう。

受付

記帳の邪魔にならない、ミニアレンジを。ウェルカムリース、ウェルカムベアなどのウエディング小物を置くだけでも、ぐっと華やぎます。

エントランス

招待客を温かく迎える雰囲気を演出。ウェルカムボードを置いたり、雰囲気を合わせた装花をセットしたりと、楽しく夢のある演出に。

招待客テーブル

テーブルクロスとライナー、ナプキンの色合わせでイメージがかなり変わります。メインテーブルとの調和も考えながら装花とコーディネイトを。

ウェルカムルーム

招待客の控え室となる場所にも花を飾り、スペシャル感を出して。一緒にペーパーアイテムや二人の写真を飾るなどするのもおすすめです。

その他

マイクやワイングラスの脚、入刀用ナイフの柄などにもさりげなく花を飾ると、手にした時に映えます。リボンなどを添えても。

〈季節の花を活用しよう〉

披露宴の時期に旬を迎える花を選ぶと季節感がますますアップ。
披露宴のイメージを考えながら選びましょう。

春
サクラやスズラン、カーネーション、ヒヤシンスなど

夏
ヒマワリ、カラー、グラジオラス、トルコキキョウなど

秋
ダリア、ピンポンマム、ビオラ、エリカなど

冬
アマリリス、クリスマスローズ、アネモネなど

本人

披露宴に欠かせない重要アイテム

ウエディングケーキ

目的に合ったケーキをセレクト

演出アイテムとしても重要な役割を果たすウエディングケーキ。最近は、ケーキ入刀後に招待客にふるまえる生ケーキが主流となっていますが、会場が広く、イミテーションケーキで豪華に見せたいというケースも。見栄えや予算、好みなどにより、目的に合ったものを選ぶようにしましょう。会場によっては、オリジナルケーキを依頼できるところもあります。カットしたウエディングケーキを含めたデザートブッフェを行うのも、近年人気のスタイル。新郎新婦が取り分けるようにすれば、招待客と会話もでき、おもてなし感もアップ。

ウエディングケーキを選ぶ時のポイント

披露宴の中でも、最高のシャッターチャンスとなるのがケーキカット。末永く写真に残ることを考え、ケーキ選びも慎重にしたいところです。どこまでリクエストに応じてくれるか、事前に会場に確認を。手づくりケーキのもち込みは、衛生上の理由でNGな会場が多いようです。

Check

- □予算内に収まるか
- □見た目か味か、優先順位を決める
- □写真やイラストでイメージを伝える
- □これまで手がけてきたケーキの写真などを見せてもらう
- □大きさや高さを確認する

Pick up

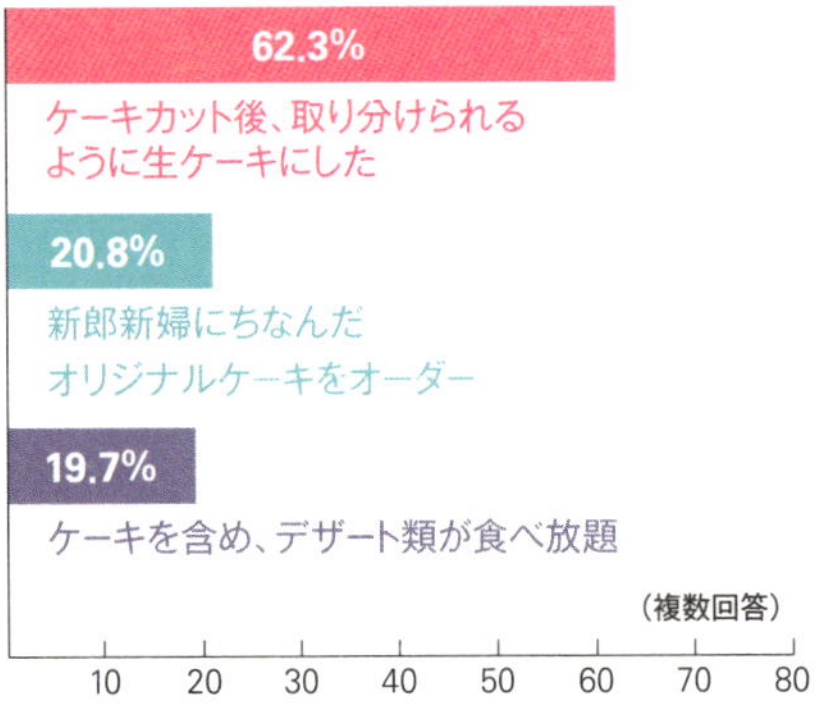

ウエディングケーキの演出は

招待客に配れる生ケーキが人気

生ケーキにして、ケーキカットのあと招待客に食べてもらえるようにしたカップルが半数以上で1位でした。2位は新郎新婦にちなんだオリジナルケーキ。ウエディングケーキは「見る」だけでなく「見て楽しんで食べられる」ものが人気です。

〈ウエディングケーキいろいろ〉

シュガーケーキ

表面をシュガーペーストでコーティングしたケーキ。溶けにくいため、気温の高い時季や屋外でのウエディングに向いています。

フルーツケーキ

季節のフルーツをふんだんに飾った華やかなケーキ。おいしいだけでなく取り分けた時の色味もきれいです。

オリジナルケーキ

新郎新婦が考えたデザインを盛り込んだ世界に一つだけのケーキ。二人の似顔絵を描いたり共通の趣味など表現して。

クロカンブッシュ

小さなシュークリームを高く積み上げたフランス伝統のケーキ。たくさんの祝福を得、子宝に恵まれるという言い伝えがあります。

〈生ケーキを使った演出〉

ファーストバイト

ケーキカット後、互いにケーキを食べさせ合う演出。欧米に古くからある習慣です。生ケーキによるケーキ入刀が増えてきたため行う新郎新婦が増えています。

招待客による仕上げ

新郎新婦がお色直しで退席中に、招待客がケーキにフルーツなどをデコレーション。招待客も楽しんで参加できるため、披露宴がより思い出深いものになります。

両親によるケーキカット

ウエディングケーキをもう2つ用意して、両親にもケーキカットをしてもらう演出です。結婚式をしていない両親へのサプライズとしても人気。

本人・両親

招待客をおいしい料理でおもてなし

婚礼料理の決め方

写真に惑わされぬよう試食して決めるのが一番

披露宴の要となるのが婚礼料理。招待客が最も楽しみにしているところなので、手は抜けません。決め手はやはりおいしさ。写真やメニューだけで判断せず、必ず試食することをおすすめします。試食の際は、味の他、盛りつけや品数、ボリュームなどもチェック。メニュー変更やグレードアップ、一品増やすなどの相談にのってくれる会場もあるので、妥協せずに何でも相談して、納得のいくようにしましょう。また、アレルギー対応や子ども向け、高齢者向けといった特別メニューが用意できるかどうかも、必要な場合は確認しておきましょう。

フリードリンクにする場合は内容を確認

飲みものは、フリードリンクのプランをつけることが多いようです。ただし、決められたもの以外は別料金となるので、必ず種類の確認を。ドリンクにこだわりたい場合は、別料金でワインや乾杯のシャンパンのランクアップなど対応ができるところも。また、ウェルカムドリンクなどは別料金のことが多いので確認を忘れずに。

Pick up

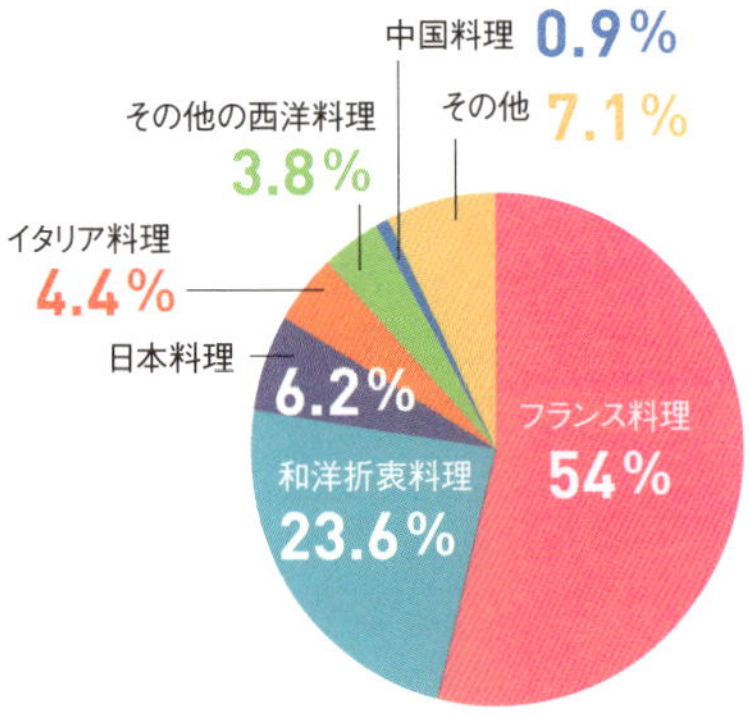

婚礼料理の種類

フランス料理が一番人気

一品ずつコースで供されるフランス料理が、特別な席にふさわしいと感じるカップルが多いのかトップに。2位は、和洋中などの料理を組み合わせてコース仕立てにした折衷料理。そのあと、日本料理、イタリアンと続きます。

〈婚礼料理の一例〉

フランス料理

ほとんどの会場で用意されていて、おもてなしの代表格であるフランス料理。披露宴の進行に合わせて一品ずつ出てくるので、ゆったりした気分でいただけます。フォアグラやキャビア、オマール海老などの高級食材を楽しめるのも魅力です。

日本料理

季節や地域を意識した素材を扱い、繊細な職人技を施した日本料理も祝いの席にふさわしいもの。洋食になじみの薄い年配の招待客にも喜んでもらえます。親族のみの挙式などでは、神前式のあとで高級料亭に移動して日本料理を楽しむケースも。

和洋折衷の料理

刺身や天ぷらもあればサラダやステーキもありと、いろいろな料理を組み合わせた折衷料理は、幅広い世代から人気。見た目も華やかです。会場によっては、和・洋・中さまざまなメニューの中から好きなものを選んで組み合わせることができるところも。

中国料理

フカヒレや北京ダックなどの豪華メニューが登場すると、お祝い気分がグッと盛り上がります。カトラリーに慣れてない人にとっては、箸を使える点もうれしいもの。円卓を囲んで一つの料理を取り分けるため、招待客同士も打ち解けやすいのが魅力。

Case 28

婚礼料理のアレルギー対応を直前まで忘れていた

おもてなしの気持ちが直接伝わる婚礼料理なので、メニュー選びは妥協をせずに行いました。しかし、親族の中にアレルギーの方がいることに、挙式の2週間前に気づきました。会場担当の方がすぐに対応してくれ事なきをえましたが、もっと早く大事なことに気づくべきだったと反省しています。

Advice

招待状で事前に知らせるのも手

最近はアレルギーをもつ人も多く、会場も対応してくれるところが多いものです。招待状を送る時に「アレルギーがある方はお知らせください」などと事前に知らせてもらうのも一案です。万が一対応を忘れてしまった場合はなるべく早めに会場に相談しましょう。

本人・両親

予算を考えながら納得できる内容を

メニューの選び方

試食後に会場を決めるのがベター

「自分達の結婚式は料理にこだわりたい」「招待客をおいしい料理でもてなしたい」と思っているのなら、候補の会場で婚礼料理を試食したあとで、会場を正式に決めることをおすすめします。

婚礼料理の試食は、基本的には事前予約が必要で、有料というところが多いようです。試食をして気に入ったら、予算も考えながら納得のできるメニューを選びましょう。婚礼料理はフランス料理が定番ですが、年配の招待客が多い場合は食べやすい和食にするなど、招待客の顔ぶれでセレクトするのもよいでしょう。

試食の時には味やボリュームなどを確認

試食の際に確認したいのは、第一に味です。加えて、ひと皿のボリュームや盛りつけ、品数は十分かなどを細かくチェックしましょう。季節感やカトラリーのセンスなども大切です。自分達が招待客になったつもりでその日をイメージしながら確認しましょう。

Check

- □皆に満足してもらえる内容か
- □見た目に華やかさや美しさがあるか
- □ボリュームはあるか
- □食べやすいメニュー構成か
- □1人分の値段に納得できるか
- □季節感があるか
- □カラトリーのセンスはよいか

Pick up

試食の実施状況

挙式当日までに料理の試食をしたカップルは約7割

披露宴·披露パーティ当日までに試食をしたカップルは68%で全体の約7割。「試食会はあったが、試食はしていない」というカップルは16%。ちなみに会場を決める前に試食をしたカップルの9割が「試食をしてよかった」と答えています。

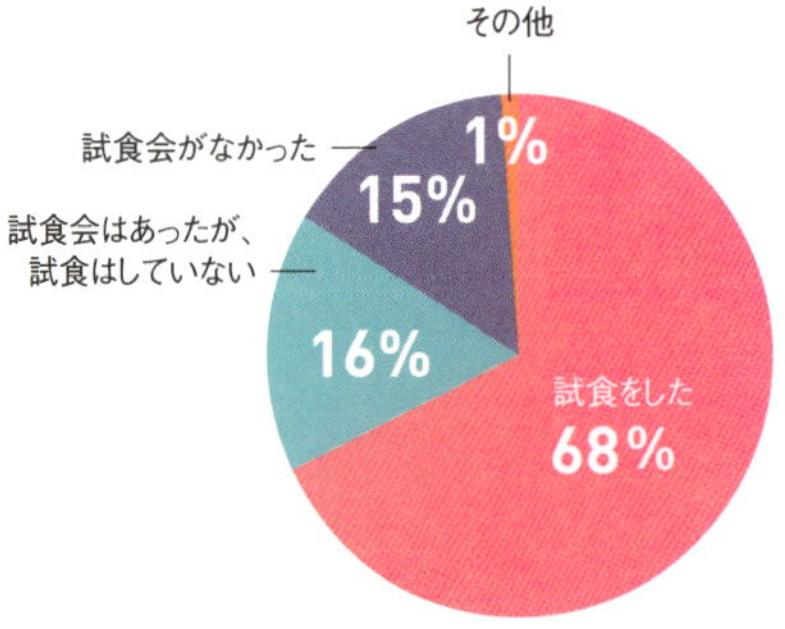

挙式1〜2カ月前くらいまでに料理を決定

ウエディングメニュー選びのスタートは、ブライダルフェアや会場見学に行って実際に試食してから。結婚式の6〜8カ月前には会場を決定し、この時期に試食会がある場合にはなるべく参加したいもの。挙式の1〜2カ月前には料理を決定したいものです。

メニュー選びのスケジュール

☆挙式6カ月〜1年前
候補の会場のブライダルフェアに足を運び、試食会があれば試食する。

☆挙式6〜8カ月前
会場決定。

☆挙式3〜6カ月前
試食会があれば参加し、味や盛りつけなどを確認し、担当者にリクエストや相談しながらメニューを絞り込む。

☆結婚式1〜2カ月前
料理を決定。メニュー表を作成。

料理を活用した演出を取り入れるとより豪華に

料理をメインとしたレストランウエディングでは、シェフ自らが招待客の前でメニューを説明したりすることで、披露宴の雰囲気に華が添えられ場も盛り上がります。できたての料理をその場で取り分けてもらうサーブパフォーマンスもしかり。料理を活用したオリジナリティあふれる演出を工夫して取り入れ、招待客においしく味わってもらいましょう。

Pick up

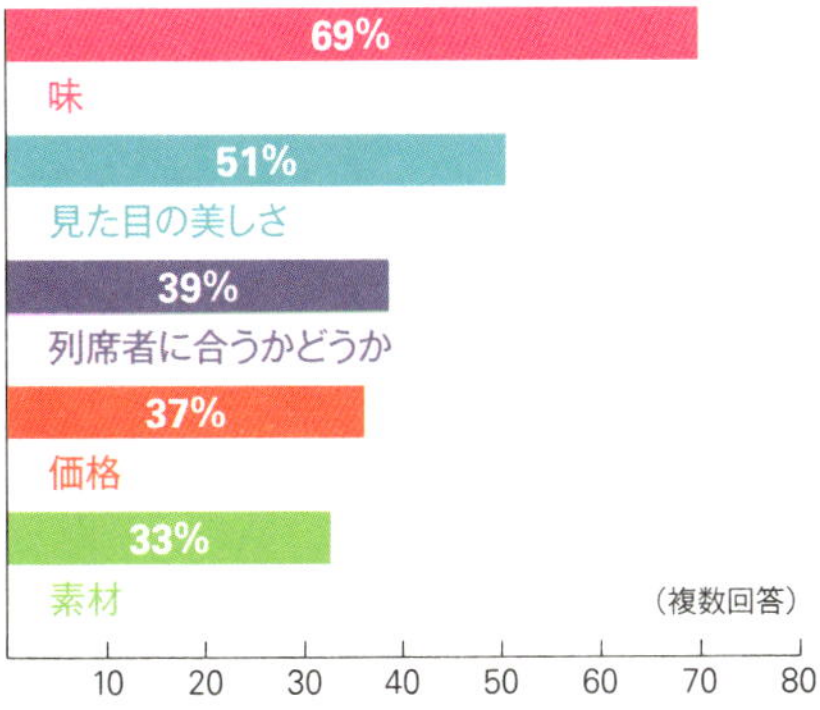

料理のメニューを決める時のポイント

「味」が決め手となったカップルが最も多く、約7割

披露宴の料理のメニューを選択する際の重視点の第1位は「味」が69%で最も高く、次いで「見た目の美しさ」、「列席者に合うかどうか」「価格」「素材」と続きます。そのほか「ボリューム」や「季節感」という声も。

本人

思い出に残る一枚を撮ってもらいたい

ウエディングフォトの種類

基本は当日撮りと別撮り（前撮り）の2種類

ウエディングフォトには、結婚式当日の写真撮影と、別の日に時間をかけて撮る別撮り（前撮り）があります。当日の写真撮影は、新郎新婦や親族の集合写真、挙式から披露宴までさまざまなシーンのスナップを、プロまたは写真が得意な友人にお願いします。

別撮りのほとんどが、挙式前に撮る「前撮り」。前撮りは、写真スタジオで撮る場合と別の場所で撮影するロケーション撮影の2種類あります。リラックスした自然な表情で撮影でき、本番のヘアメイクのチェックや撮った写真をウェルカムボードなどに使うことも可能です。

撮影した画像の納品方法はあらかじめ確認を

写真の納品方法は、ＣＤ-ＲＯＭやＤＶＤに仕上げるデータ形式が主流。内容はセレクトされたデータだけか、すべてのデータなのか事前に確認を。写真集のようなアルバムに仕上げてくれるデジタルアルバムにして保存するのも人気。

親族の集合写真はプリントが必要かどうかを両親に確認し、必要であれば事前にオーダーしておきます。

また、当日撮影した写真をエンディングでビデオに仕上げてライブ感を出したり、披露宴の最中にプリントしておき、お見送りの時に招待客一人ひとりに手渡したりする演出も。

Pick up

別撮りの実施状況

別撮りしたカップルは約半数

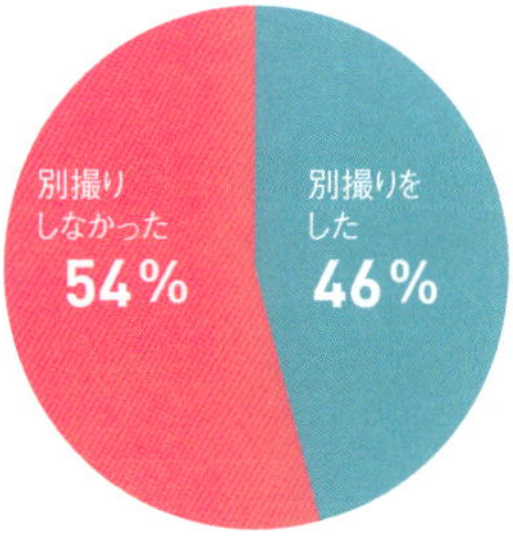

別撮りのスタジオ、ロケーション撮影を実施したカップルは46%で全体の約半数。ちなみにロケーションの場所は、1位が神社で、次いで庭園、チャペル、公園、海、観光名所、ハウススタジオ、二人の思い出の場所となっています。

〈満足のいく前撮りのポイント〉

前撮りでスタジオ撮影の場合、結婚式とは違うイメージでゆっくり撮影できるのが魅力。当日の衣装とヘアメイクのリハーサルをかねて撮影すれば、当日の撮影時間が短縮できるなどの利点があります。当日とは違う衣装を着ることもできるので、二人の思い出の場所で前撮りしてもらった写真を結婚式のウェルカムボードや映像にして当日披露する方法も人気です。

1 撮りたいシーンやポーズをあらかじめ決めておく

撮影は、プロのカメラマンがポージングなどをアドバイスしてくれます。二人の最高のシーンを残すために、事前に自分達が前撮りで何を重視したいかを考え、撮ってほしいポーズがある場合は具体的に伝えましょう。

2 披露宴当日をイメージしながらリハーサルも兼ねる

前撮りは、披露宴と同じような雰囲気を味わえるところも魅力です。披露宴当日の自分達をイメージしながら笑顔をつくる練習や美しいポーズをとる練習にもなります。自信がもてるように、積極的に臨みましょう。

3 二人のこだわりの小道具を準備する

自分達らしい前撮りを実現するために、小道具は効果的です。披露宴会場に飾る予定の手づくりのリースや二人が出会ったきっかけになった思い出の品があれば事前にそれを伝えて当日持参し、その小道具をからめたショットを撮影してもらうのもおすすめです。

4 婚約指輪や結婚指輪は忘れずに持参する

前撮りの場合、婚約指輪や結婚指輪を撮影することが多いようです。指輪は忘れずに持参し、指輪をはめた手元のアップや指輪だけの写真など、さまざまなバリエーションで撮ってもらうとよいでしょう。

5 撮影用ヘアメイクは念入りに

ブライダルのヘアメイクは日常のメイクと違い、濃いめに仕上げても実際に仕上がった写真を見るとしっくりなじんでいるもの。せっかくの前撮りですので、事前にウエディングドレスに合う髪型やメイクのイメージをもち、自分の希望はしっかり伝えましょう。

Pick up

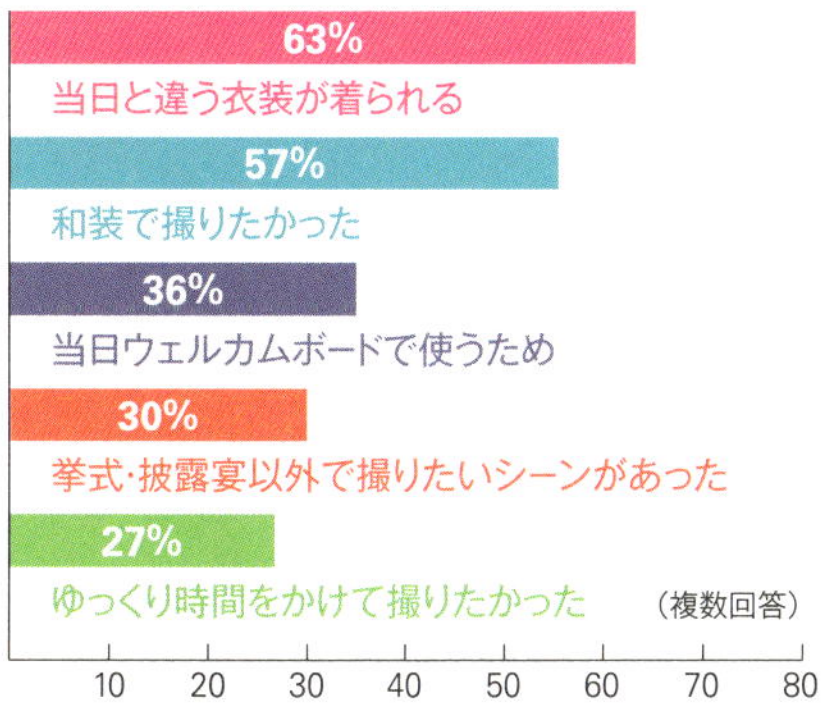

別撮りを実施した理由

「当日と違う衣装が着られる」が第1位

別撮りを実施した理由の1位は「当日と違う衣装が着られる」が63%で最も高く、次いで「和装で撮りたかった」「当日ウェルカムボードで使うため」など。和装を見たいという家族のために別撮りをする人もいました。

本人

一生の記念だからしっかり残したい

ウエディングフォト撮影の頼み方

写真撮影はプロのカメラマンに頼むのが一般的

挙式・披露宴の写真は一生の記念になります。思い出としてたくさんの美しい写真をしっかり残したいものです。写真は、プロのカメラマンに依頼する場合と、写真が得意な友人にお願いする場合がありますが、挙式・披露宴の撮影はプロのカメラマンに依頼するのがおすすめ。会場提携のカメラマンか外部のカメラマンか、どちらに依頼するかを検討しましょう。会場によっては外部のカメラマンはNGの場合もあるので、事前に確認をしておきます。

さらに複数の友人にもスナップ写真を撮ってもらうとよいでしょう。

おさえてほしいポイントを事前に伝える

披露宴のプログラムが決定したら、撮影についての詳細をまとめてカメラマンに依頼します。挙式、披露宴、招待客のようす、演出などおさえてほしいポイントは事前にリストアップして伝えておくとよいでしょう。

Pick up

スナップ撮影の依頼先

会場の専属または提携業者が約9割

挙式・披露宴でスナップ撮影を依頼したカップルの約9割が、会場の専属または提携業者にお願いしています。「会場をよく知っている」という安心感が理由の一つです。

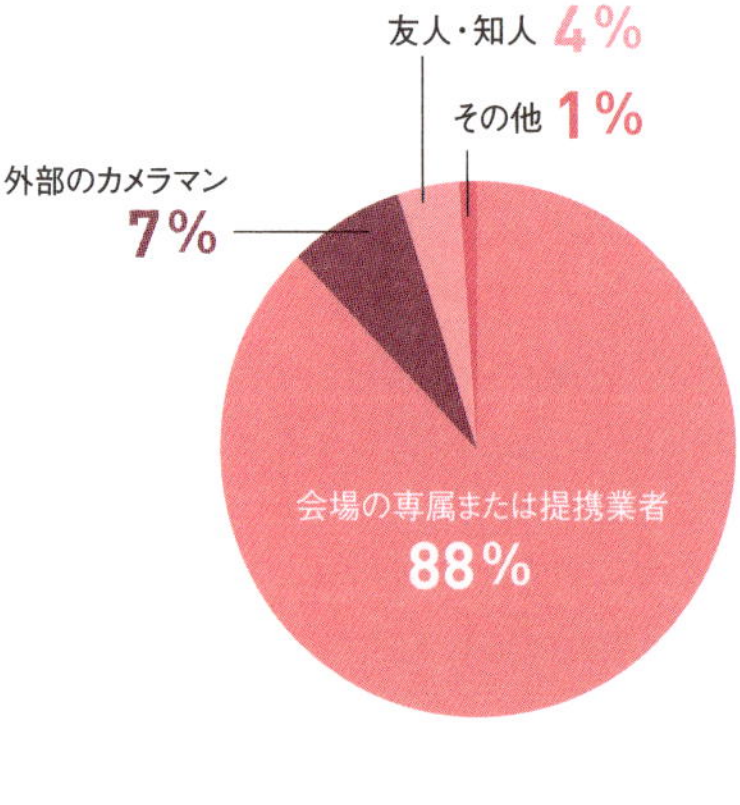

〈写真撮影依頼の検討ポイント〉

会場専属、または提携のプロカメラマン

メリット

- □会場をよく知っているため臨機応変に動いてタイミングよく撮ってくれる
- □当日のアクシデントに強い
- □通常は許可されない場所での撮影が可能になることも

デメリット

- □費用が高め

【アドバイス】

費用は高めですが、会場内を熟知しているため安心してまかせられます。プロのカメラマンならではのアングルで、動きのあるシーンをもれなくおさえてもらいましょう。

予算

10~30万円

外部のカメラマン

メリット

- □自分達の好むイメージに合わせて依頼できる
- □料金がリーズナブルなことも

デメリット

- □会場に慣れるのに時間がかかる
- □撮影場所や機材など制限事項が多い
- □持ち込み料がかかる場合もある

【アドバイス】

会場提携のカメラマン以外はNGの会場もあるので、まずは会場に確認しましょう。カメラマンの見本の写真をチェックして、二人のイメージに合う人を選んで。事前に会場の下見を。

予算

2~20万円

友人

メリット

- □費用が安く節約できる
- □二人のリラックスした表情を撮ってもらうことができる

デメリット

- □仕上がりの満足度は期待できない
- □撮りこぼしの可能性もある
- □招待客の場合は、当日慌ただしくなる

【アドバイス】

費用はかなり抑えられますが、友人の精神的な負担はかなり大きいもの。一人だけに頼まず複数の友人に依頼するなどして、負担を軽くしましょう。

予算

5,000~2万円

Pick up

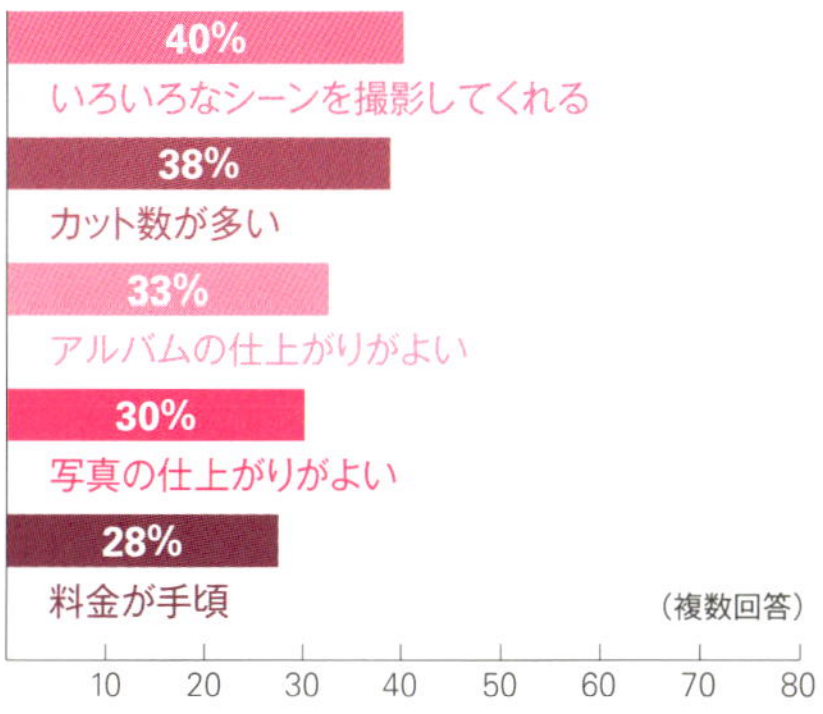

写真撮影の依頼先を選択する際に重視した点

バリエーションの豊かさを重視

写真撮影を依頼したカップルが、依頼先を選択する際に重視した点は「いろいろなシーンを撮影してくれる」が40%で最も高い割合を占めました。バラエティに富んだ仕上がりを期待していることがわかります。

本人

二人の最も美しい姿をカメラにおさめたい

思い出に残る写真を撮るポイント

鏡に映った姿をチェックして当日に臨む

お気に入りの衣装に身を包んだら、しぐさにも注意したいところ。当日は、二人の輝く姿をたくさんカメラにおさめてもらうことでしょう。結婚式の写真は一生残るものですから、一番輝いている二人の記録を残したいものです。当日は、式の主役として立ちふるまいに十分気をつけて。

座ったポーズ、立ったポーズ、歩くポーズ、お辞儀のポーズなど、鏡に映った姿をチェックして当日に臨みましょう。当日は、普段よりエレガントに歩くこと、常に笑顔を絶やさないこと、猫背にならないことを心がけるようにします。

親族による記念撮影時の並ぶ場所を知っておこう

親族による記念撮影は、それぞれの位置が決まっています。最前列中央に新郎新婦、その両隣に両親が座ります。親族は2列目より後ろに、顔が重ならないよう交互に立ちます。カメラに向かって右側が新郎側、左が新婦側になるので覚えておくとよいでしょう。

〈記念撮影の位置〉

媒酌人（仲人）なしの場合

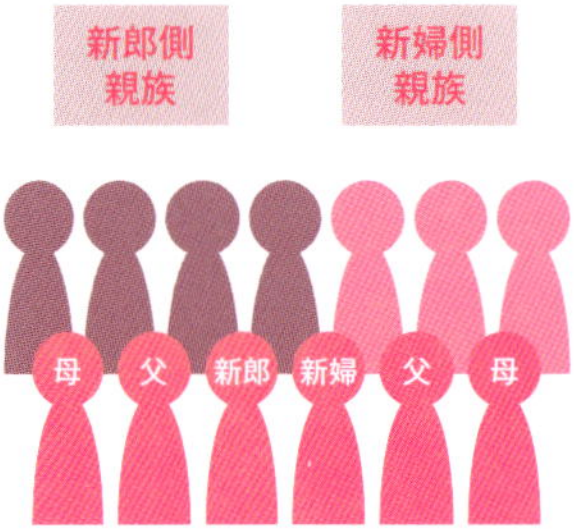

※媒酌人ありの場合、新婦と父の間に媒酌人夫人、新郎と父の間に媒酌人が座る。

Case 29

当日の撮影を友人だけに頼んだら、仕上がりがイマイチ

披露宴当日のスナップ撮影。予算を抑えたかったので、親しい友人二人に頼みました。後日、仕上がりの写真を見たら正直いまひとつ。友人なので文句もいえず、プロに頼めばよかったと後悔しました。撮影を頼んだ友人は招待客でもあったので、当日は忙しそうで申し訳なかったです。

Advice

当日の撮影はプロに頼んだほうが安心

友人に撮影をお願いする場合、数枚だけならプロ顔負けの写真が撮れることもありますが、全体を通してとなると難しいもの。当日の撮影は、プロに頼んだほうが無難。プロなら融通もきき、仕上がりも安心です。

〈2ショット写真を撮ってもらうためのポイント〉

洋装の場合 ウエディングドレスなど洋装の場合は、エレガントに見せるため、新郎も新婦も正しい姿勢を保つことが大切です。お互いにやや向かい合うように立ち、背筋を伸ばし、あごを引き気味にするのがポイントです。

新郎

腕は自然に体のわきにつけて手袋は右手に持ちます。左腕を曲げて新婦の半歩前に立ち、背すじを伸ばして胸をはります。

新婦

ひじを少し横にはってブーケは左手に持ち体の正面に置いてよく見えるように。右手で新郎と腕を組みます。

和装の場合 とくに新婦は重いかつらや衣装に負けないよう、正しい姿勢を心がけましょう。おじぎをする時は、背筋を伸ばしたまま腰を中心に折るような感覚で上半身を軽く前に曲げるようにしましょう。

新郎

腕は自然に体のわきにつけ、右手に扇子をもって。左手は軽く握ります。あごを引き、背筋を伸ばして胸をはります。

新婦

かつらの影響で猫背になったり、首が前に出ないように十分注意。末広は右手でもち、左手は末広の先に下から添えます。

Pick up

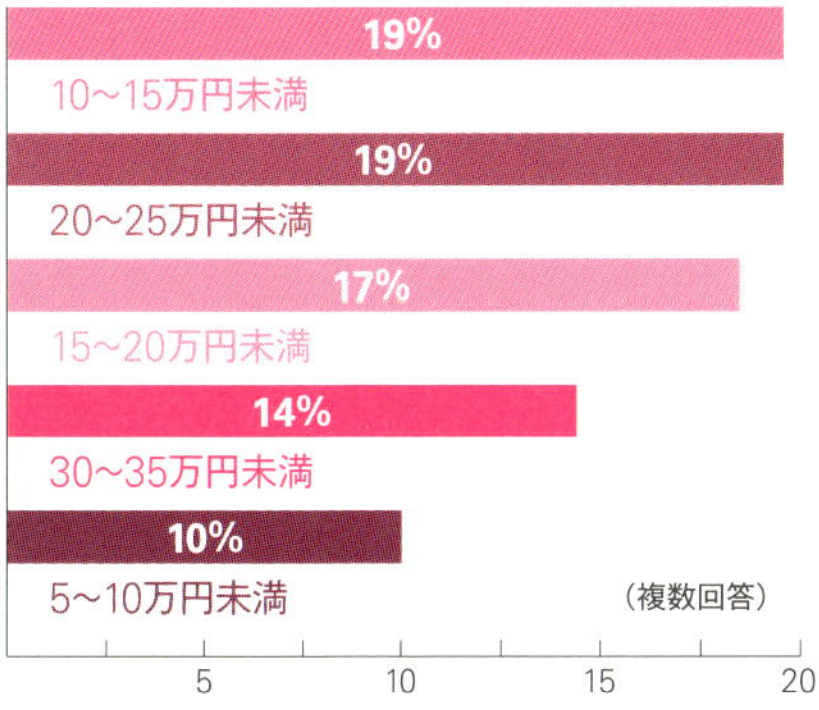

業者に支払ったスナップ撮影の費用は？

「10～15万円未満」「20～25万円未満」が多い

スナップ撮影を業者に依頼したカップルのスナップ撮影の費用の平均は21.0万円。「10～15万円未満」「20～25万円未満」がともに19%。20万円前後というカップルが多いようです。

本人

ウエディングビデオの頼み方

アニバーサリーの日を振り返る大切な宝物

二人の大切な記念日を振り返る宝物に

披露宴当日の様子をリアルに残すための記録用ウエディングビデオ。二人の大切な記念日を振り返ることができるのが大きな魅力で、多くのカップルがオーダーしています。挙式だけまたは披露宴だけ記録に残す、挙式と披露宴両方を記録に残すという3パターンから選べるので、予算などもふまえてどのようにオーダーするのかを検討しましょう。

最近では、挙式スタートから披露宴の前半までをビデオ撮影してダイジェストにまとめ、披露宴終盤に流す「エンディングムービー」が感動を呼ぶ演出として注目を集めています。

写真撮影とセットで割安になることも

ウエディングビデオの依頼先は、スナップ写真と同様、会場専属か会場提携の専門業者、外部のカメラマンが一般的。写真撮影と合わせて頼むと料金が割安になるパターンが多いようです。

依頼の際は、カメラの台数や撮影時間、納品形態、ダビング代、納期などを確認し、予算内に収まるようにしましょう。

Pick up

ビデオ撮影の依頼先

**特別なことがない場合
提携業者に依頼**

披露宴のビデオ撮影を行ったカップルは、全体の64％。ビデオ撮影の依頼先は、「会場の専属または提携業者」が77％で最も高い割合に。会場担当者との打ち合わせを経て依頼することが多いようです。

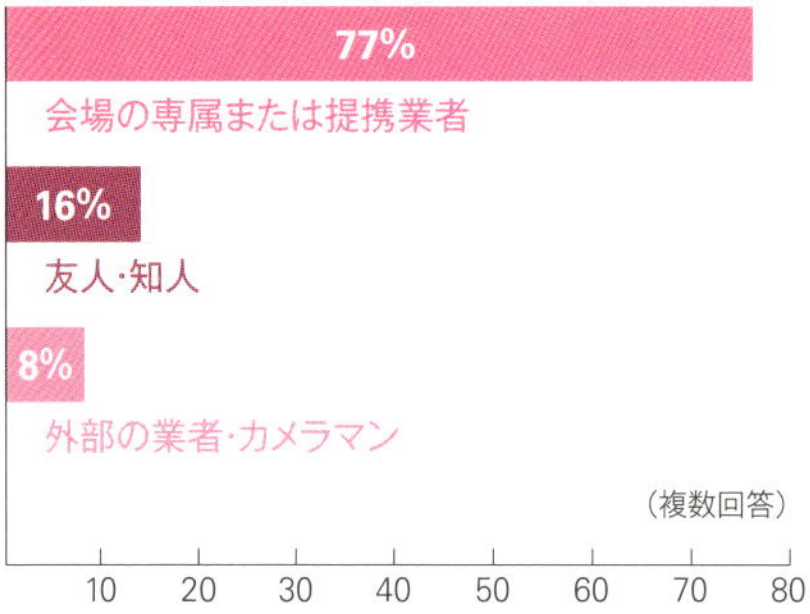

〈ウエディングビデオの内容〉

●映画のような記録ビデオ

当日の挙式・披露宴のようすはもちろん、生い立ち、出会いなどを事前に撮影し、それらの映像と当日の映像を編集して映画のように仕上げます。二人の結婚の証しとなる記念映像となります。

●ドキュメンタリー風ビデオ

挙式や披露宴のひとコマに加え、招待客の横顔や家族の表情、新郎新婦のふとしたしぐさなど、単なる記録をこえたドキュメンタリー風の映像で、当日の感動をいつまでも残します。

●エンディングムービー

当日の挙式・披露宴のようすや雰囲気、招待客の表情などを撮影し、披露宴中に編集してエンディングムービーとして披露宴の最後に流します。

ウエディングビデオの撮影費用と依頼先

ウエディングビデオの撮影費用の平均は約19万円。全体的にみると、15～25万円の金額が多いようです。ビデオ撮影の依頼先を検討する際に利用した情報源は、結婚式場のカウンター、インターネット、結婚情報誌が多数。ビデオ制作会社によって、得意とする映像のジャンルがある場合も。よく調べて検討しましょう。

Pick up

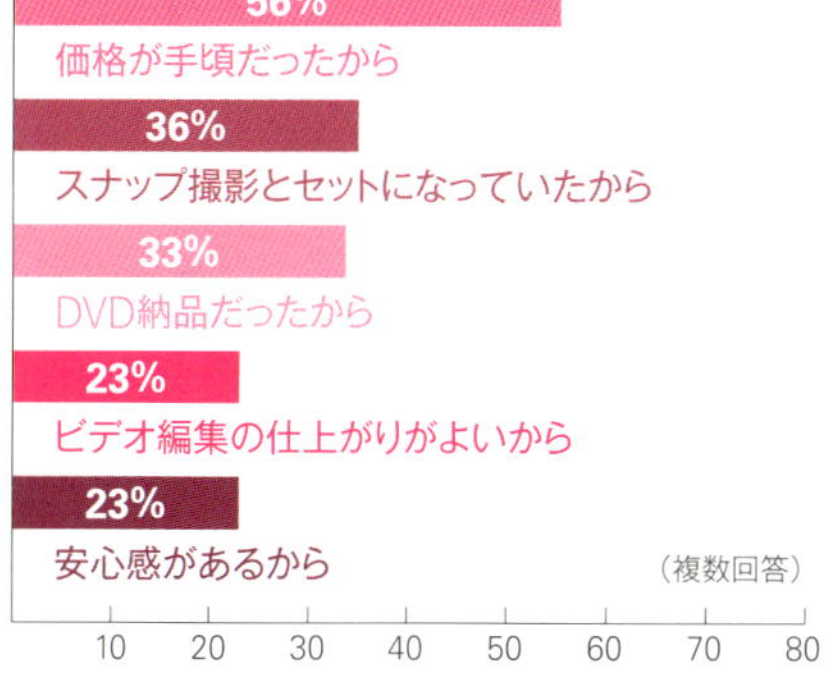

ビデオ撮影を外部に頼んだカップルの選択理由

外部カメラマンは価格が決め手に

ビデオ撮影を外部の業者・カメラマンに頼んだカップルが依頼先の選択理由として挙げた第1位は「価格が手頃だったから」で56%。予算内に抑えるためにも価格を重要視するカップルが多いことがわかります。

本人・両親

ペーパーアイテムの準備の仕方

雰囲気を統一して二人らしさを演出

必ず用意したほうがよいアイテムは、席次表と席札

着席式の披露宴で、当日必ず用意したほうがよいペーパーアイテムは、席次表と席札の二つです。パックプランで申し込んだ場合はセットに含まれていることも多いので、会場担当者に確認を。ペーパーアイテムは、席次表と席札以外にも、料理のメニュー表やプロフィールパンフレット、サンキューカード、新居の案内などがあります。オリジナリティを出したいとペーパーアイテムを手づくりする（Ｐ２００）カップルも増えていますが、①何を、②いつまでに、③どのような方法で用意するのかを考え、準備がぎりぎりにならないよう気をつけましょう。

作成スケジュールをイメージしておこう

ペーパーアイテムを準備する場合は、遅くとも結婚式の2カ月くらい前から始めましょう。メニュー表をつくる場合は、披露宴の料理のメニューが確定する挙式1カ月くらい前がほとんど。挙式準備のラストスパートの時期に重なりますので、忙しくなる前に始めましょう。

ペーパーアイテム制作の流れ

☆挙式の約２～３カ月前
- 手づくりか業者にオーダーするかを決める
- デザインの検討

☆１カ月前
- 招待客、席次、メニューの確定

☆１～３週間前
- 制作→試し刷り→印刷

気をつけたい最低限のマナー

席次表や席札は招待状と同様、相手の名前や肩書が入るものです。間違いがあっては失礼になりますので、漢字や表記を事前にしっかり確認し、試し刷りの段階で必ずチェックを。席札に直筆メッセージを書き添えると心のこもったものになります。相手を思い浮かべながらていねいに書いていきましょう。使うペンは万年筆かサインペンで。ボールペンはＮＧ。

〈用意するペーパーアイテム〉

席次表

招待客のすべてを示した図が座席表です。当日受付で配るものなので、会場の雰囲気やテーマに合ったデザインにするといいでしょう。また肩書や新郎新婦との続柄を書いておくのが一般的で、それがあると初対面の人同士の会話のきっかけにもなります。

席札

各席のテーブルの上に置く名札です。テーブルに置かれるものなので、当日の会場の雰囲気、カラーテーマとマッチしたものにすると、演出に一役買ってくれます。内側に新郎新婦から直筆のメッセージを入れて、サンキューカードの代わりにするスタイルも多くなっているようです。

メニュー表

披露宴で出される料理のメニューが書いてあり、各席のテーブルに置きます。内容がわかっているとさらに料理を楽しむことができ、招待客同士の会話のきっかけにもなります。メニュー表に二人のプロフィールや、披露宴のプログラムを載せるスタイルも。

プロフィールパンフレット

二人の生い立ちやなれそめなど新郎新婦のプロフィールをまとめたもの。冊子にしてパンフレットのようにしたり、新聞のようにデザインしたりと演出の方法はさまざま。招待客が二人のどちらかしか面識がない場合、人となりが伝わります。

サンキューカード

「私達の結婚式に足を運んでいただきありがとうございました」など、披露宴に出席してくれた人へのお礼を記したカード。引き出物の袋の中に入れておくのが一般的です。新居案内とともに1枚のカードにするのもよいでしょう。

新居の案内

新住所、電話番号などを知らせるものです。「新居にもお立ち寄りください」など、今後のお付き合いを願う一文を入れます。お見送りの際に、プチギフトと一緒に一人ひとりに手渡してもOK。

Pick up

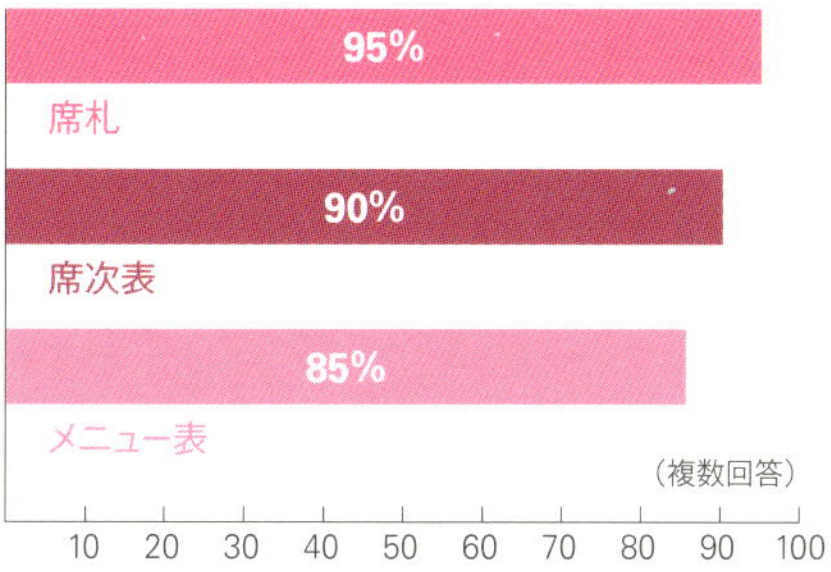

席札・席次表・メニュー表の用意の有無

席札・席次表・メニュー表を用意したカップルは8割以上

披露宴や披露パーティを行ったカップルのうち、席札は95%、席次表は90%、メニュー表は85%とどれも高い割合で用意しています。「いずれも用意していない」というカップルは少数でした。

本人・両親

おもてなし感がより伝わる演出を

ペーパーアイテムを手づくりする

温かみのある手づくりのペーパーアイテム

席次表や席札などのペーパーアイテムは、フォーマルな招待状に比べるとパソコンなどを使って比較的手軽にでき、予算が安く抑えられる、オリジナル感を出せるなどの理由から、手づくりするカップルが増えています。

ただ、実際につくるとなると、データ作成や用紙の調達など自分達の負担が大きくなります。手間と時間を考え、手づくりするものと業者に頼むものを分けるのがおすすめです。一からつくるのでなく、ペーパーアイテムの手づくりキットなどを利用するのも手。手づくりするものが決まったら、余裕をもって準備を始めましょう。

印刷前に内容を最終確認することが大切

ペーパーアイテムを手づくりする場合は、印刷前に招待客の肩書や名前などに間違いがないか、用意した紙は自宅のプリンターでプリントできるかを必ずチェックしましょう。印刷する前に、試し刷りも忘れずに行います。

感謝のメッセージを書き加えるだけでも手づくり感が

手づくりにこだわりたいけれど、時間がなくて難しいという人は、招待客の席に置かれる席札に、手書きのメッセージを添えるなどしてみてもいいでしょう。二人の感謝の気持ちを伝えられます。

Pick up

席札の依頼先

手づくりしたという人は全体の約4割

席札を用紙したカップルの中では、「会場または会場の提携業者に頼んだ」というカップルが47%、続いて「手づくりした」が43%。手づくり派は約4割です。ちなみに、席次表は「手づくりした」が45%、「会場または会場の提携業者に頼んだ」が44%。

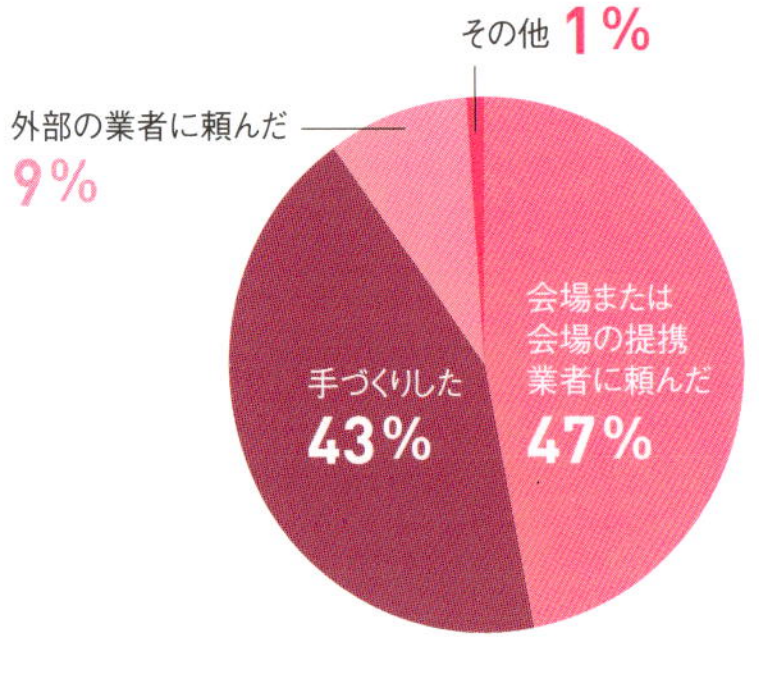

〈ペーパーアイテムをつくる時のポイント〉

席次表

二人の結婚式のテーマに合わせて「色」「紙質」「字体」「デザインテイスト」などを決めます。名前と肩書を間違えないようしっかりチェックしましょう。サイズはA4サイズ2つ折りが定番。席次の図は、インターネットでダウンロードしたり、手づくりキットについているものを使うのがおすすめ。

難易度★★★

席札

席次表と同様、名前を間違えないように注意します。名前は読みやすさ優先で、大きめのシンプルな書体で。席札を演出で活用する場合もあります。例えば、ハートのシールを貼った人には簡単なスピーチを依頼する、ダイヤのシールを貼った人にはブーケプルズに参加してもらうなど、いろいろな使い方ができます。

難易度★★★

メニュー表

メニューの内容が決まったら、メニュー表の制作を始めます。コースの名前、それぞれのメニュー名は最低限記載しましょう。料理にこだわりがあるのなら、こだわりのポイントや、メニューに対する二人の思い、シェフの紹介などを入れると二人らしさが出ます。

難易度★★☆

プロフィールパンフレット

生まれた時からの二人の歴史を振り返りながらつくります。写真や通知表、絵画など思い出のアイテムを入れてもいいでしょう。プロポーズや結納、顔合わせ食事会など、結婚が決まってからの流れも追うとよりリアル。自分達の結婚式をイメージしやすいよう、デザインで工夫して。

難易度★★☆

サンキューカード

式に参列してくれたことへのお礼、これからも変わらぬお付き合いをというお願い、決意表明（温かい家庭を築いていきます、笑顔の絶えない毎日を一緒に送りたいなど）などを小さめの紙にまとめます。引き出物に添えるのが一般的です。

難易度★☆☆

新居の案内

サンキューカードとセットにして、名刺サイズよりやや大きめのカードにまとめるのが人気。パソコンで新居の地図を作成して加えるのもよいでしょう。イラストが得意なら手描きにしても。

難易度★☆☆

Pick up

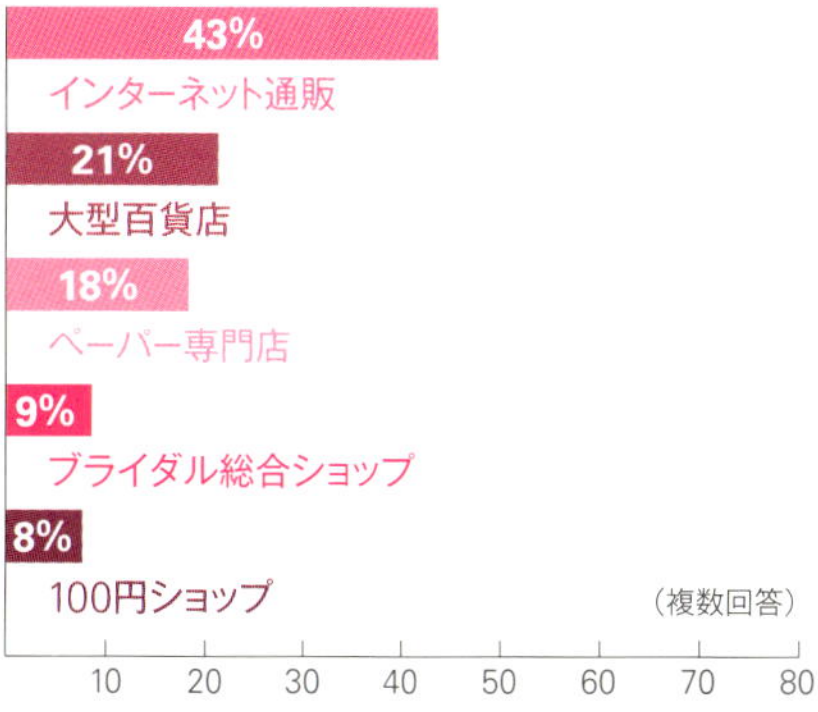

席札を手づくりした際の材料の購入先

席札の手づくりはインターネット通販を利用

席札を手づくりした人が材料を購入した先は、「インターネット通販」が43％で最も高く、「大型百貨店」「ペーパー専門店」と続きます。「100円ショップ」というリーズナブル派のカップルも。

本人

二人らしさと追求するカップルに人気

オリジナルウエディングアイテム

手づくり人気ナンバーワンウェルカムボード

ウエディングアイテムを手づくりしたい人の間で、ペーパーアイテムに次いで人気を集めているのが、ウェルカムボードです。結婚式のイメージを凝縮したようなデザインが多く、つくりがいもあるでしょう。

会場の招待客をお迎えするところに置くことで、二人の感謝の気持ちや、「お世話になった人を、心を込めておもてなししたい」という気持ちを強くアピールすることができます。

ただし、これもすべてを手づくりしようとすると時間も手間もかかります。市販のキットを使うなどして、無理のない範囲で行うようにするといいでしょう。

両親や友人に協力をお願いするのも○

新郎新婦の両親や友人の中に裁縫や編み物、絵画、フラワーアレンジメントなどが得意な人がいたらウエディングアイテムをつくってもらうのもよいでしょう。最近人気のウエディングアイテムは、カジュアルな披露パーティによく合うガーランドやフラワーシャワーの進化版・リボンワンズ。ガーランドは、紙やフェルトに「JUST MARRIED」などとひと文字ずつ描いた物をマスキングテープやレースなどでつなげて壁に飾ります。リボンワンズはペーパーストローの先に5、6本束ねたリボンをつけ、それをふって新郎新婦を祝います。

Pick up

ウェルカムアイテムの依頼先

ウェルカムアイテムは手づくりが約5割

ウェルカムアイテムの依頼先で一番多かったのが「手づくりした」で、54%と最も高い割合でした。次に多かったのが「友人・知人・親族からのプレゼント、手づくり」で37%。友人や知人に手づくりしてもらうことも多いことがわかります。

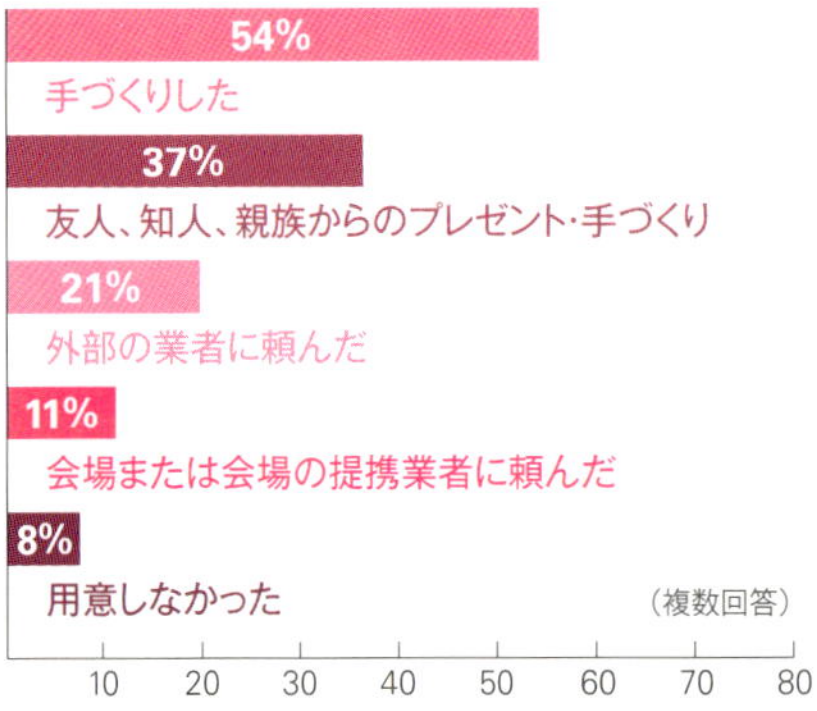

〈ウエディングアイテムの特徴〉

●ウェルカムボード

会場の入り口に置き、招待客を迎えるボード。式の日時や二人の名前を入れて簡単につくることもできますが、二人らしさを出すためにデザインに凝ったり、フェルトやリボン、花などで飾って、華やかで温かみのあるものにしたりする人も多いようです。

手づくりのポイント

二人の趣味や思い出をテーマにつくりましょう。結婚式の雰囲気にも合わせて。

●リングピロー

結婚式当日、結婚指輪を交換するまで指輪を置いておくクッション。西欧ではかつて貴重なものを主君に献上する際に、クッションを用いる習慣があり、それがリングピローとして定着しました。

手づくりのポイント

簡単に縫える手づくりキットを使ったり、既製品にファーや造花などをアレンジしても。

●ウェルカムアニマル

招待客を迎える一対のぬいぐるみの総称。受付で招待客を迎えたり、お色直し中に二人の席に置いたりします。テディベアを用いるウェルカムベアが人気ですが、二人が飼っているペットなどのぬいぐるみにしてもOK。

手づくりのポイント

既製品にヴェールや帽子をアレンジしたり、二人の名前を刺しゅうしても。

●招待客ブック

受付で招待客に名前を書いてもらう招待客ブック。名前だけでなくメッセージも書けるスペースを設けておくと、思い出のアイテムとなります。

手づくりのポイント

パソコンからお気に入りのテンプレートを選び、ダウンロードしてつくりましょう。

●結婚通知状

式後に結婚の報告をするためのはがき。二人の名前、新居の住所などの連絡先などを記します。手書きのメッセージをひと言添えると手づくり感がアップします。

手づくりのポイント

パソコンからお気に入りのデザインをダウンロードしてつくりましょう。手書きのメッセージを添える場合、考慮してデザイン選びを。

Pick up

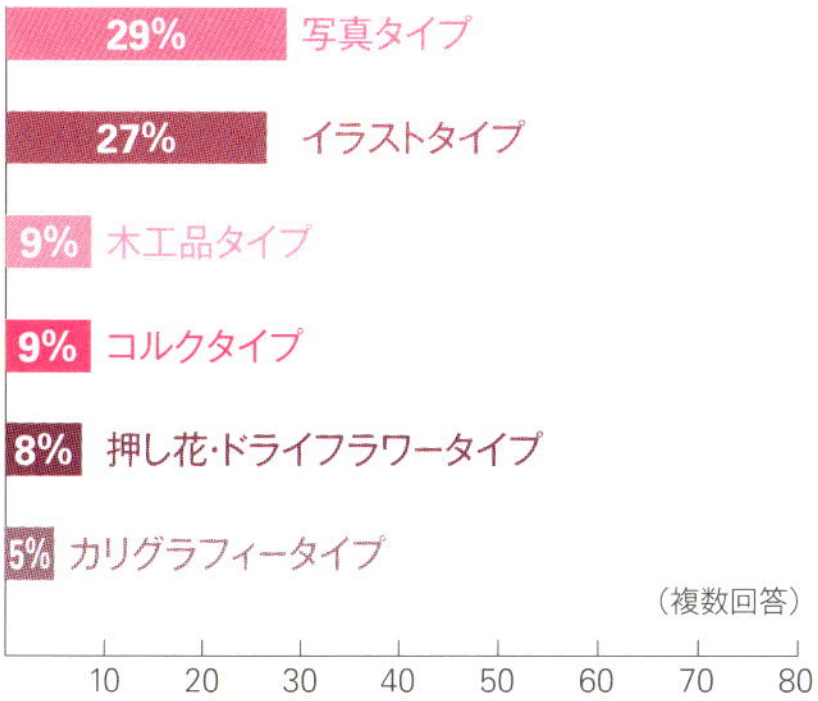

ウェルカムボードのタイプ

写真orイラストの
わかりやすいものが人気

ウェルカムボードを用意したカップルのうち約3割は「写真タイプ」のウェルカムボードを用意。次いで「イラストタイプ」が人気です。写真やイラストを用いて二人らしさを表現するカップルが多数。

本人・両親

地域のしきたりは最初に確認

引き出物の選び方

招待客への感謝の気持ちを伝える引き出物

結婚が長く続くことを願う「末永く」「長引く」の意味から贈られる引き出物。その由来は、平安の昔、宴の最後に訪問客に対して感謝の心を込め「馬を引き出して贈った」ことにあるといわれています。

二人の結婚を記念する品物と、幸せをおすそ分けする意味でつける「引き菓子」と合わせて、２～３品程度を贈るのが一般的になっています。

ご祝儀制の披露宴の場合、引き出物の予算は飲食費の３分の１、一人５０００円程度が目安で、そのうち１０００～１５００円を引き菓子の予算にあてることが多いようです。

招待客の年齢層によって贈り分けてもＯＫ

引き出物は感謝の気持ちを伝えるために贈るものなので、もらう人の立場に立って選びたいもの。帰りの荷物のことを考えると、あまり重くなくかさばらないものが大前提です。引き出物は全員同じものを用意するのが基本ですが、招待客の年齢層などによって２～３種類用意してもよいでしょう。

Check

引き出物選びのポイント

- □感謝の気持ちを込めて品物を選ぶ
- □実用的なものを
- □二人の意向を反映
- □奇抜すぎない
- □二人の名前入りなどは避ける

Pick up

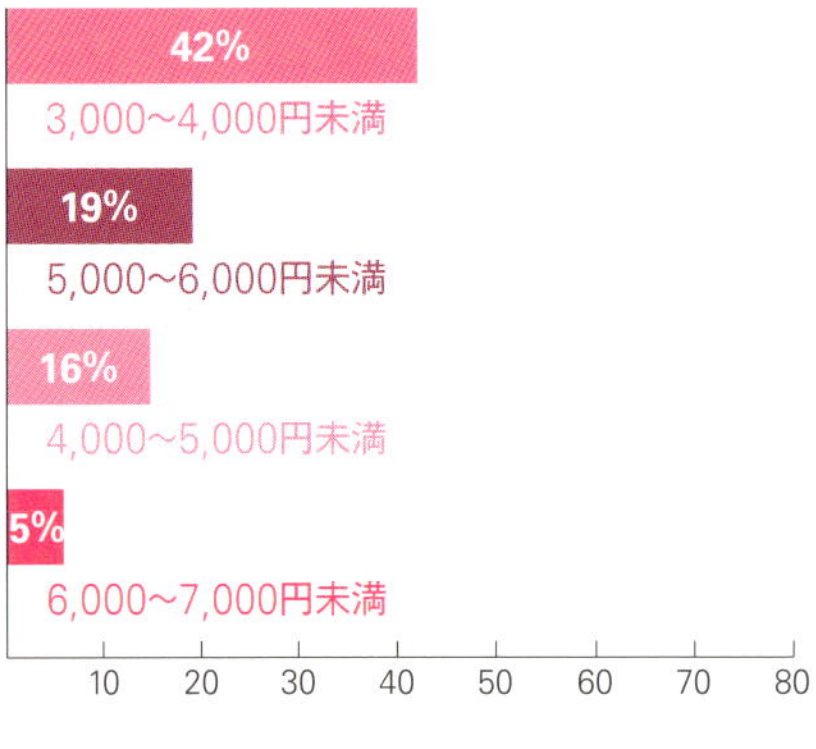

一人あたりの引き出物の金額

3,000~4,000円未満が最も多い

一人あたりの引き出物の金額は、「3,000~4,000円未満」が42%。平均金額は5,700円。ある程度の予算をとり、記念品として長く使えるものを選んでいるようです。

引き出物選びは挙式の3～4カ月前から

引き出物選びは、招待客全員に喜んでもらえるようにするためにも、挙式の3～4カ月前からスタートを。招待客の顔ぶれが決まったら引き出物の候補を挙げ、挙式の1カ月前頃に招待客の人数が確定したら品物を絞って親に確認し、正式に発注します。外部で調達した引き出物は、会場によっては持ち込み料が発生する場合も。あらかじめ料金を確認しておきましょう。

包みにはかけ紙を。表書きに注意して

引き出物の包みは、紅白の、結びきりののしつきかけ紙が基本です。品物の表書きには両家の姓、引き菓子には結婚した二人の「お膳のおすそ分け」の意味を込めて二人の名前を書いて。

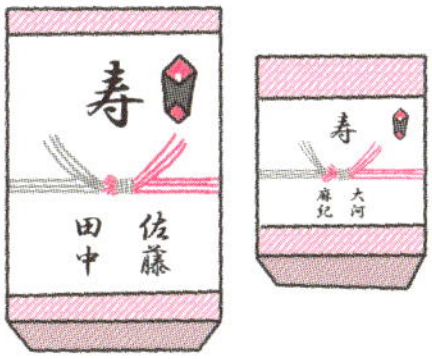

引き出物選びのスケジュール

挙式の３～４カ月前

☆親にしきたりや慣習を確認
両家の出身地が違う場合、引き出物の慣習が大きく異なることがあるので、両家で確認します。

☆品物の贈り分け、品物の検討
贈り分けは2～3種類が一般的です。

挙式の１～２カ月前

☆品物を絞り親に確認

☆正式発注
招待客の人数が確定したら、品物を最終決定して発注。もち込む場合は、納品日や納品先を業者と会場に伝えます。

前日

☆納品の最終確認
品物が会場に届いているか確認します。

Pick up

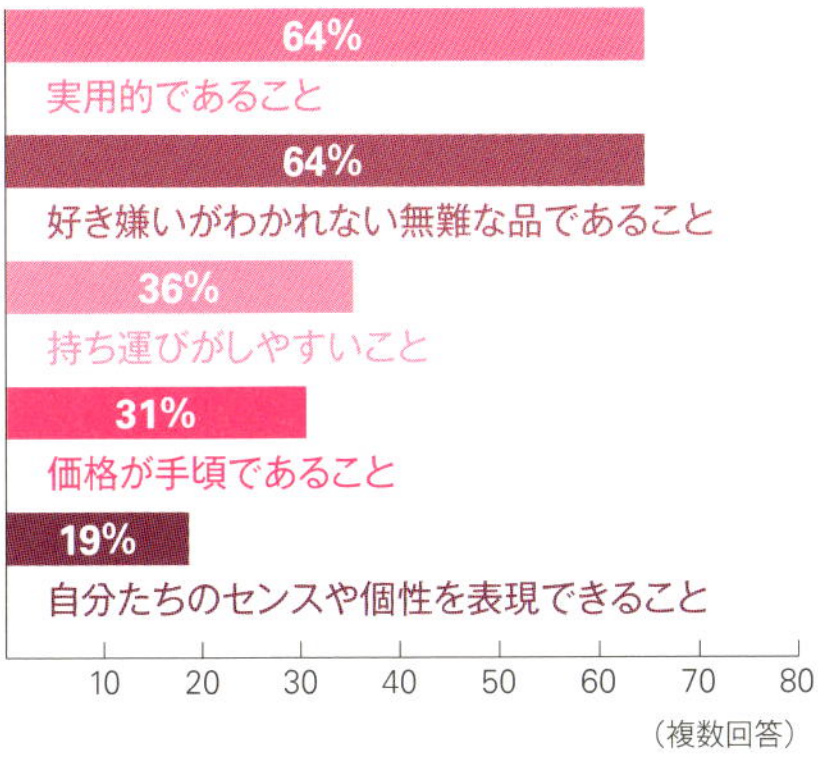

引き出物を選択する際に重視した点

「実用的であること」「無難な品であること」が最も高い

引き出物を選択する際に重視した点は、「実用的であること」「好き嫌いがわかれない無難な品であること」が共に64％で最も高い割合を示しました。個性を出すというよりはだれもが喜ぶものを選ぶ傾向のようです。

本人・両親

より喜ばれる品物をじっくり選びたい

引き出物の種類

定番人気は食器類や高級感のある実用品など

引き出物として人気があるのは食器類です。贈る相手によって、洋食器や和食器に分けたり、ブランドものや招待客が夫婦ならペアのもの、家族にはセットのもの……などと贈り分けがしやすいのも人気の理由の一つ。

その他、シューキーパーやタオルなど高級感のある日用品やインテリア用品なども人気です。

地域によっては「縁起物のかつお節や赤飯などは欠かせない」など、引き出物にその地域特有の慣習があることも。新郎新婦の出身地が異なる場合は、あらかじめ両家の親に確認してから品物を選びましょう。

カタログ式ギフトは十分検討してから選ぼう

もらってうれしい引き出物、もらうと困る引き出物のランキング両方にランクインされるのが、カタログ式ギフト。

カタログ式ギフトの長所としては、かさばらず家にもち帰れる、自分の好きなものを選べる、贈るほうも迷わずにすむ……などが挙げられますが、欲しいものがない、画一的で個性が感じられないなどの声もよく聞かれます。もの足りないと感じる人も多いので、内容をよく見てから検討を重ねるようにしましょう。最近では産地直送の海産物や有名店のスイーツなどが選べるグルメ専用カタログ式ギフトなども人気です。

Pick up

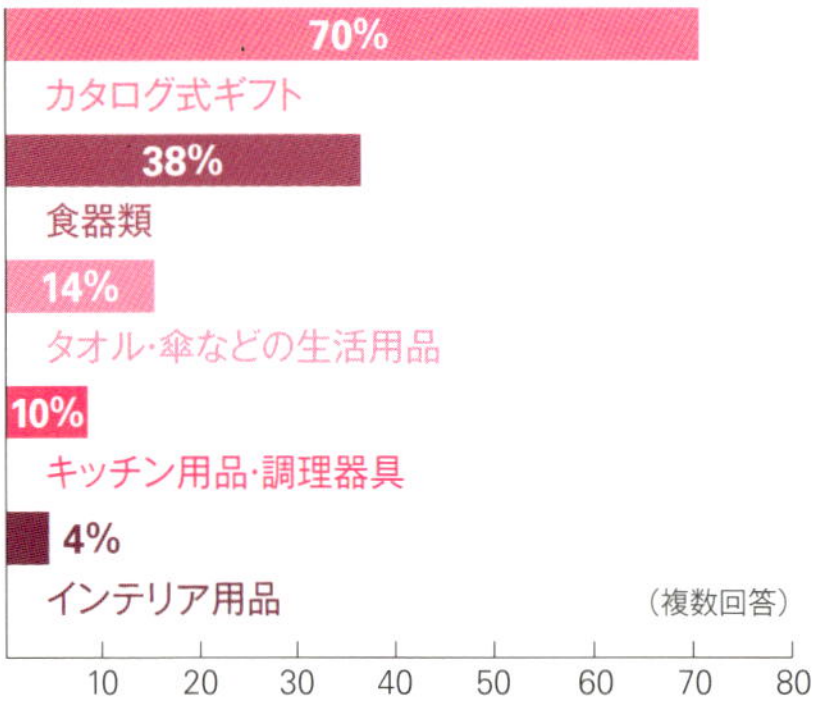

引き出物の内容

相手が選択できる
カタログ式ギフトが人気

引き出物を用意したカップルのうち「カタログ式ギフト」を選んだのは70%で第1位。もらう側の意見が分かれますが、贈る側にとっては安心して選べるアイテムといえます。

〈定番の引き出物〉

メインの記念品（食器類など）

食器類をはじめとする実用的な品物が定番です。夫婦の招待客にはペアのワイングラスなどを贈るのも。メインの記念品と引き菓子を合わせて引き出物と呼ぶこともあります。

カタログ式ギフト

今や引き出物の定番となりましたが、もらう側からは賛否両論なので、内容はよく吟味しましょう。利用した披露宴会場や、利用した会場が提携しているショップで購入することが多いようです。

引き菓子

引き出物に添えるお菓子で、「二人のお膳のおすそ分け」という意味があります。日もちのする洋菓子や紅白まんじゅうが定番で、洋菓子ではバウムクーヘンやマカロンなど、焼菓子が人気。

引き出物の贈り分けをする場合

引き出物の贈り分けの基準はさまざまですが、細かく分けすぎないよう、2〜3パターンに抑えたほうがよいでしょう。代表的な分け方は、既婚か未婚か、性別、世代別などですが、贈り分けをした場合でも、手提げ袋は同じものでそろえるのがマナーです。外注する場合も、形・柄・大きさなど同じものにしましょう。

NG引き出物は趣味の合わない雑貨など

二人らしいものを贈りたいからといって、趣味や趣向性の強いものは評判がよくありません。また、新郎新婦の名前入りや写真入りの品物も不評。

ひと昔前は大きさが評価された引き出物ですが、最近では『重くてもち運びの大変な品物』は、もらって困るものとされています。

両親

贈り分けする場合は式場側と事前に打ち合わせを

引き出物は地域によってさまざまな慣習があります。両家で出身地が異なり慣習が違う場合は、引き出物の贈り分けをしたほうが無難。式場との打ち合わせ時には両親も同席を。

本人

プチギフトの選び方

地元限定のお菓子や生活雑貨などで〝幸せ〟をおすそ分け

直接手渡しできるプチギフトが人気

最近、多くの新郎新婦が取り入れるようになったのが、引き出物とは別に、招待客と直接、言葉をかわしながら手渡しする「小さな贈り物＝プチギフト」です。贈るものは基本的には自由ですが、お菓子や小物を手づくりする人もいますし、地元の銘菓や名産品を贈る人もいます。金額は一つ300円程度で、会場にお願いしたり、インターネットで探したりするカップルが多いようです。

ラッピングやメッセージカードの準備で、挙式前日に徹夜することがないよう、余裕をもって用意しましょう。

プチギフトを渡す最適なタイミングとは？

プチギフトを渡すタイミングは、キャンドルサービスの代わりに各テーブルを回りながら渡す、もしくは終宴後、招待客を出口で見送る時に渡すのが一般的です。どちらも、新郎新婦が招待客にきちんと目線を合わせながら、両手で渡すのがマナー。お礼の言葉を添えるとよいでしょう。

Pick up

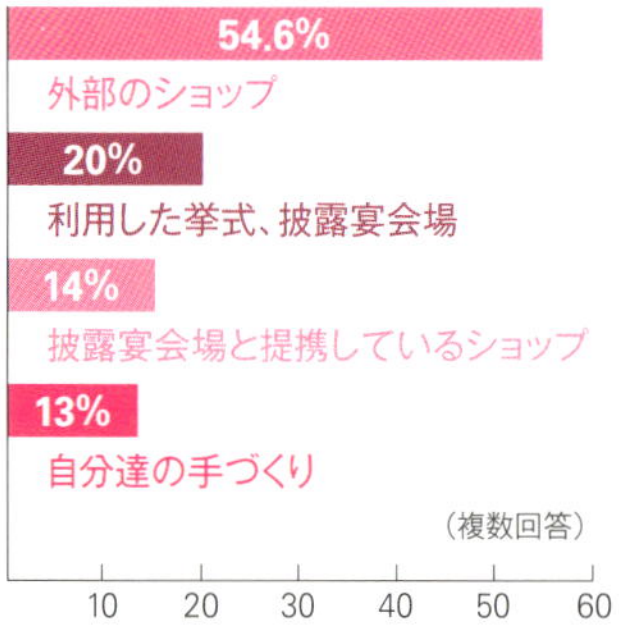

プチギフトの購入先

自分たちが納得したものを贈るのが主流

「利用した会場」や「披露宴会場と提携しているショップ」を利用した新郎新婦は全体の34%。逆に「外部のショップ」や「手づくり」という回答が60%以上と、「感謝を込めて、少しでもセンスがよいものを」と考える新郎新婦が多いようです。

〈定番のプチギフト〉

幸せをおすそ分け

ドラジェ

フランス語で「幸福の種」を表わすドラジェは、アーモンドを砂糖で包んだお菓子。5粒のドラジェは健康、幸福、富、子孫繁栄、長寿を象徴するとされ、欧州ではお祝い事で配る習慣があります。

メッセージで気持ちを

二人の写真が入ったギフト

二人の写真を転写した袋に入れたクッキーやチョコレートなどはオリジナル感があって好評。最近では、メッセージ入りガムやオリジナル模様のキャンディーなど、選択肢も豊富です。

センスのよさを発揮

生活雑貨

おしゃれな雑貨はセンスを感じさせます。女性には、バスキューブやアロマキャンドルなど、かわいらしいものを。男性にはシガーや男性用化粧品などを。何種類か用意して贈り分けをするのもあり。

特別感のある実用アイテムを

少し値ははりますが、招待客の名前やイニシャル入りのアイテムは、驚きと喜びをもたらします。ハンカチ、ミニタオルなど、手軽に使える実用品がおすすめ。字体やデザインもショップによってさまざまです。

地元の限定品で珍しさを

新郎新婦の地元ならではの名産品などがおすすめ。独自の素材を使ったものや、地域限定のお菓子などは地域色が感じられて好評です。小さい頃に好きで食べていたものなどを選ぶとよいでしょう。

Case 30

手づくりお菓子にしたら前日徹夜に……

お菓子づくりが趣味なので、プチギフトは手づくりクッキーにすることに。しかし、結局結婚準備で大わらわになってしまい、材料の買い出しなどが遅れてしまって前日徹夜で焼くはめに……。ラッピングの手間もかかって当日はふらふらになってしまいました。気合いの入れすぎもよくないですね。

Advice

プチギフトの準備もしっかり予定を立てて

「プチギフトは手軽なものだから」と準備を後回しにしていると、直前で慌てるはめになります。ラッピングの材料費もかかりますので、手間だけでなく割高になるケースも。予定や予算を考えてから準備しましょう。

両親

親として準備にどうかかわるか

意見の押しつけはせずに新郎新婦を尊重して

花嫁の衣装選びは、頼まれたらぜひ同行を

娘の衣装選びは、親としても気になるもの。とくに娘の好みや似合う色、デザインを知っている母親は、いろいろアドバイスしてあげたいと思うことでしょう。娘にとっても母親は最も頼れるアドバイザーの一人。「一緒に衣装選びをしたことがいい思い出になった」「母がすすめてくれたドレスが思った以上に似合ってびっくりした」という花嫁の体験談も少なくありません。頼まれたらぜひ衣装選びに同行し、最高の衣装を一緒に選んであげましょう。お店の許可が得られれば試着時に写真を撮影しておくと、記念にもなります。

親戚への結婚報告は親からしたほうがスムーズ

親戚への結婚報告や結婚式への出席のお願いは、まずは親からしたほうがスムーズ。とくに普段あまり交流がない親戚に対しては、親から連絡を入れるようにしましょう。本人もよく知っている親しい親戚には、親から連絡を入れたあと、改めて本人からも連絡すると喜ばれます。

親だからこそできるアドバイスを

新郎新婦が席次表をつくったら、親族席をチェックしてあげましょう。席次や肩書に間違いはないか、仲のよくない親戚が同じテーブルになっていないかなどを確認します。高齢者や子ども連れなど配慮が必要な親戚を招待する場合は、席の位置が適切かどうかも確認を。

Check

親族席の準備のポイント

- □遠方から来る招待客の宿泊・交通チケットは手配したか
- □高齢者・子ども連れの招待客の席の位置は適切か
- □席次表に書かれた親族の肩書は正しいものか
- □贈り分けをする場合は、引き出物の内容は適切か

「贈り分け」する場合は親戚用は親が選んでも

最近では、新郎新婦の友人・仕事関係者と親戚で引き出物の内容を変える「贈り分け」が増えています。贈り分けをする場合、親戚用の引き出物選びは親が選ぶようにすると安心。地域によって引き出物の品物や品数は違いますので、両家でよく相談したうえで決めることが望ましいです。

あくまで主役は新郎新婦。親はサポートに徹して

結婚式は、新郎新婦が主役。しかし、経験が浅い新郎新婦ではわからないことや、悩むことも多々あります。そんな時こそ、親の出番。今までの人生経験を生かし、時には両家でじっくり話し合うなどして、娘や息子はもちろん、親にとっても忘れがたい一日をつくっていきましょう。

こんな時が出番！

会場を決める時
会場の設備や交通の便などについてチェックを

予算を決める時
予算に無理はないか、援助は必要かを話し合って

内容を決める時
食事の内容やあいさつする人などを、親の視点からアドバイス

親戚付き合い
招待すべき人をリストアップし、結婚報告などの連絡を

衣装選び
新婦の母は娘に似合う最高の衣装を、客観的に選んであげましょう

Case 31

心配が先立ってたくさんダメ出ししてしまった

親としても初めての経験となる子どもの結婚式。小さい頃から優柔不断なところがある子だったので、結婚準備の段階でも心配ばかりが先に立ち、さまざまな提案についついダメ出ししてしまいました。挙式直前には子どものほうもイライラしてきて雰囲気は最悪に。子どもたちの気持ちを、もう少し受け止めてあげればよかったと反省しています。

Advice

子どもに心配は何かを伝え、それにどう対処するか聞く

招待客に失礼がないようにと思うのが親心。しかし、ダメ出しばかりだと子どもは反抗します。心配の内容を具体的に伝え、それにどう対処するのかを聞くようにしましょう。また、リクエストがあれば具体的に希望を出しましょう。

本人・両親

幹事や各係と十分に打ち合わせを

二次会の準備のコツ

まずは幹事を選んで こまめに打ち合わせを

二次会は、披露宴終了後、披露宴に招待できなかった人達を含め、改めて結婚の報告を行う会。披露宴では新郎新婦がもてなす側でしたが、二次会は、親しい友人が幹事となって新郎新婦をもてなす形をとるのが一般的です。

とはいえ、幹事にかかる負担はかなり大きいものです。招待客のリストアップや連絡などは新郎新婦がしたほうがスムーズ。幹事とこまめに打ち合わせをし、協力するようにしましょう。友人が忙しくて幹事を引き受けられそうにない場合は、二次会専門のプロデュース会社に依頼するのも一つの方法です。

幹事は信頼できる友人から 2〜3名ずつ選ぶこと

二次会の幹事は、いろいろと負担がかかります。打ち合わせもひんぱんに行うので、信頼できる親しい友人を新郎新婦それぞれ2〜3名ずつ選ぶとよいでしょう。幹事を決めたらすべておまかせするのではなく、新郎新婦からまめに連絡を取り、準備の進み具合などを確認しましょう。

二次会の準備を始めるのは 遅くとも式の約3カ月前から

二次会の準備は、遅くとも式の3カ月程度前から始めましょう。幹事を引き受けてもらえたら、まずは会場や予算を一緒に決めます。2カ月前には招待客リストをつくって案内状を発送し、1カ月前には出席者名簿をつくり、プチギフトやゲームに使う小道具や賞品を用意しましょう。

二次会開催までの流れ

3カ月前

・幹事を依頼し、打ち合わせを行う

・予算・会費を決め、会場を探す

2カ月前

・招待客リストをつくって案内状を発送する

・プログラムを決め、幹事・各係と打ち合わせ

1カ月前

・出席者リストを作成。当日の進行表をつくる

・プチギフトを手配する

2週間前

・当日使うグッズなどの購入

・幹事・各係と最終の打ち合わせ

当日

・幹事は二次会の1時間前に会場入りして準備

・後片付けを行う

幹事だけじゃない! さまざまな係を頼む必要が

二次会では、幹事以外にも、受付、司会進行、会計、撮影など、さまざまな係が必要です。どんな係をだれに頼むかを、幹事と新郎新婦で一緒に相談して決めましょう。係が決まったら、式の2カ月前までに一度みんなで集まって全体の打ち合わせを行うとよいでしょう。

無理なく移動できる会場を選ぶのがポイント

二次会の会場は、披露宴会場から無理なく移動できるところにしましょう。タクシーで10～15分程度の距離だと、移動も負担が少なくすみます。会費は5000～8000円程度が一般的。だいたいの場所、会費、会のイメージを大まかに考えてから会場を探すようにしましょう。

こんな係を頼もう

●**幹事**
信頼できる親しい友人から選びます。
4～6名

●**司会進行**
盛り上げ上手が望ましいでしょう。
1～2名

●**撮影係**
カメラの操作ができる人に。
それぞれ1名ずつ

●**音響係**
機材の操作に慣れている人が望ましいでしょう。
1名

●**受付&会計係**
お金の管理をまかせられる人がよいでしょう。
2～3名

幹事は負担が大きいもの気づかいと感謝を忘れずに

幹事には、会場との打ち合わせや準備など大きな負担がかかります。負担を減らすため、幹事には披露宴ではスピーチなどの役目をお願いしないよう配慮することも必要です。

幹事にはきちんと感謝の気持ちを伝えることも忘れずに。気のきいたプレゼントや新婚旅行のおみやげを渡す、新居に招待する、二次会の会費を免除するなどして自分たちの感謝を示す新郎新婦が多いようです。親しき仲にも礼儀ありという気持ちでお礼を考えましょう。

二次会終了後の清算時、二次会の費用が会費でまかなえなかった場合は、新郎新婦がその差額を払うことが一般的なので準備しておきましょう。

本人

幹事と会のイメージを共有して

二次会の内容と演出

楽しく盛り上がるためにはメリハリが大切

まずは、どんな会にしたいのかを新郎新婦で話し合い、そのイメージを幹事に伝えて共有しましょう。大人数で賑やかな雰囲気にしたいのか、少人数でアットホームな雰囲気にしたいのかなどを伝え、それに沿って幹事や各係が細かな内容を決めていきます。

二次会は主に親しい友人が集まるため、ついのんびりと食事やおしゃべりを楽しんでしまいがち。余興やゲームを織り交ぜてメリハリある内容にすると、全員で盛り上がれます。ただし、凝りすぎるクイズや悪ふざけ、下品な余興はＮＧ。それぞれの時間配分は進行表をつくって計画を。

新郎新婦と幹事・各係の役割分担を明確にして

二次会は、新郎新婦、幹事、各係と多くの人たちがかかわってつくるもの。混乱しないよう、新郎新婦が大まかなイメージを示し、細かな内容は幹事が考えます。各係が具体的な準備をするというように役割分担を明確にしておきましょう。ゲームや余興の内容によっては、幹事は会場と打ち合わせを。

Check

二次会成功のポイント

- □どんな二次会にしたいかイメージは固めたか
- □幹事や司会者とイメージの共有はできているか
- □イメージに合った余興・演出を考えたか
- □内容はメリハリあるものになっているか

二次会のプチギフトはユーモアがあってもＯＫ

二次会で渡すプチギフトの予算は、１００～５００円が一般的。かわいいお菓子やちょっとした日用品、プチソープなど、使ったらなくなる「消えもの」を選ぶ人が多いようです。見たらちょっと笑えるようなユーモアグッズもよいでしょう。包装にこだわるなどして、二人らしさのあるものを選んで。

二次会の進行例

披露宴とはまた違った雰囲気が楽しめる二次会。

だいたいの流れをおさえておき、招待客への声かけのタイミングなどを考えておきましょう。

17:00　幹事・各係集合

幹事と各係は1時間前には会場に集合。最終打ち合わせを行い、
会場のセッティングや機材のチェックをします。

17:30　受付開始

出席者名簿を確認しながら、会費を受け取ります。
可能であれば、二次会開始まで披露宴のビデオを流しても。

18:00　新郎新婦入場

開始時間になったら、まずは司会者が開会のあいさつをします。
続いて、新郎新婦が入場。いよいよ、二次会のスタートです。

18:05　ウェルカムスピーチ

新郎新婦でウェルカムスピーチを行い、結婚を報告します。
出席者へのお礼や感謝、これからの抱負なども述べます。

18:15　乾杯・歓談

友人代表による乾杯に続き、歓談の時間や食事を。
ブッフェスタイルが定番です。新郎新婦との記念撮影も
この時間に行うようにします。

18:55　余興・ゲーム

出席者と一緒に盛り上がれる余興やゲームを2つほど用意して
おきます。

19:40　謝辞

改めて新郎新婦から出席者に、お礼や感謝のあいさつをします。
幹事や各係などに対するお礼と感謝の言葉も忘れずに。

19:45　新郎新婦退場

新郎新婦退場。入り口に並んで、お見送りの準備をします。
プチギフトはカゴなどに入れておくとスムーズに渡せます。

19:50　お見送り

新郎新婦がプチギフトを渡しながら出席者を見送ります。
一人ひとりにお礼の言葉をかけます。

～20:30　後片付け

会計係が会計をすませ、幹事と各係で会場を片づけます。
会場のスタッフにお礼をいって、幹事と各係も会場をあとにします。
新郎新婦もできる範囲で手伝います。

二次会の余興アイデア

**定番はビンゴとクイズ！
みんなで楽しめるものを**

二次会の余興は、出席者と一緒に盛り上がれるものがおすすめ。9マスのビンゴカードに自分以外の出席者の名前を9名分書いてもらって行う「お名前ビンゴ」や、出席者をグループに分けて行うクイズ大会などが定番です。ゲームをやる場合は賞品を用意すると盛り上がります。披露宴に出席しなかった人のために披露宴のビデオを流したり、改めてケーキカットをすることも。

本人・両親

ていねいで温かみのある招待状を

二次会の招待状の文例

当日の2カ月くらい前に発送準備を

二次会の招待状の発送は、当日の2カ月くらい前が目安です。最近は携帯メールを使って招待するカップルも増えてきていますが、やはり封書による招待状のフォーマル感にはかないません。とくに招待客に年配の人が多い場合には、会場の地図を同封できたり先方が返信をしやすかったりという点からも、封書による郵送をおすすめします。手づくり派のカップルはインターネットのテンプレートを使ってもOK。披露宴と二次会両方に招待したい人には、披露宴の招待状を送る時に同封しておくとよいでしょう。

幹事もしくは新郎新婦の名前で送る

二次会の招待状は、幹事の名前で招待する場合と新郎新婦の名前で招待する場合があります。招待状に往復はがきを使うと、返信することで、招待された側も二次会出席の意思表示をしたことが記憶に残ります。返信の締め切りは、余裕をみて招待状を発送した2週間後くらいに設定しましょう。

〈幹事からの二次会招待状〉

○○○○さん△△△△さん　二次会パーティのご案内

このたび○○○○(新郎名)さんと△△△△(新婦名)さんがめでたく結婚されることになりました
つきましては　お二人の新しい門出をお祝いしたく　二次会を催したいと思います
ご多用とは存じますが　是非ご参加くださいますようお願い申し上げます

日時：平成○年○月○日（日）
　　　受付 17：30～　開宴 18：00～
会場：レストラン○○　東京都渋谷区○○
　　　TEL 03-0000-0000
会費：男性 8,000 円　女性 7,000 円

幹事　○○○○　○○○○
お手数ですがご都合のほどを○月○日(○)までにお知らせください

〈新郎新婦からの二次会招待状〉

拝啓　皆様におかれましては　お変わりなくお過ごしのことと存じます
さて　私達は○月○日に結婚することになりました
私達の新しい門出を皆様に見守っていただきたく
ささやかなパーティを催したいと存じます
皆様とともに楽しい時間を過ごさせていただきたいと思っておりますので
是非お越しくださいますようご案内申し上げます
皆様にお会いできるのを楽しみにしております　　　　　　　　敬具

平成○年○月吉日
○○○○（新郎名）　△△△△（新婦名）

日時：平成○年○月○日（日）
　　　受付 17：30 〜
　　　開宴 18：00 〜
会場：BAR ○○　東京都渋谷区○○
　　　TEL 03-0000-0000
会費：男性 8,000 円　女性 7,000 円
平服でご出席くださいますようお願い申し上げます

お手数ですがご都合のほどを○月○日(○)までにお知らせください

〈入籍後のお披露目パーティの招待状〉

拝啓　新緑が気持ちのよい季節になりました
皆様　お変わりなくお過ごしのこととご拝察申し上げます
さて　私達は○月○日に入籍をいたしました
日頃　公私にわたりお付き合いいただいている皆様に
ご報告をかねましてささやかなパーティを催したいと存じます
お忙しい中まことに恐縮ではございますが
是非お越しくださいますようご案内申し上げます
なお　当日は会費制とさせていただきましたので
ご祝儀などのお心づかいはなさいませんようお願い申し上げます　　　敬具

平成○年○月吉日
○○○○（新郎名）　△△△△（新婦名）

日時：平成○年○月○日（日）
　　　受付 17：30 〜
　　　開宴 18：00 〜
会場：ホテル○○　○階　○○の間　東京都渋谷区○○
　　　TEL 03-0000-0000
会費：1 万 5,000 円

お手数ですがご都合のほどを○月○日(○)までにお知らせください

本人

働きながらの準備テクニック

忙しいからこそ早め早めの行動がポイント

余裕をもったスケジュールで式&新生活準備を

仕事で忙しい新郎新婦の結婚準備は、式の時期を決めたら、余裕をもって10～12カ月前から会場探しを始めるとよいでしょう。会場を決めたあとは、新居の用意など式以外の結婚準備を進めておくとスムーズ。式の打ち合わせは3カ月前頃から本格的になってくるので、それまでに新生活準備をすませるのが理想です。

会社への報告は、式の3カ月前頃までにすませておきましょう。直属の上司に、始業前もしくは休み時間に報告します。式前後に休暇を取る場合は、その間フォローしてくれる先輩や同僚に対する気づかいを忘れずに。

〈結婚準備　5つのポイント〉

1 何でも自分でしようとしない

ウエディングアイテムなどをすべて手づくりしようとすると予想以上に時間がかかるもの。無理はせず、任せられるところはプロに任せましょう。

2 慌てないよう、準備は前倒し気味に

1カ月をきると準備の山場。この時期になってから慌てないよう、準備は早め早めに行っておきましょう。仕事の繁忙期と閑散期を考えながら段取りよく進めておけば大丈夫。

3 ドレス選びは挙式3カ月前までに

休日はドレスの試着も混雑するため、時間がかかります。限られた時間を効率よく使うために、式の準備が本格化する前にドレスを選んでおきましょう。

4 会場が決まったら新居探しをスタートさせて

新居探しや家具・家電の購入は、準備が本格化する前にすませたいもの。会場の予約が完了したら、早めに新生活の準備に取りかかっておきましょう。

5 両家のOKが出れば挙式前から新生活を

両家の了解が得られれば、挙式前から一緒に生活するのもよいでしょう。式の相談もしやすくなりますし、二人での生活のペースも早くつかめます。

通勤時間や昼休みなどのすき間時間を利用して準備を

週末など休みの日だけだと、忙しい二人の結婚準備は滞ってしまいがち。まとめて時間をとることは難しくても、通勤時間に音楽を聞いてBGMをセレクトしたり、スマートフォンでドレスやブーケの情報収集をしたりなど、すき間時間を有効利用して事前準備にあてるとよいでしょう。会場担当者には、勤務先の昼休みなどを利用して、疑問点や確認事項をまとめてメールで伝えておき、週末の打ち合わせで再確認するようにするとスムーズです。

少ない時間を有効に過ごせるよう、打ち合わせの前にはお互いの希望を前もって話しておくなど、二人の間で意思疎通もしっかり行っておくよう心がけましょう。

ブライダルフェアを賢く利用する

仕事で忙しい二人におすすめなのが、ブライダルフェアを上手に利用すること。本番さながらの挙式の流れを確認したり衣装の試着ができたり料理の試食ができたりと、挙式に向けて一気にイメージがふくらむブライダルフェア。さまざまな内容がありますが、ワーキングカップル向けに、仕事帰りに立ち寄れる20時開催のフェアや週末に参加できないための平日開催のフェアもあります。

午前中からお昼は試食会、午後は見学&相談会、夜は試食会…など、スケジュールによってはブライダルフェアのはしごも可能。気になる会場のフェアを調べて上手に段取りを組み、プランを練りましょう。

Case 32

忙しくてペーパーアイテムの手づくりができなかった

働きながらの結婚準備でした。忙しい毎日の中でも、自分達らしい結婚式を挙げたいと、できる限りオリジナリティを追求したかったのですが、結局時間がなくて、やりたかったペーパーアイテムの手づくりができなかったのが今でも悔やまれます。ペーパーアイテムを後回しにしてしまったのは、細かいところを二人で詰めていなかったのが原因です。

Advice

優先順位をつくり、一部業者にお願いしても

一番大切なのは、二人がハッピーな状態で式を迎えること。ペーパーアイテムづくりは式の1カ月前くらいから始まるので、余裕をもって準備を。優先順位を決め、準備が困難な部分はプロに頼むなど検討しましょう。

本人・両親

体調に気をつけながら無理のないプランを

マタニティ婚① 準備のコツ

体調を第一に考え周囲を味方につけて

いまではめずらしいことではなくなったマタニティ婚。結婚が決まってから妊娠がわかるケースや妊娠をきっかけに結婚を決めるケースなどさまざまですが、いずれにしても、妊娠がわかった段階で必ず両親に報告しましょう。その際は、最初に「結婚したい」という気持ちを伝え、そのあとに「妊娠している」という事実を伝えること。なかにはとまどいを隠せない親もいるかと思いますが、誠実な態度で理解を得ることが、マタニティ婚スタートの第一歩です。

つわりの時期が重なる場合は、くれぐれも無理せずに準備を進めましょう。

安定期に式を挙げることが理想

マタニティ婚は、安定期である妊娠5～7カ月頃に式を挙げるのが理想的。会場探しは事前にインターネットなどで調べ、ある程度候補を絞ってから見学するのがよいでしょう。会場担当者には妊娠中であることを告げ、マタニティ婚のカップル向けにどのようなサービスがあるかもチェックして。

マタニティ婚にやさしいプランやサービスを選ぼう

会場によっては、少人数での対応が可能、2週間前でも予約OKなどマタニティ婚向けのプランを用意しているところもあります。見学の際には、会場内が妊婦にとって負担の少ないつくりになっているかなど、「妊婦目線」で比較検討するとよいでしょう。

Check

マタニティ婚にぴったりな会場を探すポイント

- □マタニティ婚向けの独自のサービスが充実しているか
- □会場内での移動が少なくてすみ、階段などの段差も少ないか
- □挙式直前のドレスのサイズ変更などに対応してくれるか
- □トイレが広く使いやすいか
- □スタッフが妊婦にやさしい対応をしてくれるか

マタニティ婚プランのポイント

1 仕事関係者には会場が決まってから報告する

仕事関係者や友人への結婚の報告は、会場が決まってからのタイミングでOK。ただし、退職を考えている場合は直属の上司に早めの報告を。マタニティ婚であることはいずれわかることなので、隠しだてる必要はありません。さりげなく伝えましょう。

2 体調を最優先に考え周囲の協力を得ながら準備

新婦は体調管理を最優先にして準備を進めましょう。新郎はもちろん、妊娠の大変さを知っている母親はだれよりも強い味方です。仕事のことは仕事仲間を、準備に関しては会場のプランナーを頼って乗り切りましょう。

3 準備は効率的に、体への負担は最低限に

会場、予算、招待客を決め、招待状発送まですめば、まずは一段落。あとは何とかなるものです。少しお金はかかってしまっても、ペーパーアイテムの作成など業者に頼めるものは頼んで、自分達の負担を最低限にしながら準備を進めましょう。

4 花嫁に無理のないプログラムを検討

本番の進行やプログラムを検討する時は、休憩もかねてお色直しの時間を長めにとる、招待客に動いてもらえるような演出を考えるなど、なるべく花嫁の負担にならないような演出方法を。プランナーに相談しながら考えましょう。

5 当日、体調が悪くなった時のことも想定して

当日、万全の体調で結婚式に臨めたらハッピーですが、気分が悪くなってしまうこともないとはいえません。そうなった時のことも想定し、会場担当者や介添えスタッフ、司会者にはもしもの場合のフォローを頼んでおくと安心です。

出産後落ち着いてからゆっくり挙式するケースも

「体調が不安」などという理由から、あえてマタニティ婚は避け、出産を終えてから赤ちゃんのお披露目もかねて結婚式を行うケースも増えています（P224）。会場予約後に妊娠がわかった場合でも、早い時期なら無料で日取りをずらせる会場もあります。母体の状態を見ながら判断しましょう。

両親

子どもをサポートしながら見守って

子ども達の真剣な気持ちが伝わってきたら容認し、身重の体を第一に考え準備を進めていくサポートを。おなかの赤ちゃんと一緒に無事に式を挙げられるよう見守りましょう。

本人・両親

マタニティ婚② ドレスの選び方

妊娠中だからこそ着こなせる一着を見つけよう

マタニティ専用のドレスもバラエティ豊かに

マタニティ婚の増加にともない、最近ではマタニティ専用のウエディングドレスも増えてきています。妊娠中は週数によって体型も変わるため、ドレスは縦横のラインなど気にするポイントが多くなりますが、「妊婦だから」とあきらめるのでなく、妊婦だからこそ着こなせる自分らしい一着を探したいものです。

マタニティ用のウエディングドレスでなくてもサイズを上げれば着られることもありますが、マタニティドレスを積極的に取り入れているドレスショップには専門のスタッフがいるので、ぜひ相談してみましょう。

ドレスショップではキャンセル料などを必ず確認

ドレスを選ぶ際は、マタニティ専用のドレスを最低でも10着以上もっているドレスショップに足を運ぶのが安心です。妊娠中〜後期にかけて、予想以上に体重が増えてしまうこともあります。ドレスを選ぶ時は、挙式直前のサイズ変更が可能かどうかに加え、キャンセル料の有無やキャンセル料がかかる場合の料金もきちんと確認して。

試着の段階で会場がまだ決まっていない場合は、マタニティドレス専門のショップが提携している会場を紹介してもらうと準備がスムーズに進みます。ドレス選び以外のことについても心配なことはショップのスタッフに相談を。

挙式日に妊娠何カ月かで選ぶポイントが変わる

マタニティ婚の場合、アンダーバストの位置に切り替えがあるドレスがおすすめ。おなかが大きくなっていくので、丈の変更が可能なドレスを選びましょう。挙式日に妊娠何カ月かでドレス選びのポイントが変わります。挙式の体型をイメージしながら試着を。

挙式日の妊娠月齢別ドレス選びのポイント

挙式日に妊娠4カ月

一般的なウエディングドレスでOK。苦しくないものを選びましょう。

挙式日に妊娠5〜6カ月

ハイウエストのドレス、ウエストの切り替えが上にあるドレスを。

挙式日に妊娠7〜8カ月

アンダーバストの下に切り替えがあるドレスを。

マタニティ婚のドレス選びのポイント

首もと

デコルテを美しく見せることを心がけましょう。ビスチェなどデコルテを出すタイプのドレスを選ぶと映えます。

二の腕

袖やフリル、レースなどで無理に隠そうとするとかえって太って見えてしまいます。ヴェールなどを上手に利用してカバー。

素材、デザイン

フリルなどでおなかを隠すのは逆効果。シンプルなデザインで、軽くて動きやすいドレスを。

バスト

妊娠週数が進むにつれて、バストは大きくなっていきます。試着時、胸元はすき間なくバストカップに余裕のあるドレスを選びましょう。

靴

転倒防止のためにも、ヒールの高さは5cmくらいで。足もむくみやすくなるので最終チェックで必ず確認を。

試着の時には出産経験のあるスタッフや友人に同席を

初めての試着の際には、まだそれほどおなかが目立っていない状態です。挙式日を想定したドレスを選ぶためにも、出産経験のあるスタッフに同席してもらうとよいでしょう。該当するスタッフがいない場合は、母親もしくは出産経験のある友人に一緒に足を運んでもらうと安心。客観的なアドバイスをもらいながら試着することをおすすめします。

1週間前に必ず試着して最終チェックを

安定期に式を挙げるよう準備をしているとはいえ、体調やサイズは日ごとに変化していくものです。挙式の1週間前に必ず最終フィッティングを。

本人・両親

子連れ婚の準備

家族の絆が深まる記念の式に

今後増えていく結婚式の一つの形として注目

マタニティ婚とともに少しずつ増えているのが、子どもが誕生したあとに子どもと一緒に行う「子連れ婚」。さまざまな理由から入籍・出産前までに結婚式が挙げられず、出産して新しい家族を迎えた後、パパになった新郎、ママになった新婦とその子どもとの、家族みんなでお披露目ができる結婚式。今後ますます増えていく結婚式のスタイルの一つとして注目を集めています。

子連れ婚を行ったことにより、「家族の絆が深まった」「両家の距離が縮まった」などの声が。親子三世代にわたっての節目の日となるようです。

事前の打ち合わせも子どもと一緒に

子連れ婚の増加にともない、「おむつ替えスペースがある」「スタッフに子育て経験者がいる」など子連れ婚を歓迎する結婚式場も少しずつ増えてきています。子連れ婚の場合、招待客も乳幼児を連れての参加という場合も多いので、子どもと一緒でも気兼ねなく結婚式を楽しめる会場を選ぶとよいでしょう。

会場との打ち合わせの際は、子どもを預けていくことが多いようです。しかし、子どもを一緒に連れていくことにより場慣れしたり、会場のスタッフと打ち解けるということなどを考えると、子連れの打ち合わせもおすすめです。

Case 33

招待客に子どもが飽きない工夫が足りなかった

子連れ婚を行いました。招待客の中にも子どもと一緒に式に参加してくれた方が何人かいたのですが、自分たちの結婚式の準備に追われ、招待客の子どもへの配慮をすっかり忘れてしまい、当日、会場のあちこちでぐずる子どもの泣き声が……。気配りが足りなかったと反省しました。

Advice

キッズスペースを設けるなどの配慮を

子どもが何人も来るなら、子どもが飽きない工夫が必要です。遊ぶスペースを会場の一角につくったり、ぬいぐるみや絵本などをテーブルに置くなどちょっとした心づかいを忘れないように準備しましょう。

子連れ婚を準備する時の注意ポイント

スケジュールにゆとりをもって準備を進める

小さい子どもは風邪など病気になりやすく、結婚準備も思うように進まないもの。イレギュラーな事態に備え、想定プラス1カ月くらいのゆとりをもったスケジュールでプランニングを進めていきましょう。

わからないことや困ったことは早めにスタッフに相談する

子連れ婚を積極的にサポートするプランのある会場なら、わからないことや困ったことは早めにスタッフに相談します。時間が限られているので、状況に応じてメールでの打ち合わせが可能か確認を。

子連れの招待客がいる場合は子どもが飽きない配慮を

新郎新婦だけでなく、子ども連れの招待客がいる場合は子どもが飽きない配慮が必要です。同行する子どもの年齢を事前に確認し、子どもの年齢に合った絵本や、ぬり絵などを用意しておきましょう。

子どもが3歳以上ならリングベアラーなどを頼んで演出に参加

子どもにリングベアラーやフラワーガール、ヴェールガールなどをしてもらうなど、積極的に演出に参加してもらうのもおすすめです。子どもが喜ぶのに加えて家族の一生の思い出として残るでしょう。

何人かの招待客に子どものお世話役を頼んでおく

子どもがまだ赤ちゃんで、披露宴の最中急なおむつ替えなどの必要が生じた時のために、招待客の中から赤ちゃんのお世話をしてくれそうな人にあらかじめ対応をお願いしておくと安心です。その際は、お礼やプレゼントを渡すなど、感謝の気持ちを忘れないようにしましょう。

アットホームな雰囲気の中で行われる披露宴

子連れ婚の場合、両親や親族、親しい友人だけを招待して祝う少人数の披露宴が多いようです。日頃見守ってくれる方々に、改めて子どもの誕生を伝え、みんなで祝う結婚式は生涯忘れられない思い出になることでしょう。家族としての新しい門出を迎える喜びにあふれます。

両親

記念品贈呈の時などには周りの人に協力してもらって

当日は、祖父·祖母として孫の様子を気にかけ、必要に応じてお世話してあげましょう。花束贈呈など自分達の出番の時はまわりの人に協力してもらい親としての役割を果たしましょう。

Q&A

Q 披露宴を会費制にしたい。注意する点は？

A ご祝儀の代わりに会費を払ってもらう会費制は、招待客への配慮が必要。金額は8,000～1万5,000円で設定することが多いようです。招待状にはドレスコードや、お祝いはいらない旨を明記し、細部にも気を配りましょう。

Q ブライダルフェアへ行くときの注意点を教えて！

A ブライダルフェアへは、二人で行くのが基本。会場の雰囲気を記録するために、デジカメなどをもっていくと安心です。ドレスの試着をする場合は、脱ぎ着が楽な服装で。

Q 新作のドレスを着たい。いつ入荷するの？

A メーカーによりやや異なりますが、新作発表会や展示会は1～2月と7～8月に行われることが多いものです。ショップに入荷するのはその後なので、新作ドレスがたくさんそろう時期は2～3月、9～10月といえるでしょう。新作ドレスをいち早く着たいという花嫁はこの時期に試着を。

Q 英語はできないと海外挙式はできないの？

A 挙式を手配してくれている会社が、現地とのコーディネイトはすべてしてくれるのが基本です。挙式当日は、日本語が話せる現地スタッフが付き添ってお世話してくれることがほとんどなので、心配ないでしょう。英語が話せなくても海外挙式は挙げられます。憧れの国での結婚式をぜひ実現させてください。

第六章

結婚式当日の過ごし方とマナー

最終確認と当日の流れをおさらいしたら、
さあいよいよ本番です。
最高の笑顔で、二人が主役となる人生の晴れ舞台を
思う存分楽しみましょう。
招待客への感謝の気持ちをもって、
おもてなしすることが大切です。

本人

前日の過ごし方

会場到着から終了までの流れをイメージ

本番へ向けて準備をしっかり整えることが大切

人生の一大イベントである結婚式を翌日に控え、今日1日をどのように過ごすか。両親や家族と食事に出かけるなど水入らずのひと時を過ごしたり、あるいはお世話になった方々へお礼の手紙を綴ったり。最近では、気心の知れた友人達と独身最後の夜を満喫しようとパーティを開くこともあるようです。なかには、前日まで目一杯仕事が詰まっている人もいることでしょう。

大事な結婚式に不備があっては大変。いろいろしたいこと、すべきことはたくさんあると思いますが、まずは明日の準備をしっかりと整えることが肝心です。

持ち物チェックはリスト化しておこう

結婚式当日バタバタしないよう、荷物や手配にもれがないか、前日のチェックは念入りに行いましょう。会場到着から終了までの流れをイメージすると、「あっ、これ忘れてた」と気づきやすいもの。また、リストをつくっておくと、スムーズにチェックできます。

両親とは前日にやることのすり合わせを

結婚式の当日のスケジュールについて、両親にお願いすることの確認をしておきましょう。当日は緊張しているので、何をやればいいのか忘れてしまった……ということもよくあります。リストをつくって一つひとつ確認しておくと安心です。

Check

持ちものリストをつくる

チェックをしやすいようリストをつくっておきましょう。

<リストの一例>

□結婚指輪
□リングピロー（必要に応じて用意）
□スタッフへの心づけ（新札で）
□謝礼（新札で。数名分多めに用意する）
□ペン、芳名帳（受付用）
□座席表、進行表
□着替え、小物、靴
□白いハンカチ
□ティッシュ
□親への記念品、手紙
□大きめの紙袋（持ち帰りの荷物に備えて）
□軽食
□二次会用の衣装
□宿泊セット（ホテル宿泊の際の化粧品など）

当日お世話になる人に連絡を入れておくと安心

会場で受付などをお願いする友人や、披露宴でスピーチや余興をしてくれる招待客に、「明日はよろしくお願いします」と連絡を入れておくと安心です。最近はメールで連絡するケースも増えているようですが、人によってはあまりチェックしない人もいるので、できれば電話を入れ、出ない場合にはメッセージを残しておくのが安心。

式に呼べない恩師や知人にもお礼のあいさつを

式に招待している人以外にも、学生時代の恩師などお世話になった人に感謝の気持ちを伝えておきたいもの。気心の知れた方なら、メールでも失礼はないでしょう。

心身をリラックスして早めに寝るのがベスト

欧米では、新郎となる人は男性仲間、新婦は女性の友人達と独身最後を祝うパーティを開くのが通例となっています。日本でも同様に仲間が集まってお酒を飲んだりする機会が増えていますが、ハメを外して本番に響かないよう、控えめに。できればゆったりとお風呂に入るなど、体を休めて早く寝るのがよいでしょう。

爪のお手入れやシェービングは早めに行っておく

爪やシェービングなど必要なボディのお手入れも忘れずに。ただし、シェービングは万が一のトラブルに備えて、できれば事前にサロンなどですませておくと安心です。

Case 36

前日まで荷物の準備に追われ挙式中に眠りそうになった

ハネムーン休暇を10日取るため前日まで仕事が山積みの状態で、毎日最終電車で帰宅するありさま。そのこともあって、当日の衣服や小物など荷物の準備は毎晩帰宅後にしていたんです。なんとか結婚式は乗り切れたのですが、式と披露宴の最中に眠気が襲ってきて、あやうく眠るところでした。

Advice

事前の準備で体調をしっかり管理

式の段取りはおおかたプランナーが手配してくれますが、それ以外にもさまざまな準備が必要。仕事で遅くなることが想定されるなら、前週の週末を利用し、荷物を一気にそろえてしまうと、前日はチェックだけですみます。

本人

新郎新婦の当日の流れ

笑顔で過ごせるよう事前にイメージしておこう

1日のスタートから二次会まで これまでの努力が実を結ぶ日

さあ、いよいよ結婚式当日。少し早めに起きて身支度をし、しっかり朝食をとるようにしましょう。家族には、朝のうちに改めてお礼のあいさつをしておきます。

式場に着いたら衣装の着付け・ヘアメイクを行い、親族・来賓者へのあいさつ、担当者や司会者との最終打ち合わせを行います。その後挙式、そして披露宴と進行。終了後は忘れ物がないかチェックし、あとのことは両親に任せ、着替えて二次会に臨みます。二次会はスタッフがサポートしてくれるので、安心して笑顔で過ごしましょう。

神前式とキリスト教式では 式の進行やしくみが異なる

挙式は、神前式（P56）とキリスト教式（P58）とでは形式が異なります。例えば、神前式では新郎新婦は一緒に入場しますが、キリスト教式では先に新郎が入場し、新婦は父親と腕を組んで入場します。また、キリスト教式では「誓いのキス」をしますが、神前式ではキスはせず、「親族杯の儀」というお酒を飲む儀式があります。今一度流れを復習しましょう。

Case 34

披露宴で演奏を依頼していた友人が突然のトラブルでキャンセルに

当日披露宴でピアノの演奏をしてくれることになっていた友人が、前日に指をケガしてしまい、演奏ができなくなってしまったと突然連絡が入ったんです。空いてしまった時間は新郎新婦で各テーブルを回り、一緒に写真を撮って招待客と触れ合う演出を入れました。

Advice

次点候補の人選を事前にしておく

友人の演奏やスピーチは、披露宴を盛り上げる重要な役割を果たします。突然予定の変更を余儀なくされることになった場合に備えて、次点候補の方を事前に決めておき、声かけをしておけば安心です。

〈新郎新婦の当日の流れ〉

当日朝

朝食はきちんととりましょう。ただし水分のとりすぎはトイレが近くなるので注意。家を出る前に、両親や家族へのあいさつも忘れずに。新婦はメイクは控えめにしておきましょう。

↓

2～3時間前

新婦は遅くとも2時間前、新郎も1時間前には式場入りしましょう。新婦は着付けやメイクに入る前に必ずトイレに行くように。担当者や着付けのスタッフに心づけがある場合は、あいさつの際に渡すとよいでしょう。

↓

1時間前

支度が整ったら両親と一緒に控え室に行き、媒酌人（仲人）にあいさつします。その後、司会の方と披露宴の進行について最終確認を行います。新郎・新婦の親族紹介を行う場合は主に控え室で行います。

↓

挙式開始

キリスト教式は司祭の指示に従い讃美歌斉唱、聖書朗読を経て誓約の誓い、指輪の交換を行います。神前式では斎主が祝詞を読み上げたあと、三献の儀、指輪の交換、誓詞奏上などを行います。

↓

披露宴30分前

トイレは披露宴が始まってしまうとしばらく行くタイミングを逃してしまいますので、ここでしっかりとすませておきましょう。着替えをし、披露宴に備えます。段取りの確認も忘れずに。

↓

披露宴

司会者の進行に沿って、ケーキ入刀や各テーブルを回ったりなど、打ち合わせ通りに進めます。トイレはお色直しのタイミングで。お酒を注ぎに次々と来賓がテーブルにやってくるので、飲みすぎに注意しましょう。

↓

披露宴終了

来賓の方を見送ったあと、両親に改めてあいさつをし、二次会のために着替えます。自宅が近い場合は一旦荷物を置きに帰ってもよいでしょう。会場が離れている場合は、事前に車の手配をしておくように。

↓

二次会

気の合う仲間が一堂にそろう二次会。進行は司会に任せ、気楽に臨みましょう。ただしハメを外しすぎないよう気をつけて。とくに、翌日にハネムーンを控えている場合はお酒の飲みすぎに注意しましょう。

両親

両親の当日の流れ

二人の門出を見守りつつ周囲に配慮を

始まりから披露宴終了まで親として気の抜けない1日

結婚式とは、ある意味、主役の二人よりも両親のほうが何かとすべきことが多いものです。感慨もひとしおだと思いますが、式が終わるまでは気を引き締めて臨みましょう。

朝は新郎や新婦よりも早起きして、食事の準備や荷物チェックを行います。式場には1時間ほど前に入り、相手の両親や会場のスタッフ、媒酌人、司会者へのあいさつ、招待客の出迎えなどを。披露宴中は主賓や招待客にお酒を注いで回ったり、クライマックスではスピーチも。披露宴後は媒酌人夫妻やスタッフに謝礼を渡し、招待客を見送って、任務完了です。

陰にひなたに二人を支える「新郎新婦の補佐」的な存在

挙式や披露宴では、両親は、どちらかというと「新郎新婦の補佐」的な位置づけ。招待客やスタッフに気を配ったり、披露宴であいさつを述べたりと、なかなか気を落ち着かせる暇もありません。晴れて夫婦となった息子や娘のために、出しゃばりすぎず、引きすぎず誠意をもって対応しましょう。

Case 35

父が招待客のタブーな話題に触れてしまった

披露宴で新郎新婦が中座している間に、両親が各テーブルを回ってお酒を注いでいた時のこと。離婚したばかりの友人に、父が「ご結婚はされているんですか?」と聞いてしまい、友人が言葉に詰まってしまうというハプニングが。あとで両親からその時のようすを聞いて発覚し、友人には心から謝りました。

Advice

招待客の情報をあらかじめメモで渡しておくなど対応を

お父さんも決して悪気があったわけではないと思います。しかし、相手によっては今後の関係悪化につながりかねません。このようなことを回避するため、出席者の情報を簡潔にまとめたメモなどを渡しておくとよいでしょう。

〈両親の当日の流れ〉

当日朝

当日は新郎・新婦よりも早めに起きて、朝食の準備を。食事の際には、水分のとりすぎに注意します。身仕度を整え、忘れ物がないよう荷物のチェックはぬかりなく。雨の日は交通機関の遅れが予想されるので、早めの出発を心がけましょう。子どもからお礼のあいさつをされたら、しんみりしすぎず、笑顔で送り出してあげましょう。

1時間前

式場入りしたら、まずスタッフや係の方にねぎらいのあいさつを。媒酌人や招待客をお迎えした後、母親は着付け室で新婦を見守ります。支度ができたら、控え室に移ります。親族紹介がある場合は控え室で行うケースが多いようですが、会場担当者の指示に従います。

挙式開始

キリスト教式では新婦の父親は新婦の腕をとり入場します。神前式はとくに新郎新婦に付き添う必要はありません。たいていの場合、式の開始前に進行手順について説明があるので、それに従います。挙式の時間は式場にもよりますが、通常は30分ほどです。

披露宴30分前

親族紹介をこのタイミングで行うこともありますので、事前にわかっている場合は両家から親族に伝えておくとよいでしょう。トイレをすませ、進行表や席次表を今一度チェックして、披露宴に備えます。時間が許せば、披露宴終了後の段取りも確認を。

披露宴

披露宴は約2～2時間半が主流。必要に応じ、お色直しなどのタイミングを見計らって各テーブルを回り、お酒やドリンクを注ぎながらあいさつします。新郎新婦からの花束贈呈のあと、両家を代表して新郎または新婦の父親がお礼のスピーチを述べ、フィナーレに。

披露宴終了

招待者、媒酌人を見送ったあと、必要に応じて新郎新婦に代わり衣装や小物の返却を行ったり、精算をすませたりします。御祝儀を預かる場合は、専用の袋などを用意しておくとよいでしょう。最後に、忘れ物がないかチェックをし、スタッフにお礼を述べて会場をあとにします。

本人

いよいよカウントダウン！

最終確認のポイント

打ち合わせや衣装の最終確認をしっかり

結婚式まであと少し。いよいよカウントダウンに入りました。プランナーや式場担当者、司会者と綿密に打ち合わせてきた式や披露宴、そして二次会の準備も最終段階です。進行確認の他、衣装のフィッティングやメイクのリハーサルなど、プランナーとともに最終チェックも行います。披露宴で花嫁の手紙や新郎謝辞が必要な場合は、早めに用意し、リハーサルをしておくと安心。媒酌人や当日にスピーチ・余興をお願いする人、そして受付や撮影などを依頼した友人などにも連絡を入れましょう。会場への支払いなど金銭関係の準備も忘れずに。

週間天気予報をチェックして必要な場合は雨対策を

当日の天候によっては、交通機関に乱れが生じる可能性もあります。週間天気予報をチェックして悪天候に備えて雨具を用意する、あるいは交通手段を複数調べておくなど、対策を立てておくと安心です。

意外と見落としがち！子ども連れの招待客の対応

招待客の中に小さな子どもをもつ人がいる場合は、身内や保育所に預けて出席するのか、子ども用のイスが必要かを確認しておくと安心です。また、遠方からの招待客がいる場合は、交通手段の確保も確認しておきましょう。

Check

準備しておくこと

〝やったつもり〟になっていないか、しっかり確認しましょう！

- □花嫁の手紙、新郎謝辞の準備とリハーサル
- □披露宴招待客の出欠最終確認
- □会場側との最終確認
- □美容ケア
- □謝礼・心づけ（ポチ袋）・二次会のおつり等の準備

最終確認ですべきこと

式場担当者・プランナー

❶当日の待ち合わせ
集合時間、場所の他、連絡用に携帯番号も控えておきましょう。

❷当日の進行スケジュール
新郎新婦・招待客控え室の使用時間等を今一度確認します。

❸最終的な人数と席次
配席や食事数にも影響するので変更の場合はすみやかに連絡を。

❹衣装や荷物の搬入
搬入可能な日時を確認します。

❺最終費用
振り込みのほか、カード払いが可能な場合もあるので確認を。

友人・スタッフ

❶集合時間・持ち場
披露宴や二次会の幹事、受付を依頼している場合は、メールや電話等で最終確認を行いましょう。

❷祝儀の管理
だれが管理するか決めておきます。

❸二次会のおつり等
事前に用意して幹事に渡します。

その他の確認

❶司会者との打ち合わせ
新郎新婦のプロフィールのほか、スピーチや余興を依頼した人の紹介などプログラムの進行予定に沿って最終確認。万一変更があった場合は、早めに連絡を。

❷映像や音楽
披露宴や二次会でPCやプロジェクターなど機器を使う場合は、式の数日前に確認を。

美容ケア・ヘアケア

❶スキンケア
パックなど肌のキメを整えるケアは、アレルギーなどトラブルが起きないか1週間前くらいに一度試しておくと安心です。

❷痩身エステ
衣装合わせでサイズを決めている場合は、この段階ではサイズが変わらないよう注意が必要です。万一痩せすぎてしまった場合は、衣装の変更などプランナーや式場担当者に相談しましょう。

❸脱毛
脱毛する場合は、必要最低限にとどめたほうが無難です。とくに、背中は一度脱毛するとその後も毛が生えてくることもあるので、必要ない場合は足や腕だけにしておきましょう。

❹ヘアケア
普段よりも少し時間をかけてシャンプーやトリートメントを行いましょう。あとは当日ヘアメイクの方にお任せします。

会場の立ち会いなどはできるかぎり二人そろって

これまで入念に準備をしてきたとはいえ、意外と直前まで忘れていたことに気づかないこともあるもの。先輩やプランナーにもアドバイスをもらいながら、一つひとつ丹念に最終確認を行いましょう。その際、挙式や披露宴に関することは、できるかぎり二人そろってリハーサルに出向いたり、無理な場合は必ず情報を共有したりするようにしましょう。

本人

つねに感謝の気持ちを心に

新郎新婦の当日の心得

緊張を上手にほぐしつつ来場者への心配りも忘れずに

何といっても主役ですから、緊張するのは当たり前。とくに挙式前は気持ちが高ぶりがちです。心配になってきたら、ゆっくりと深呼吸をして、心を落ち着かせましょう。友人を見つけて過度にはしゃぐのも禁物。自分達の門出を祝いに足を運んでくださっているという気持ちを忘れずに。

着付け前や式と披露宴の間など、トイレは行ける時にこまめにすませます。水分をとりすぎないことも肝心です。また、着付けで衣装やかつらがきつかったり違和感がある場合は、遠慮なくスタッフに伝えて調整してもらいましょう。

朝食をきちんととってメイクはしないか軽めに

当日は少し早起きして、荷物を確認します。朝食は決して抜かないように。食べられなかった場合は軽食を持参しましょう。また、式場でヘアメイクをすぐ始められるよう、メイクはしないかごく簡単に、髪はスタイリング剤をつけずに出かけましょう。

当日は遅れないように事前に準備をすませておく

車で会場に向かう場合は、パーキングスペースを事前に確保しておくなど、遅れないように注意が必要です。披露宴後、ホテルに宿泊して翌日そのままハネムーンへ出かける場合は、パスポートやチケットなど旅行の準備も入念に行いましょう。

Check

当日の朝すること

今日が最高の日となるよう、やるべきことはしっかり行いましょう！

- □朝食をきちんととる
- □両親へのあいさつ
- □荷物チェック（チェックリストで確認を）
- □メイク、髪の手入れは簡単に

当日大切なこと

朝食が喉を通らない場合は軽食を持参

いつもより早起きしなければならない結婚式当日。とくに、午前中に挙式の場合は朝がとても早いため、朝食が喉を通らないことも。そのまま式場で何も食べずに貧血に……なんてことにならないよう、小さなおにぎりやサンドイッチ、お茶などを用意しておきましょう。ただし、おにぎりは海苔などが歯につきやすいので、必ず鏡でチェックして。

白いハンカチは予備を多めに持参して

白いハンカチは、できれば数枚用意しておくと万全です。「なぜそんなに？」と思うかもしれませんが、結婚式に涙はつきものです。とくに花嫁は、涙と一緒にメイクも付着しますので、1枚だけでは心許ないもの。どこかにポイと置き忘れることもないとはいえません。バッグに数枚入れておけば安心です。

支度中のあいさつには着席の失礼を詫びる

媒酌人や来賓、親族へのあいさつは通常親族の控え室で行いますが、着付けやヘアメイクを行っている時に、ふいにあいさつに顔を出されることもあります。その場合は、無理に立とうとせず、「座ったままで失礼します」とひと言添えれば大丈夫です。また、席をはずす場合には、必ず親やスタッフに行き場所を伝えてから席を立つようにしましょう。

挙式のリハーサルは慌てずゆっくりと

神前、キリスト教、人前といった様式によらず、着付けを終えたタイミングでリハーサルを行うケースも多々あります。内容は、神前式の場合は玉串の捧げ方や親族杯の儀、キリスト教式ではバージンロードを使った入場のしかたなどを新郎新婦でレクチャーを受けます。難しいことではありませんので、一つひとつ確認しながら本番に備えましょう。

宴席中に注がれるお酒はできるだけ飲まない

披露宴の最中には、たくさんの方がお祝いのあいさつをかねてお酒を注ぎにテーブルに来ます。お酒が飲めなければ、乾杯も形だけにとどめ、あとは飲めない旨を伝え失礼を詫びましょう。もちろん、飲める場合も無理をしないように。通常はテーブルの下にバケツが置いてありますので、見えないようにそこに少しずつ空けていきましょう。

1日が終わるまでは主役としての節度を

無事披露宴も終わり、媒酌人や両親、スタッフを見送って、残るは二次会。ここで張り詰めていた気持ちが一気にほぐれ、ハメを外したくなるものです。しかし、今日1日は「主役」であることを忘れずに。気を許して酔いつぶれたりしたら、それこそ語りぐさになってしまいます。すべてが終わるまでは、節度をもって二次会に臨みましょう。

式中のハプニングやトラブルはまず介添人に告げる

挙式や披露宴では、新郎新婦に介添人（アテンド）が付き添って面倒をみてくれます。式進行に関しては会場の各スタッフがフォローしてくれるので、例えば披露宴中に服やかつらが当たって痛かったりとか、気分が悪くなった場合には、離れて座っている両親ではなく、世話役である介添人に伝えましょう。

両親

新郎新婦を陰で支える 両親の当日の心得

当日は新郎新婦を支え、見守って

主役はあくまで新郎新婦ですが、招待客の接待は、新郎新婦同様に両親の大切な役割です。ただし、立場をしっかりわきまえ、目立ちすぎないようにふるまうことを心がけてください。

一方、挙式での新郎新婦のお世話は、媒酌人や介添人の役割になります。式場では両親は凛として新郎新婦を見守り、親族のフォローを中心に新郎新婦をサポートして。

また、相手方の両親とはこれから長いお付き合いとなります。円滑な関係が築けるよう、あいさつだけでなく、控え室などで時間の許す時にコミュニケーションを深めましょう。

新郎新婦と自分たちの荷物チェックを忘れずに

出かける前は、何かと慌ただしくなります。まず新郎新婦の忘れ物がないか、一緒にチェックを。心づけやお車代など必要なものは事前にチェックリストをつくり、当日最終確認をして出かけるようにすれば万全です。

Check

出かける前に、念のためもう一度確認を！

＜リストの一例＞

- □心づけ･お車代･謝礼
- □白いハンカチ2～3枚
- □コンパクトカメラ
- □進行表
- □席次表
- □スピーチ原稿

心づけなどの金額はあらかじめ相談を

心づけや媒酌人への謝礼、お車代などだれにいくら渡すか、あらかじめ両家で話し合っておくとスムーズです。また、新郎新婦が渡すはずだったのにうっかり忘れてしまった時などに備えて、やや多めに用意しておきましょう。

当日すること

当日はもちろんのこと 数日前から 体調管理をしっかりと

結婚式当日に備え、挙式の数日前から体調管理には気を配り、しっかりと睡眠をとるようにしましょう。また、控え室や披露宴では、招待客や親類からお酒を注がれることも多いと思われます。くれぐれも酔いつぶれたりしないよう、飲みすぎには十分注意して。

式場では招待客の 世話役に徹して 細やかな気配りを

会場入りしたら、招待客のお世話係として、こまめに応対しましょう。控え室で高齢の人がいる場合にはイスに誘導したり、飲み物が行き渡っているかなどきめ細やかな気配りを。また、席を外す時は、スタッフや親族に行き場所を伝えるようにします。

新婦が緊張していたら 母親がそっと ほぐしてあげて

身支度を整え挙式に臨む前は、新郎新婦の緊張がピークに達します。控え室で新婦がソワソワしているようなようすを感じたら、母親がそっと付き添ってあげるだけでも気が休まるもの。それでもおさまらなければ、手を握りひと言声をかけてあげましょう。

披露宴でのお酌は ケースバイケースで 流れをみながら回る

披露宴の際、お酌をしに両親が各テーブルを回る姿をよく見かけますが、必ずしも行わなければならないものではありません。会場の雰囲気や進行の流れをみて判断を。また、中にはお酒が飲めない招待客もいるかもしれませんので、必要に応じ確認すると無難です。

心づけや謝礼は あいさつ時など タイミングを見計らって

司会者へのお礼や会場スタッフへの心づけは、式の前か披露宴後にあいさつがてら渡すのがベスト。着付けやヘアメイクの方には、基本的には新郎新婦からですが、渡しそびれた時に対応します。媒酌人にはお車代を渡し、当日お礼を渡せなかったら後日渡します。

終了後には 精算や衣装返却 忘れ物チェックを

披露宴終了後、支払いや衣装などの返却がある場合は、忙しい新郎新婦に代わって精算してあげると、新郎新婦も安心して二次会の準備に入れます。その場合、精算方法など事前に確認しておきましょう。最後に、忘れものがないかひと通り確認を。

親族紹介を行う際には敬称をつけないよう注意

親族紹介は、結婚式の前や披露宴の前に控え室などを利用して行います。多くの場合、両家の父親（不在の場合は母親や叔父など）がそれぞれの親族を紹介していきますが、自己紹介形式で行う場合もあります。敬称はつけず、父親、母親、新郎新婦の兄弟、父方親族、母方親族の順番で親族の名前と関係を紹介していきます。

本人・両親

家と家とがつながる大切なあいさつ

親戚紹介のポイント

お互いの親族を一人ずつ紹介 両家がつながる大切な儀式

式当日は、様式にかかわらず、挙式の前後に両家の親族が一堂に会し、お互いの親族を一人ひとり紹介し合います。これを「親族紹介」といいます。そもそも結婚とは、新郎新婦二人だけのものではありません。二人が夫婦になることで、新たな家と家のつながりが生まれます。親族紹介はそのための大切な儀式として、昔から行われてきているのです。

親族紹介は多くの場合、新郎新婦の父、あるいは父が不在の場合は親族の代表が進行役となり、全員を紹介します。なお、近年は自己紹介形式も増えてきています。

控え室や式場での紹介が一般的。集合写真撮影時に行うことも

紹介のタイミングは、その土地の慣習にもよりますが、通常は挙式の前に両家の親族控え室の間仕切りを取り外して行ったり、もしくは挙式の終了後に行います。ケースによっては、親族集合写真撮影の際にすることもあります。

「血縁の濃い順」が一般的な紹介順

親族紹介では、紹介の順番も注意を要します。一般的には、新郎の家長から始まり、家長の親、兄弟姉妹と関係の深い順に紹介していきます。ただし、土地のしきたりがある場合があるので、紹介者と事前に相談し、順番を決めておくのが無難です。

Check

一般的な紹介順

新郎･新婦の順で、血縁の濃い親族から名前と関係を紹介。

1 父、母　2 兄、姉
3 弟、妹　4 父方の祖父母
5 父方の叔父、叔母
6 母方の祖父母
7 母方の叔父、叔母

※4 6 5 7の順の場合もあります。

親族紹介の流れ

親族紹介は礼に始まり、礼に終わります。

お互いの親族に失礼のないよう、あいさつのしかたや流れをおさえておきましょう。

1 新郎側のあいさつ

（あいさつ例）

（父）「新郎の父の○○と申します。本日はお忙しいところお越しいただき、誠にありがとうございます。当家の親族を紹介いたします」


新郎の父が不在の場合は親族代表、または新郎が進行・紹介役を務めます。

2 新郎側の親族紹介

（あいさつ例）

（父）「私の隣が、新郎の母の○○です」

（母）「母の○○（名前）と申します。どうぞよろしくお願いいたします」


必ず新郎からみた続柄で紹介します。敬称をつけないよう注意。

3 新婦側のあいさつ・親族紹介

（あいさつ例）

（父）「新婦の父の○○と申します。当家の親族を紹介いたします。以後よろしくお願いいたします」（以下、2に同じ）


紹介のスタイルは新郎側に合わせます。

4 一同おじぎをする

（あいさつ例）

（両家代表そろって）「改めまして、よろしくお願いいたします」

親族同士は初対面。なごやかな雰囲気で進めよう

親族紹介の時点では、両家の親族同士は初対面のケースが多いので、お互いに緊張しているもの。新郎・新婦や両親から声をかけ、よい雰囲気になるように心がけましょう。

親族紹介の進め方やタイミングは会場によって違うので、担当者に事前に確認し、両親と情報を共有しましょう。

Check

親族紹介のポイント

進め方やタイミングを事前に担当者と確認して。

- □両家の紹介者を決める
- □出席者の確認
- □紹介の順番を確認（両家それぞれに）
- □立ち位置（席順）の確認（紹介者と一緒に）

本人・両親

当日お世話になる方々への心づくし

お礼・心づけの渡し方とマナー

用途により袋や金額が異なるので注意

式当日は、挙式前から披露宴まで、さまざまな方にお世話になります。結婚式を支えてくれる方、来賓や招待客としてお祝いに駆けつけてくださる方などに感謝の気持ちを伝えるものがお礼や心づけです。会場によっては心づけを受け取らないところもありますが、やや多めに準備しておくのが無難です。渡す相手や用途など条件により、「御礼（御祝儀）」「御車代」「内祝」と表書きや袋が変わります。包むお札は新札を用意。直前になって慌てないよう早めに準備しましょう。

まずはお礼・心づけのリストをつくろう

用意の段取りとしては、まず「だれが」「だれに」「いくら」渡すかリスト化し、重複のないよう二人で確認します。それに従って祝儀袋やポチ袋を用意し、金銭（新札）を封入します。袋は金額で分類しておくと安心です。

Case 37

誤って違う人に渡すはずの心づけを渡してしまった

当日渋滞で会場入りするのが遅れ、挙式前の支度が押してしまいました。それでも着付けの方が力を尽くしてくれ、なんとか挙式時間に間に合ったのですが、焦っていた私は、その方に渡そうと用意していたのとは違う心づけを渡してしまったんです。金額が少なめでしたので、申し訳なかったなと思います。

Advice

心づけを複数用意する場合は区別をつける工夫を

結婚式では、予定が押すことが多々あります。心づけを渡す際は相手の名前は書きませんので、金額の違う袋を複数用意する際は、袋を変えるか、付箋を貼るなどして区別すると、時間がない場合でも間違いを防げます。

心づけや謝礼は どちらが負担する？

心づけは、基本的に司会者やカメラマン、演奏者など「式全体にかかわる場合」は両家または新郎側で、着付けやメイクなど新郎新婦それぞれに付くスタッフには別々に渡すのが通例です。媒酌人（仲人）に対する謝礼は、通常新郎側で負担します。

また、披露宴で遠方からの招待客へのお車代は、新郎側であれば新郎が、新婦側であれば新婦が負担します。

受付担当には事前に親から、司会や生演奏、ウェルカムボードなどのウエディングアイテムをつくってくれた友人などにも、披露宴終了後に二人から渡しましょう。

お礼・お車代・心づけを渡すタイミングと金額の目安

会場到着～挙式前

**司会進行や裏方として
お世話になる方に
心づけを**

当日お世話になるスタッフに、心づけを渡します。司会者、ヘアメイク・着付けの方、カメラマンには5千円～1万円を、式場担当者には1万円程度を式や披露宴が始まる前、着付けの前に「御祝儀」「寿」として両家連名で渡します。司会者が友人などプロでない場合は2万円くらいを渡すといいでしょう。

**受付をお願いする方には
披露宴前に
一人ひとりお礼を**

披露宴の受付をお願いした方には、「御礼」として3～5千円程度渡します。祝儀袋に新札を用意し、受付が始まる前に親から「よろしくお願い致します」などの言葉を添えて渡します。

挙式後～披露宴前後

**企業重役・議員など特
別な来賓や遠方からの
出席者にはお車代を**

披露宴に主賓として会社の社長や役員クラスの方をお招きした場合は、目安として1万円程度を「御車代」として披露宴前にそっと手渡します。議員などには、5千円程度が目安です。また、来賓・親戚縁者を問わず、わざわざ遠方から来ていただいた場合は、交通費や宿泊費を全額負担するのが基本です。

**演奏をお願いする方には
手間に応じて
お礼を渡す**

通常のスピーチや余興をしてくれた人には新婚旅行のおみやげを、演奏で機材をもち込むなど手間をかけていただいた方や、スタッフ奏者として披露宴を通して演奏をしていただく場合は、お願いする時間により、祝儀袋に1～3万円を「御礼」として用意。当日あいさつしたタイミングでお渡しするか、両親から渡してもらいます。

挙式後

**媒酌人には
〝倍返し〟を目安に
手渡す**

媒酌人をお願いしている場合は、結婚式終了後別室で、両家の親から、お礼を渡します。金額は一般的に「いただいたご祝儀の倍返し」とされており、10～20万円が目安となります。お礼は格の高い祝儀袋に包み、往復のハイヤー代に相当する「御車代」と菓子折りを添えて渡しましょう。

**御祝儀のみいただいた
方へ「内祝」として
ちょっとしたギフトを**

披露宴には出席しなかったけど、ご祝儀をくれた方には、いただいた金額の1/3～半額を目安に、1カ月以内に返礼をします。内容は、結婚式で用意した引き出物や同等のカタログセットを贈ってもよいですし、百貨店やギフトショップで商品を見繕ってもよいでしょう。その際、お礼状を添えるのを忘れないよう気をつけて。

本人・両親

入場から終了まで品格ある態度で

挙式でのふるまい方

挙式スタイルを問わず背筋をすっと伸ばして

結婚式（挙式）といえば、もともと日本では神前式をはじめ、仏前式や、地域によっては自宅式などが行われてきました。現在では、神前式、そしてキリスト教式が主流となっています。また、媒酌人を立てず招待客に結婚を誓う人前式も都会を中心に増えつつあります。

神前式では、神職と巫女が両家の縁結び役となります。一方、キリスト教式は神父か牧師が司ります。いずれも所要時間は30～60分程度。どちらの場合でも、立ち姿は見栄えに影響します。背筋をすっと伸ばし、品格のある態度で臨みましょう。

リハーサルは当日直前が一般的過度な心配は不要

挙式のリハーサルは、式場にもよりますが通常は当日式の前に神父（牧師）や神職の方からレクチャーを受け、一度練習して本番に臨みます。それだけでは不安かもしれませんが、過度に心配する必要はありません。

教会式やアットホームな挙式では子ども達も大活躍

教会式では、新婦入場の際にバージンロードに花びらをまいて清めるフラワーガール（フラワーボーイ）や、結婚指輪をのせたリングピローを運ぶ役目をするリングベアラー（リングボーイ・ガール）を招待客の子ども達にお願いすることもできます。

Check

イメージトレーニングをする

ほぼぶっつけ本番ですが、イメージトレーニングをしておくと安心です。

- □自分たちの挙式スタイル（神前式・キリスト教式など）の所作を確認（左頁参照）
- □式中は背筋を伸ばす
- □指輪をはめる手や指を間違えないように
- □多少間違えても慌てず対応すること

神前式・キリスト教式の流れ

現在主流の2つの挙式スタイルをおさらいし、当日をイメージしましょう。

神前式

1 入場

2 修祓《しゅうばつ》の儀《ぎ》

全員起立して拝礼。神職のお祓いが終了後着席します。

3 祝詞《のりと》奏上《そうじょう》

4 三献《さんこん》の儀《ぎ》

3つの盃を順に1、2と2回傾け口をつけ、3回めに飲み干します。

❶小の盃（一献め）新郎→新婦→新郎
❷中の盃（二献め）新婦→新郎→新婦
❸大の盃（三献め）新郎→新婦→新郎

5 誓詞《せいし》奏上《そうじょう》

新郎新婦が神前に進み一礼し、新郎が誓いの詞を読み上げます。新郎、新婦の順に自分の名前を述べたあと、神前に献上します。

6 玉串奉奠《たまぐしほうてん》

❶新郎新婦各々、右手で玉串の根元を持ち、左手で葉を支え神前に進み一礼
❷45度時計回りにして根元を手前にし、玉串を額に近づけ、幸せを祈念します
❸根元を左手にもち替え、時計回りで祭壇に根元を向け、神前に納めます
❹一歩下がり二礼二拍手一礼

7 指輪交換

8 親族盃《しんぞくはい》の儀《ぎ》

9 退場

キリスト教式

1 参列者入場

2 神父（牧師）と新郎が入場

3 開式宣言

4 新婦入場

エスコート役（父親）と腕を組んで入場します。途中で新郎がエスコートし聖壇へ。

5 讃美歌斉唱

6 聖書朗読・祈祷

7 誓約

神父（牧師）の問いかけに、新郎、次いで新婦が「はい、誓います」と誓約します。

8 指輪の交換

9 ヴェールアップ

右足を引き中腰の新婦のヴェールを新郎が上げ、誓いのキスをします。

10 結婚宣言

新郎新婦、証人（または神父）が署名します。

11 結婚誓約書にサイン

12 讃美歌斉唱

13 新郎新婦退場

本人

主役はつねに見られていると思って

披露宴でのふるまい方

入場・礼・着席・ケーキ入刀 つねに視線を集める新郎新婦

新郎新婦入場、お色直しは、二人にもっとも注目が集まります。入場する際は、二人そろって一礼し、背筋を伸ばして先導者に続きます。その際、新婦は新郎より半歩後ろをゆっくりと歩きます。洋装で新婦のドレスの丈が長い場合は、前に軽く蹴り上げるようにして足を出して。一方和装の場合は、ややあごを引き、内股でゆっくりと。メインテーブルに着いたら、二人そろってゆっくり礼をしたあと、イスの左側から着席します。あいさつをする際は、背筋を曲げずに15~30度を目安に。二人の呼吸を合わせておじぎをすると、優雅な印象を与えます。

お祝いしてくださる方々に 感謝の気持ちを笑顔で示そう

新郎はつねに毅然とした態度で、新婦はエレガントに。優雅な動きを心がけます。リラックスしすぎて過度に歯を見せるのは考えものですが、感謝と喜びの気持ちをもって、笑顔で招待客の皆さんに接しましょう。

Case 38

ドレスの裾が長すぎて転びそうになってしまった

披露宴のドレス選びの際に、一目で気に入ったドレスがあったので、一生に一度のことだからとそのドレスをレンタルしました。ところが、当日それを着て入場に臨んだところ、裾が長すぎて、つまずきそうになったんです。それも二度、三度と。もし転んでいたらと思うと、恥ずかしくてたまりませんでした。

Advice

試着時に歩き方を教わり少し練習する

ドレスは「着て動くもの」という視点を忘れずに。試着時に歩き方のコツを教わり、その場で少し練習して、確かめてみましょう。当日高いヒールを履く場合は、つま先から前にやや蹴り上げるように足を出すとうまく歩けます。

テーブルに着いても気を抜かないで

テーブルに着席している時も、新郎新婦は〝見られている〟意識を忘れずにふるまいます。主賓のあいさつやスピーチ、余興の際には、相手に意識を向けていることをきちんと態度で示すことが礼儀です。食事をしている時も、大口を開けて食べたりしないよう注意を払います。着席時や席を立つ時も、ゆっくりと慌てずにふるまって。

Check

テーブルでのふるまい

着席している時でも節度をもってふるまいましょう!

- □スピーチや余興の相手に目や耳を傾けましょう
- □ハメを外しすぎず、招待客には平等に
- □大きな口を開けて食べたり、がつがつ食べたりしない
- □スタッフにも丁寧に対応する

披露宴で気をつけたいマナー

ファーストバイトは衣装を汚さないよう配慮を!

新郎から新婦へは「一生食べるのに困らせないよ」という意味が、新婦から新郎へは「あなたのためにおいしい食事をつくります」という意味があります。招待客を楽しませるためとはいえ、誤ってフォークから落としたり、こぼして衣装を汚さないよう、折りたたんだナプキンやハンカチでよけるなど注意を払いましょう。

食事の際急いで食べたり大口を開けたりしない

お腹が空いていても、決して慌てて食べたりしないよう注意が必要です。「食事中くらいは大丈夫だろう」と大口を開けたりしていると、ビデオに撮られていたりして、あとで恥ずかしい思いをすることになりかねません。新郎新婦はつねに注目されていることを忘れずに。落ち着いて、少しずついただきましょう。

ナプキンやカトラリーのテーブルマナーに注意

カトラリーとは、ナイフ、フォーク、スプーンなどの金物類のこと。飲み物を飲んだり、食事の手を止める時には、フォークやスプーンは伏せた状態にして、お皿の上に「ハの字」にして置き、食べ終わった時はそろえて置きます。ナプキンは、中座の際には、口を拭いた部分を折りたたんで隠してからイスに置き、その場を離れます。

乾杯ではグラスの脚を軽く持ちグラスを当てない

乾杯の際など、グラスは脚の真ん中を人差し指、中指、親指の3本でもち、残りの指で軽く支えます。また、よくパーティで見かけるようなグラスを当てる行為はフォーマルではしません。軽くグラスを掲げ、アイコンタクトを。お酒が弱ければ、口をつける程度で構いません。

スピーチや余興の際は態度で感謝を伝えて

主賓から祝辞をいただく際は起立しますが、スピーチや余興の際には、座ったままの姿勢で構いません。ただし、始まる前に招待客が礼をしたら、こちらからも軽く頭を下げ、食事はなるべく控えて、相手に体と顔を向けて、しっかり注意を払っていることを態度で示すようにしましょう。終わったら、感謝の気持ちを込めて笑顔で拍手することも忘れずに。

友人との再会にはしゃぎすぎないように注意

結婚式では、日頃から親しくしている同僚や、久しぶりに会った友人などとつい長話しをしてしまいがちです。でも、招待客は友人達ばかりではありません。他の招待客が不快な思いをしないよう、特定の人との長話しや砕けた会話は慎むよう留意してください。長引きそうなら、「あとでゆっくりね」と伝えて、来てくれた招待客全員をもてなす意識で。

本人・両親

あいさつを終えて、二次会会場へ

披露宴が終わったらすること

二次会に入る前の一番慌ただしい時間

無事に結婚式、そして披露宴が終了し、ひと休みしたいところでしょう。その前にまだすべきことが残っています。きちんと終えて、気持ちよく二次会会場に向かいましょう。

まずは、媒酌人やスタッフの方など今日一日お世話になった皆さんにお礼を伝えましょう。衣装や小物などレンタル品があれば、返却や精算を忘れずに。持ち込み品の残りも引き取ります。料理やドリンクの追加など、当日精算分があれば支払いをすませます。短時間ですることがたくさんあるので、チェックリストを用意しておくと便利です。

お礼のあいさつなどを忘れずに

いろいろと慌ただしいですが、大まかには、①お礼のあいさつ②レンタル品の返却と精算③後片付けと忘れ物のチェック、この3つです。お金のことは両親にお願いして新郎新婦は後片付けに徹するなど、役割分担を決めておくと安心です。

両親

必要に応じ役割分担を決めておくと効率的

会場は使用時間が決められています。式や披露宴と合わせ事前に役割分担を決めておくと、スムーズに会場を後にできます。両親の移動時には、新郎新婦の兄弟や友人に手伝ってもらうのも一案。

披露宴後の流れ

1. **媒酌人、主賓へのお礼**
   お礼のあいさつとともに、謝礼やお車代を渡します。
2. **会場スタッフへのお礼**
   当日お世話になった皆さんにお礼の言葉を。このタイミングで心づけを渡しても。
3. **持ち込み荷物の引き取り**
   会場にもち込んだものをひとまとめにして引き取ります。大きな紙袋があると便利。
4. **レンタル商品の返却**
   会場で衣装や小物などを借りている場合は、まとめて返却します。親や親族が借りている場合も、原則当日に返却、精算します。
5. **追加料金の精算**
   料理や飲み物など当日の追加分などの料金を精算。
6. **着替え、後片付け**
   二次会用に着替えをして、忘れ物がないか確認をします。とくに、ご祝儀や貴重品は事前に必ず預ける人を決めておくようにします。

追加料金の精算方法は事前に会場に確認を

挙式や披露宴にかかる会場への支払いは、通常挙式の10日から1週間前に、内金を差し引いた額を振り込みなどですませます。ただ、当日料理や飲み物の追加オーダーで支払いが発生することも。この場合は、披露宴終了後に追加分の精算を行います。クレジットカードが使えるかなど事前に確認しておくと、当日慌てずにすみます。

二次会の準備も段取りよく。近ければ自宅で着替えも

披露宴会場での後片付けや精算が終わったら、二次会の準備です。着替えは披露宴会場で行うのが一般的。家が近い場合は、タクシーか友人に家まで送ってもらい、荷物を置いてから着替えるとよいでしょう。二次会会場へは会費のおつりなどを準備して早めに行き、幹事や係と進行や景品などの最終確認を行います。

Check

持ち帰り品を確認

披露宴終了後に確認。精算やご祝儀のもち帰りは、両親とどちらが行うかも決めておきましょう。

〈持ち帰り品リスト〉

- □ご祝儀
- □芳名帳、席次表
- □祝電、花束、寄せ書き等
- □指輪ケース
- □引き出物の予備
- □結婚証明書
- □披露宴で使用したCD、DVD
- □演出用小物類
- □持ち込みの衣装
- □小物、アクセサリー（レンタルは返却）
- □ビデオ、カメラ類
- □二次会用の荷物（ある場合）

Case 39

精算時に現金が足りずご祝儀で支払ってしまった

披露宴終了後、精算の際に手持ちの現金が足りず、ご祝儀から現金を引き出して精算をすませてしまいました。まわりにいた人に何かいわれたりはしませんでしたが、体裁が悪くてあとで二人で口論に。追加料金などあまりかからないだろうと高をくくっていたのが失敗の原因です。クレジットカードが使えるか、確認しておけばよかったと反省。

Advice

できれば両親に一時的に借りるなどして対処を

精算時に現金が不足していた場合、ご祝儀にはできるだけ手をつけたくないものです。できれば両親に一時的に借りるなどしたいですが、どうしても必要な場合は、会場の方に個室を用意してもらうなどして、他の人にはそれと気づかれないよう注意を払いましょう。

本人・両親

知っているか知らないかで差が出る
当日起こりそうなトラブル対処法

トラブルは「起こって普通」対処法など事前の備えを

人生の一大イベントともいえる結婚式ですから、できればトラブルなく、素敵なものにしたいですよね。でも、どんなに周到に準備を重ねても、思いがけないトラブルが待っていることもあります。

大切なことは、トラブルが起こる、起こらないではなく、〝起きた場合の対処法を知っているかどうか〟です。あとで思い出した時にも、「そうだ、こんなことがあったね」と笑い話にできるよう、心にゆとりをもって式当日を迎えたいもの。二人だけでは対応が困難だと思ったら、スタッフやまわりの人に相談して、解決策を見出しましょう。

〝困った時はプロに任せる〟迷ったらスタッフに相談を

挙式前や披露宴前などにトラブルが発覚した際は、まずスタッフへ。〝困った時はプロに任せる〟が鉄則です。ただし、披露宴で着席中に具合が悪くなったなど近くにスタッフがいない場合は、媒酌人や介添人など身近な人に声をかけましょう。

〝かたち〟に残る写真撮影は成り行き任せにしない

トラブルとは少し性質が違いますが、「ああしておけばよかった」と後悔するものに、「写真撮影」があります。親族を交えての集合写真のほかに、別途カメラマンに披露宴のスナップを依頼することがありますが、きちんと要望を伝えていないと、例えば正面のカットばかりでバリエーションが少ないなど希望と〝ずれ〟が生じてしまうことも。また、慌ただしくて両親や兄弟との写真を撮り忘れてしまうというケースもよくあります。カメラマンに事前に要望を伝えたり、親戚や友人に家族写真をお願いしたりしておきましょう。

トラブルが起きた時の対処法

家に忘れ物をした

指輪やリングピロー、ブーケ、靴などを家に忘れてくるというのは、意外と多いトラブルです。家が近ければ親族のだれかに届けてもらうという手もありますが、式場によっては代替品を用意しているところもあるので、会場スタッフに相談してみましょう。よい解決策が見つかるかもしれません。

衣装やカツラが合わない

事前に試着していても、当日どうも衣装やかつらがしっくりこないというのもよくあるケース。そのまま我慢していると、本番中ずっと気になって式に集中できなかったり、頭痛を起こしたりすることも。ちょっとでも違和感があったら、遠慮せずに着付け係やヘアメイクの担当者に伝え調整してもらいます。

生理痛がつらい…

当日生理が重なりそうな場合は、生理用品や鎮痛剤を必ず携行して。生理痛がひどければ、事前に婦人科で予定日をずらす薬を処方してもらうことも可能です。当日どうしてもつらい場合は、介添人や着付け担当者にその旨を伝えましょう。衣装の締め付けやお手洗いなどに配慮してもらえます。

次々と注がれるお酒を断れない

披露宴で次々とお酒を注がれ、不意に酔ってしまった……なんていう失敗談もよく聞きます。失礼のないようにぐいっと飲んでしまう気持ちもわかりますが、主役が酔いつぶれてしまっては大変です。係の人にテーブルの下にバケツを置いてもらい、少しずつ捨てられるようにしておくと安心です。

スピーチ依頼者が突然欠席に…

スピーチをお願いしていた友人から発熱などで突然欠席の連絡が入ったら、まずは式場担当者に連絡を。代理が立てられれば、担当者にその旨を連絡し、司会者に伝えてもらいます。欠席者の料金はそのままとられるケースがほとんどですが、席の調整など間に合うものは対処してくれるはずです。

食事を抜いてしまった…

家を出る前に食事を抜いてしまい、式の最中におなかがグー、なんてことがあると、ちょっと格好悪いもの。披露宴中ならば食事まで待って空腹を満たすことができますが、控え室など人目に触れない場所でさっとつまめる軽食やバナナなどの果物、飲み物を用意しておくと安心です。

指輪がなかなか入らない

指輪交換の際、相手の指に指輪が入らないというトラブルもよくある話です。緊張で指が湿っていたりする場合は、直前にハンカチで拭いて指を差し出すと通りがよくなります。それでもだめなら、第一関節まで通してあとは本人にさりげなく自分ではめてもらうなどして、その場をしのぎましょう。

心づけをうっかり渡しそびれた

主賓へのお車代などを渡す際は、新郎新婦が動きづらいため親にお願いすることが一般的です。けれども主賓と面識がないことも多いため、渡すタイミングを逃してしまいがち。心配なら、受付担当者にあらかじめ伝えておき、主賓の方がいらしたらそっと教えてもらえば、失礼なく渡せます。

本人・両親

リラックスした雰囲気の中で楽しもう
二次会での注意とふるまい方

“もてなされる側”になる カジュアルなパーティ

二次会は、会社の後輩や知人など披露宴に呼べなかった人たちを含めて招待して行われる、カジュアルパーティのような位置付けになります。

披露宴では招待客をもてなす立場ですが、二次会では自分達が招待客。幹事に任せてリラックスした雰囲気で臨むことができます。3カ月くらい前に親しい友人など数名に幹事をお願いし、予算やプログラムなどを決めていきます。二次会の正味時間は2時間程度、会場のレンタルは3時間程度が多いようです。開始時間は、披露宴との間に余裕をもって。目安は披露宴終了後2時間前後が一般的です。

せっかくお祝いに来てくれた 皆さんにあいさつを忘れずに

いくらもてなされる側とはいっても、自分たちのために集まってくださっている皆さんには、礼を尽くしましょう。また、新郎は新郎の友人や知人のみを回るなんてことにならないよう、二人で平等にあいさつをするよう心がけてください。

幹事としっかり連携を。悪趣味な催しはNG

本番は“招かれる側”とはいえ、幹事に任せっきりにせず、きちんと連携をとって協力できるところは手伝う気づかいを忘れずに。とくに、せっかくのパーティがしらけないよう、悪趣味な趣向や凝りすぎた演出は避けましょう。

両親

メッセージや ビデオレターで演出に 協力をするのもOK

招待客向けにお礼のメッセージやビデオレターをあらかじめ撮っておき、会場で流したりすると、素敵な演出になります。新郎新婦から依頼があったら、ぜひ協力を。

招待客が平等に楽しめる趣向のものを

プログラムは、余興などをはさみながら、みんなで楽しめるよう、準備段階から幹事と相談して決めましょう。とくに、食事と余興のバランスをうまくとるようにするとメリハリが生まれます。ゲームなどを行う場合は招待客が平等に楽しめる趣向のものにし、一部だけで盛り上がることのないよう配慮して。

Check

もてなされる側でも招待客への配慮を！

- □一人ひとりにあいさつを
- □ハメを外しすぎない
- □キスコールは余興の一環。できるだけ応えて
- □お礼のあいさつでは招待客の他幹事やスタッフへも感謝の言葉を

二次会の過ごし方

衣装はウエディングドレスやパーティドレスで

二次会の衣装も悩むところ。とくに新婦はなおさらでしょう。女性の場合は、ウエディングドレスやパーティドレスを選択する人が大半を占めます。招待客も、花嫁の衣装を楽しみにしていることが多いので、シンプルになりすぎないよう配慮しましょう。心配な場合は、先輩経験者に聞いてみるとイメージがわきやすいかも。

招待客が楽しめるよう余興の合間に声かけを

ビンゴなどのゲームや余興は、2つくらい用意しておきます。その間か前後で、記念撮影をする時間を設けましょう。余興の時間はおおむね30分程度はとりたいもの。せっかく来てもらったのですから、楽しんでもらえるよう声をかけると、リラックスして場が和みます。状況にもよりますが、できれば二人一緒に回りましょう。

スマホなどで撮った式の様子を上映する

二次会には、披露宴に招待できなかった人にも多数出席してもらえます。可能であれば、結婚式や披露宴のようすをビデオ上映すると、雰囲気を共有することができてよい演出に。最近はスマホのビデオ機能も性能がアップしているので、PCやプロジェクターなどの機器が用意できれば、試してみる価値ありです。

キスコールが嫌な場合、事前に司会者に伝えておく

余興が盛り上がると、たとえプログラムで予定していなくても、キスのリクエストが出てくることがあります。その場合は、ケースバイケースですが、儀式と割り切って要望に応えられれば、場は盛り上がります。ただし、どうしてもしたくない場合は、事前に幹事と話し合い、頃合いを見てやんわりと招待客に伝えてもらいましょう。

出席者や幹事、スタッフに感謝とねぎらいのメッセージを

二次会もクライマックスに差しかかったら、新郎新婦はマイクをとり、お礼や感謝の言葉を話します。堅苦しく構える必要はありませんが、来ていただいた皆さんへのお礼のあいさつはきちんと述べておくことが大切です。二次会幹事やかかわってくれたスタッフの方々へのねぎらいの言葉も忘れないように。

プチギフトはオリジナル品が人気。数は招待数より多少多めに

終了後、新郎新婦は出入り口で招待客一人ひとりにお礼を述べながらギフトを手渡します。ギフトは招待客の名入りのハンドタオルや、新郎新婦をデフォルメしたクッキーなど、オリジナル商品を用意すると喜ばれます。予算に応じ一人当たり100～500円が一般的。多めに用意しておくと安心です。

本人

飾らない言葉でスピーチする

二次会のあいさつのポイント

感謝の気持ちを忘れず招待客と共に楽しみながら

結婚式の二次会は披露宴などとは違い、主に新郎新婦の友人同士で盛り上がる気軽なパーティです。

基本的に親しい友人同士なので、あいさつの時の言葉づかいにそれほどこだわる必要はありません。二次会を企画してくれた幹事やスタッフ、参加してくれた人たちに向けて、ストレートに感謝の気持ちを伝えましょう。

最後のあいさつでは、二次会で感じたことなどを素直な気持ちで述べます。お酒も入って盛り上がり、疎かになりがちですが、今後の変わらぬお付き合いをお願いする謙虚な言葉を忘れずに伝えましょう。

最後のあいさつを成功させる5つのポイント

1. 幹事やスタッフへの感謝の言葉を忘れずに伝える
2. 挙式･披露宴の報告をする
3. かしこまらず、普段づかいの言葉でリラックスして話す
4. だらだらせず、簡潔にまとめる
5. 場を和ませ、盛り上げるよう工夫する

〈新郎のあいさつ（幹事がいる場合）〉

今日は私達のために楽しい二次会を開いていただき、ありがとうございました。皆さんからの心温まるメッセージや楽しい余興など、本当にうれしく思います。今日は朝から挙式、披露宴と、私も△△（新婦名）も緊張のし通しでしたが、皆さんの笑顔を見てリラックスした気持ちになれました。

幹事を引き受けてくれた○○くん、そして司会をしてくれた○○さん、受付をしてくれた○○さんに、心からお礼を申し上げます。これから先、苦労もあるかもしれませんが、今日集まってくれた皆さんの顔を思い浮かべれば、△△（新婦名）と二人、きっと乗り切れると思います。どうぞこれからも、変わらぬお付き合いをお願いいたします。今日は本当にありがとうございました。

Point

二次会のあいさつは、形式にとらわれることなく、列席者に感謝の気持ちを伝えられれば十分です。

〈新郎のあいさつ（新郎新婦が主催の場合）〉

皆さん、今日は遅い時間からのパーティにもかかわらず、私達の結婚式の二次会にお集まりいただき、ありがとうございます。披露宴の時にはかなり緊張していまして、自分が何を話したかもよく覚えていないくらいなのですが、こうして気のおけない皆さんに囲まれ、一気に気持ちが軽くなりました。

実は、このレストランは、私達が初めてデートをした記念の場所です。正直なところ、△△（新婦名）と出会うことができて、自分はなんて幸せな人間なんだろうと、今はうれしくて仕方ありません。これからは二人で助け合い、笑顔の絶えない家庭を築いていきたいと思っています。

今日集まってくださった皆さんは、私達にとってかけがえのない大切な人たちです。今後とも、どうぞよろしくお願いいたします。新居の近くにお越しの際は、是非遊びにいらしてください。今日は本当にありがとうございました。

Point

お礼の言葉、会場を選んだ理由、今後の展望などを話します。

〈新郎新婦によるあいさつ（新郎新婦が主催の場合）〉

［新郎］ 皆さん、今日は、私達の結婚式の二次会に参加してくださり、本当にありがとうございました。

私達は２年間遠距離恋愛でしたが、元来口ベタな私が△△（新婦名）と会う時には自分でも驚くほどよく話をしていたのは、月１、２回しか会えなかった環境が幸いしていたのかもしれません。これからも、そんな笑顔と会話の絶えない明るい家庭をつくっていけたらと思います。

［新婦］ 妻の△△（新婦名）です。今日は本当にありがとうございます。

○○（新郎名）さんのお話にあった通り、私達は遠距離恋愛でしたが、その分、お互いを思いやる気持ちを育てることができたと思っています。

おない年で、趣味も同じ私達。皆さんに気軽に遊びに来ていただけるような温かい家庭をつくっていきたいと思います。今後ともよろしくお願いいたします。

［新郎］［新婦］ 今日は本当にありがとうございました。

Point

新郎と新婦が続いてあいさつを述べる場合の例です。順番にあいさつした後、二人でお礼の言葉を述べて締めくくります。

Q 披露宴に小さな子どもが来る時の対応は？

A 小さな子どもが来る時は、披露宴会場にベビーベッドを用意しておきましょう。子どもが退屈しないようにお菓子などのプレゼントを用意しておくのも大切。おもちゃなどは子どもが騒いでしまうこともあるので注意して。

Q 欠席予定の招待客が急に列席できるようになった時は？

A 欠席予定の招待客が当日いきなり来られるようになったという連絡をしてくるパターンは少なくありません。大人数でなければ、席や料理を足すことは可能なので、すぐに担当者に相談しましょう。

Q 着付けやヘアメイクの注意点、着付け後に気をつけることは？

A 着付けが合わなかったり、かつらがきつかったりした場合は、我慢せず着付け係やヘアメイクの方にその旨を伝え、調整をしてもらうことが大切です。また、着付け後は転倒防止のため、いつもよりゆっくりと動くことを意識してください。招待客への会釈は15度、媒酌人や来賓へのお辞儀は30度の角度を目安に。

Q&A

Q 媒酌人と親族の引き合わせで気をつけることは？

A 身支度を終えたら、頃合いを見て媒酌人と親族の引き合わせと両家の親族紹介を行います。親族と媒酌人との引き合わせでは、「媒酌人への親族紹介」が先になります。また、親族は会場によって両家の控え室が別室の場合と一緒の部屋の場合があります。とくに同室の場合は、両親を含め場が和むよう気を配りましょう。

Q ナイフとフォークを落とした時は?

A 挙式当日の主役である新郎新婦は、ゆったりとした立ちふるまいが基本です。ナイフやフォークを落としてしまったら自分で拾わず、スタッフに拾ってもらうのが基本です。なかなか気がついてもらえない時は、スタッフに向かってアイコンタクトや軽く手を振ってお願いし、拾ってもらうようにしましょう。

Q 緊張しすぎてうまく笑えない時は?

A 一生に一度の晴れ舞台。極度の緊張で顔が強ばってしまって笑顔になれないのでは一日が台無しになってしまいます。式の前に両親や友人などと軽くコミュニケーションをとり、リラックスしましょう。

Q 招待客が料理コースを選べるサービスってあるの?

A 会場によっては、複数あるコースの中から、招待客が希望のものを選べるスタイルもあります。招待状の返信の際にコースを選べるようにしておきましょう。メニューが選べると、当日のワクワクも増えます。

Q スピーチや余興の際に注意すべきこととは?

A スピーチや余興の際は、食事をしていたら手を休め、相手の方を見て、敬意を払いましょう。新郎新婦は食べるタイミングがなかなかないので、料理に手をつけなくても失礼にはなりません。食べたい時は介添人にひと口に切ってもらうなどしてもよいでしょう。

結婚式当日の過ごし方とマナー

二次会

Q 内輪だけで盛り上がらないようにするにはどうすればいい?

A 二次会は親友はもちろんのこと、仕事関係で交遊のある人や学生時代の友人などいろいろな人が来ます。進行を務めてくれる幹事と共通の知り合いだけで盛り上がらないよう、前半でに全員が交流できるゲームをすれば、場が和むでしょう。

Q すすめられたお酒はどれくらい飲めばいい?

A 披露宴の時はお酒をすすめられても、口をつけて足元のバケツにそっと捨てるのが基本。二次会だけは……と開放的になってしまう人も多いものですが、酔いすぎて失敗しないよう、グラスはこまめに下げてもらうなど、あらかじめスタッフに伝えておきましょう。

Q 二次会で意外と忘れがちなことは?

A 二次会というと会場のアクセスや外観に気をとられて、料理やドリンクに対する配慮が意外と後回しにしがちです。とくに気をつけたいのが飲みもので、小さな会場などを借り切って行う場合、お酒やソフトドリンクの種類がほとんどないなんてことも。会場選びの際に料理とあわせてお酒も確認しましょう。

Q&A

Q ゲームをやりたいけどどうすれば盛り上がるの?

A 二次会は、場所や規模によりますが、平均して2時間程度が主流。その間に2本ないし3本のゲームや余興を組むと、プログラムにメリハリが出ます。定番人気はなんといってもビンゴ。後半になるにつれ景品がグレードアップするようにすると、場が盛り上がります。箱に番号を記したピンポンを入れて引いた番号で景品を渡すなど、ワンクッションあると◎。

第七章

結婚式が終わったら

結婚式が終わったら、夫婦として
新しい生活のスタートです。
引越し、各種届け出、お世話になった方へのお礼など、
するべきことはたくさんありますが、
段取りよく準備して
新生活を気持ちよくスタートさせましょう。

本人

新生活スタートまでの段取り

将来のことを含めて二人の考えを確認

結婚式準備と併せて新生活の準備もスタート

結婚式の手配と同時進行しなければならない新生活準備は、大変だけれど二人にとって大切なことです。後回しにせず、早め早めに準備をしましょう。

まず大切なのは、二人の希望のライフスタイルについて話し合うこと。「親とは同居か別居か」「家は賃貸か購入か」「妻は仕事をやめるのか続けるのか」「子どもをもつ時期」など、お互いの考えの確認を。それによって家の探し方や新居の場所なども違ってきます。結婚後のお金の管理や家事の分担、生活ルールについてなども話し合っておきましょう。

6カ月前

- □二人の希望のライフスタイルを確認
- □将来設計に関して考える
- □職場への結婚の報告
- □新居について話し合い、物件探しを始める

Point!

この時期は二人の考えや理想をすり合わせることが大事。家は賃貸か購入か、お互いの職場や実家からの距離、そして子どものことも考慮し長期的に考えましょう。式の準備にまだ余裕があるので、新居候補探しを始めましょう。

3カ月前

- □必要な家具・家電のリストアップ
- □引越し業者の検討
- □（退職する場合は）退職届けの提出

Point!

新居は優先順位を決めて一定の条件を満たした場所を下見しましょう。引越し業者は必ず数社から相見積もりを取るように。退職届を出す場合は3カ月前を目安にしましょう。

2カ月前

- □物件を絞り込み新居を決定&契約
- □家具や家電などを購入
- □電話工事の依頼
- □引越し業者の決定

Point!

新居の契約には、住民票・実印・印鑑証明・身元保証人の署名・捺印などが必要。保証人は両親や兄弟でOK。

あいさつや届け出など必須項目はもれのないように

近年は挙式後にすぐ新生活が始められるように、結婚式前に新居に引越すカップルが大多数。その場合、結婚式直前にバタバタしないように挙式2週間前までには引越しをすませるようにしましょう。

引越し間近になったら、新生活を始めるためのさまざまな手配が必要になってきます。郵便物を転送してもらうための郵便局への転居届提出や、ガス・電気・水道などのライフラインの手配、転出届・転入届などの提出、ご近所へのあいさつと、しなければいけないことがたくさん。新生活を順調にスタートさせるために必須な項目は、リスト化して二人でチェックしながら進めるようにしましょう。

1カ月前	1週間～3日前	引越し当日	引越し後
□自宅の荷物の片づけ □生活用品などをそろえる □ガス・水道・電力会社に開始日を伝える（インターネットで申し込み可能） □郵便局へ転居届を提出 □転出届を提出	□新居の掃除 □ご近所にあいさつ □電話の取りつけ	□荷物の搬入 □ガス・水道・電気の確認 □新居の片づけ	□転入届、婚姻届を提出 □足りないものを随時購入
Point! およその引越し日程が決まったら、引越し業者に連絡して日時を確定させます。しばらく使わないものから梱包を始め、不要品は処分しましょう。	**Point!** 家具を置く場所は念入りに掃除し、害虫駆除もすませると安心です。ご近所へのあいさつはマンションなら両隣と上下の部屋へ、タオルやお菓子など500～1000円程度のものを用意。	**Point!** 当日は現金や新居のカギなど、貴重品は必ず身につけて。引越し業者があいさつに来たら、はじめにご祝儀を渡したほうが気持ちよく仕事をしてもらえます。新居の電気や水道を確認し、ガスは立ち会いで開栓を。	**Point!** 新居へ引越したら役所に14日以内に転入届を提出。その時に婚姻届も一緒に手続きできます。

本人

婚姻届の書き方と提出方法

提出前にもう一度しっかり見直しを

婚姻届は慎重に記入し提出は24時間365日可能

挙式や新居への引越しを終えても、婚姻届を出すまでは法的に夫婦になったとはいえません。婚姻届を提出してはじめて親の戸籍から外れ、新しい戸籍を二人でつくることになるのです。近年は結婚式前に新居で一緒に暮らすカップルが多く、転入届や婚姻届を同時に提出し、他の手続きもすませれば何度も役所に出向く手間が省けます。

婚姻届の用紙は全国共通なので、どの市区役所でも入手可能。成人している証人二名の署名・捺印が必要です。婚姻届は24時間365日受け付けてくれ、受理された日が正式な入籍日となります。

婚姻届に必要なものリスト

- □ **婚姻届**
  予備用に2、3枚余分にもらっておきましょう。記入ミスがあると受理が遅れ、予定の日に入籍ができなくなるので、提出前に慎重に見直しましょう。

- □ **戸籍謄本(抄本)**
  本籍地以外に婚姻届を届け出る時に必要。新しい本籍地に提出する際も戸籍謄本を一緒に添付します。添付書類は市区町村によって異なるので、前もって確認しておきましょう。

- □ **二人の印鑑**
  書類に不備があった場合に訂正印として使用します。婚姻届に捺印した印鑑と同じものを念のためもって行きましょう。

- □ **身分証明書**
  窓口に来た人を確認することがあるので、運転免許証など写真つき身分証明書を持参しましょう。

Point1

本籍地は日本国内であればどこにしてもOKですが、親の本籍地か新しい住居の本籍地にするのが一般的です。何かと必要になる戸籍謄(抄)本なので、入手しやすい場所を選びましょう。

Point2

国際結婚の場合は、相手の婚姻要件具備証明書やその日本訳文、国籍証明書などが必要になります。相手の国籍によって方法や提出書類も異なるので、まずは住民登録のある役所に問い合わせて。

Point3

婚姻届は24時間365日受け付けてもらえますが、休日や夜間は専用窓口に提出します。本人達が行くのが難しければ、郵送や代理人の提出でも可能です。ただこの時に書類の不備があると、受理されないので注意。

婚姻届の書き方

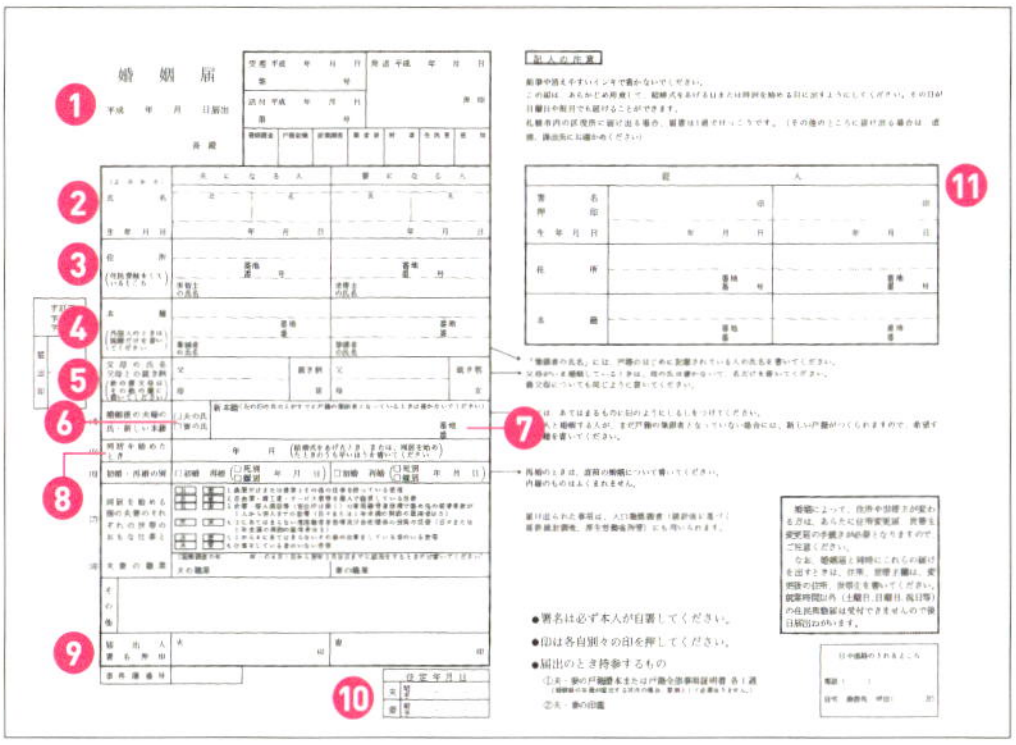

最近では各自治体で個性的な婚姻届がつくられています。インターネットでのダウンロードも可能です。

1 届出日

婚姻届を提出する年月日を記入します。記載に問題がなければ、この日が入籍日となります。

2 氏名

それぞれ結婚前の旧姓を書きます。その際、戸籍に記載されている通りに記入すること。旧字体の場合、この機会に新字体に変更することも可能です。

3 住所

住民票に記載されている住所と世帯主を記入。すでに新居に引越し、転入届を出している場合（または同時に提出する場合）は、その新しい住所と世帯主を書きます。

4 本籍

提出する時点の本籍地と筆頭者を書きます。

5 父母の氏名と続き柄

実父母の名前を記入します。離婚している場合は現在の氏名を、亡くなっている場合も空欄にせず書き入れます。次男・次女ではなく、「二男」「二女」と書きます。

6 婚姻後の夫婦の氏

夫か妻の姓にチェックを入れます。選ばれた氏が新しい戸籍の筆頭者となります。

7 新しい本籍

利便性などを考えて新しい居住地、または夫婦どちらかの本籍地にする場合が多いようです。戸籍筆頭者の本籍になる場合は空欄で。

8 同居を始めた日

挙式日、もしくは同居を始めた日のうち、早い方の日付を記入します。

9 届出人署名押印

戸籍どおりの名前をそれぞれ本人が記入し、押印します。印鑑は認印でも可能ですがゴム印は不可。

10 連絡先

書類に不備があった時に連絡がとれる電話番号を記入します。

11 証人

親・兄弟・仲人・友人など20歳以上であればだれでもOKです。夫婦で証人になってもらう場合、別々の印鑑を用意してもらいましょう。

本人

リストをつくってもれがないよう準備

結婚にともなう、さまざまな届け出

リスト化して効率よく手続きを

結婚や新居への引越しに伴い、多種多様な手続きや届け出が必要になります。何かと忙しいこの時期ですが、大切な項目ばかりなので、リストを作成しもれがないようにチェックしながら進めましょう。

24時間365日受け付けてくれる婚姻届の提出以外は、平日の昼間しか手続きできないことが多いもの。仕事がある人は休みを取って、まとめられるものは1日ですませられるようにするとよいでしょう。事前に問い合わせをして必要書類や手続きにかかる日数などを確認しておき、無駄なく手続きを進められるようにしましょう。

新しい姓への名義変更の他確定申告なども必要

結婚相手の姓に変わる人は、銀行口座やクレジットカード、パスポートや運転免許証など、ほぼ身の回りすべてのことを名義変更する必要があります。また仕事を続ける場合は会社に結婚届を提出し、仕事上での姓の変更なども届け出るとよいでしょう。

専業主婦になる場合は夫の会社に扶養申請します。夫が自営業の場合は国民健康保険に加入し、国民年金の種別変更の手続きをします。会社での年末調整を受けられないため、1月になったら会社から源泉徴収票を取り寄せ、2～3月に税務署で確定申告を行いましょう。

Point1

健康保険や年金も夫を通じて変更を

夫の扶養に入る場合は、健康保険や厚生年金の手続きが必要になるので、夫から会社に確認してもらいましょう。夫が自営業の場合は国民健康保険への加入と国民年金の種別変更届が必要です。

Point2

確定申告は退職した翌年2～3月に

確定申告は納税のための手続き。在職中は会社が行ってくれた年末調整ですが、年度の途中で退職した人は個人で確定申告をします。管轄税務署に問い合わせると詳細を教えてくれます。

Point3

退職届は会社の規定に従う

結婚を機に退職する場合、退職届を会社に提出します。形式や提出期限は会社によって違うので、よく調べて提出しましょう。仕事の引き継ぎなども考えて、3カ月前には出しておくのがマナー。

結婚・転居による手続き一覧

※届け出先によって必要書類や提出方法が異なる場合があるので、それぞれ事前に確認が必要です。

ライフライン

- □ **郵便物の転送サービス**…引越し1週間前までに近くの郵便局の窓口に転居届を出しておくだけで、1年間、旧住所宛の郵便物等を新住所に無料で転送してくれます。インターネットによる申し込みも可。
- □ **水道**…引越し3～4日前までに旧居の使用停止を連絡します。電話やインターネットでの手続きも可能で、新居備え付けの「使用開始申込書」に記入してポストに投函してもよいでしょう。
- □ **固定電話（NTT）**…引越しが決まったら「116」に電話して移転手続きの連絡を入れます。新居に電話線がない場合は工事日を予約します。
- □ **NHK**…引越し前後に住所変更や新規契約の手続きを。電話やインターネットでの手続きが可能。
- □ **電気**…引越しの1週間前までに電話やインターネットで手続きが可能で、新居備え付けの「使用開始申込書」に記入してポストに投函してもよい。旧居は引越し時にブレーカーを「切」にし、新居では「入」にします。
- □ **ガス**…引越し1週間前までに電話やインターネットで、閉栓と開栓の連絡を。新居での開栓は住人の立ち会いがないとできないので注意。
- □ **新聞**…引越しの1週間前までに販売店に電話をして、転居先を連絡。
- □ **携帯電話やインターネットプロバイダー**…それぞれ契約している会社に電話かネットで連絡。

役所への届け出

- □ **転出届**…これまで住んでいた市区町村から転出する際に届け出て、転入時に必要な転出証明書を出してもらいます。引越しの14日前から受け付け可能。
- □ **転入届**…新居に引越し後14日以内に新住所の役所に提出します。転出証明書、印鑑、本人確認書類、（加入者は）国民健康保険証、国民年金手帳が必要。
- □ **転居届**…同じ市区町村に引越す場合は「転出・転入」届ではなく、転居届を提出する。印鑑、本人確認書類、（加入者は）国民健康保険証、国民年金手帳が必要。
- □ **婚姻届**…P263を参考に婚姻届に記入し、本籍のある市区町村に提出。
- □ **印鑑登録**…不動産の売買などの際に必要な印鑑登録。期限はありませんが実印を登録しておくと便利。前の市区町村で登録していた場合は廃止手続きを（住民異動の届け出で自動的に登録抹消される場合もあるので確認を）。

住所や姓の変更

※1番最初に運転免許証を変更しておくと、身分証明として使えるので便利です。

- □ **銀行、ゆうちょ口座**…口座のある銀行窓口に出向き、住所や姓の変更をします。通帳・キャッシュカード・届け出印（旧姓・新姓）・本人確認書類が必要。
- □ **クレジットカード、生命保険など**…各契約の会社に連絡をして、住所や姓の変更を申し出るとそれぞれ対応してくれます。
- □ **パスポート**…住所や姓を変更する「訂正申請」は、持っているパスポート・戸籍謄（抄）本・身分証明書・手数料（900円）を用意して新住所の管轄旅券窓口へ申請。有効期限の残りが1年未満の場合は、新しい姓で申請を新たに行ったほうがよいでしょう。
- □ **運転免許証**…新住所の管轄警察署や運転免許試験場などで手続きを行います。住民票の写しまたは新しい住所が確認できる書類を用意しましょう。

本人・両親

挙式後のあいさつとお礼

ねぎらいや感謝の気持ちを忘れず伝える

新婚旅行から帰ったら すぐにあいさつ回りを

新婚旅行に行ったカップルは、帰国後、なるべく早くお互いの両親の元を訪ね、おみやげを渡して感謝の気持ちを伝えるようにしましょう。実家が遠方ですぐに訪ねることができない場合には、電話でお礼を伝え、おみやげを郵送します。結婚式は新郎新婦にとっても大変なものですが、両親にとってもひと仕事です。ねぎらいや感謝の気持ちを忘れないようにしましょう。

媒酌人（仲人）を頼んでいた人は、おみやげをもってお礼にうかがいます。媒酌人とのお付き合いは、結婚後3年を目安に、お中元やお歳暮などを欠かさないよう心がけましょう。

職場や友人にも感謝を伝えて。お祝いには必ずお返しを

不在の間フォローをしてくれた上司や仕事仲間へも心配りを。おみやげを忘れず、挙式後の最初の出社時にはお礼と報告をしましょう。気心が知れた友人たちにもおみやげを早めに渡し、式へ出席してくれたお礼も伝えて。披露宴や二次会の手伝いをしてくれた友人には新居へ招待などして感謝の気持ちを表しましょう。大家さんやマンションの管理人さんにも心ばかりのおみやげを。

すぐハネムーンに行かない場合は1週間以内にあいさつを

挙式後、ハネムーンに行かなかったり、時期をずらして行ったりする場合、式から1週間以内に、両親や媒酌人にあいさつに行くのが理想です。菓子折りなどを持参しましょう。

両親

親族へのお礼やあいさつ、清算は速やかに

挙式が終わったら、列席してくれた親戚や、親関係でお祝いをいただいた人には親からもお礼を伝えましょう。立て替えてもらったお金がある場合は、すぐに清算を。

挙式・ハネムーン後のあいさつ

仲人・媒酌人

**写真を持参し
お世話になったお礼を**

ハネムーンから帰ったら早めに電話で報告し、あいさつに伺いたい旨を伝えて相手の都合を考慮して訪問日を決めます。おみやげと結婚式の写真をもって訪問し、式のお礼を改めて伝えましょう。

職場

**おみやげを渡し
フォローのお礼を**

挙式後初の出社日は早めに会社に到着するようにし、仕事のフォローをしてくれた上司や仲間にきちんとお礼を伝えましょう。おみやげは個包装になっているものを選べば、配りやすくおすすめ。

実家

**ハネムーン後すぐに
感謝とねぎらいの気持ちで**

ハネムーンから帰ったら、すぐにおみやげと写真をもってそれぞれの両親にあいさつを。式の思い出や旅行先の話をしながら、感謝の気持ちをしっかりと伝えるようにしましょう。

友人

**新居に招待して
感謝を伝える方法も**

早いタイミングでおみやげを渡すようにしましょう。グループで数人を招待して、手料理でもてなすのもいいですね。結婚式のビデオや写真を見ながら楽しいひと時を過ごしましょう。

Case 40

**挙式後のあいさつとお礼が
半年後になり反省**

二人で一生懸命準備してきたのですが、お世話になった方々に挙式後のあいさつやお礼をすることまで気が回らずそのままに。仕事が忙しかったこともあり、気づいたら挙式から半年もたっていました。迷惑そうな顔はされませんでしたが、「なぜ今頃……」という空気が漂い、もう少し早く気づけばよかったと後悔しました。

Advice

**事前に挙式後のあいさつ
リストをつくっておこう**

タイミングを逃すと、その効果が半減してしまいます。とくに、二人の晴れやかな姿を見てもらう結婚式では、準備と同様アフターケアも大切。事前に挙式後のあいさつリストをつくっておきましょう。お礼の菓子折りなど用意が必要な場合は、その作業もリストに記しておきます。

本人

内祝いの贈り方&お礼状の書き方

お礼状を添えて1カ月以内に

いただいた額の3分の1から半額程度の物を

現在では、慶事に際してもらったお祝いへの返礼品とされている内祝いですが、本来は、「内々で喜びごとがあったので、おすそ分けさせてください」という意味で贈られていたものです。

内祝いは、披露宴に列席できなかったけれどお祝いをいただいた方に、挙式後1カ月以内に送るのが一般的。金額は、いただいた額の3分の1から半額程度です。元来、直接持参すべきものですが、お店から送ってもらっても失礼にはなりません。ただし先にお礼状を送って、感謝の気持ちを伝えるようにしましょう。いきなり品物だけを送ることはマナー違反です。

品のよい実用品や、カタログギフトを贈る人も

内祝いは予算別にいくつかの品物を選びます。いただいた結婚祝いを考慮して、お返しする内容を選びましょう。手間はかかりますが、相手の喜ぶ顔を思い浮かべながら、楽しんで準備したいものです。

内祝いに贈る品物は、だれからも喜んでもらえるような実用品がよいでしょう。自然素材や肌ざわりがよいシンプルなデザインのタオル、高級なコーヒーや紅茶、使い勝手のよさそうな食器などが人気です。引き出物と同様、カタログギフトを贈る人も多いようです。さまざまな種類があるので、じっくり吟味してください。

Case 41

内祝いに高価な物を贈ってしまった

披露宴に招待できなかった学生時代の友人から結婚祝いをいただきました。お返しの内祝いの金額の相場がわからず、年配の方に贈った内祝いと同等の金額の物を贈ったらかえって恐縮されてしまいました。贈る相手によって金額や品物を分けるべきだったと反省しました。

Advice

高価な内祝いは気を使わせるので注意

内祝いは、いただいた金額の3分の1から半額が目安。それ以上にするときは、特別にお世話になったなど理由がある場合に限ります。高額な品物を贈って、相手にかえって気をつかわせてしまわないよう注意しましょう。

お礼状には感謝の気持ちや報告を中心に

内祝いのお礼状の文面に盛り込みたいのは、「お祝いへの感謝の気持ち」、「無事結婚したことの報告」、「お祝いを役立てているという報告」と、「これからもよろしくお願いします」というあいさつです。

この他、「内祝い（お礼の品）を同封しますのでご笑納ください」といった一文も書き添えましょう。また、お礼の品をお店からの直接配送で贈る場合は、「これから内祝いをお届けします」というお知らせを兼ねて、先にお礼状を郵送するようにしましょう。署名は必ず二人の名前で出しましょう。

お礼状の文例

拝啓　桜のつぼみがほころぶ季節となりました。町田様におかれましては、お健やかにお過ごしのこととお喜び申し上げます。

このたびは、私たちの結婚に際しまして、ごていねいなお祝いの品をいただき、誠にありがとうございました。

ささやかではございますが、内祝いのしるしに心ばかりの品をお贈りいたします。ご笑納いただけますと幸いです。

今後は、町田様ご夫妻を目標に、二人で力を合わせて笑顔の絶えない家庭を築いていく所存です。なにぶんにも未熟な二人ですが、末永くご指導ご鞭撻のほど、お願い申し上げます。

本来ならばお伺いするべきところではございますが、まずは略儀ながら書中にて失礼いたします。

敬具

●●年4月吉日

〒177-●●●●
東京都大田区上池台○-○
電話 03-○○○○-○○○○
松崎　武彦
志保
（旧姓 岩下）

のしの書き方

のし紙は紅白の結び切りの水引で、表書きは「内祝」または「結婚内祝」に。のし下に新しい姓か、姓とそれぞれの名前を書きます。その際男性の名前を右、女性の名前を左に。

本人

結婚報告はがき

心を込めて、結婚の報告と今後のお付き合いをお願いする

結婚報告はがきは挙式後1カ月以内に送る

披露宴が終わったら、結婚報告はがきを送ります。披露宴に出席してくれた人には感謝を、招待・列席できなかった人には結婚の報告と、今後の変わらぬお付き合いをお願いします。

結婚報告はがきを送るのは、挙式後1カ月以内。写真などの印刷には2週間程度かかるので、挙式前に送付リストを作成しておくと安心です。新居通知をかねて送る場合が多く、年賀状や暑中お見舞いを出す時期が近ければ、併せて送っても失礼になりません。親類宛ての結婚報告はがきには、両親からひと言添え書きしてもらってもよいでしょう。

送り分けをする場合も写真をメインに構成する

結婚報告はがきを親族や上司、友人などと送り分けをするのもいいでしょう。

メイン写真は、挙式のようすを伝えるものが多いようです。その際には、プロのカメラマンに撮影してもらった写真データを使うと仕上がりが安心です。披露宴に来てもらった招待客と一緒に撮影した写真も盛り込むと、感謝の気持ちがより伝わるでしょう。「新婚旅行の写真を」と考えているなら、挙式後すぐに手配する必要があるので注意。また、はがきに貼る切手に決まりはありませんが、お祝い用の切手を使うことが多いようです。

Case 42

結婚報告はがきを出し忘れてしまった

準備期間が半年しかなかった私達の結婚式。忙しい中でも力を合わせて思い出に残る結婚式を挙げることができたのですが、挙式後も雑務に追われ、結婚報告はがきを出し忘れてしまったのです。気づいた時には挙式後3カ月もたっていて、がく然。慌ててつくって出しました。

Advice

やるべきことをリストにしてもれがないように

いくら思い出に残る結婚式を挙げられたからといって、二人から挙式後のフォローがなくては台無しです。結婚報告はがきは自分達の結婚を知らせるための大切なツール。忘れないように注意しましょう。

結婚報告はがきの文例

拝啓　盛夏の候　皆様にはいよいよご健勝のこととお慶び申し上げます。

さて、私達は皆様の祝福を受けて七月十三日に、杉浦さまのご媒酌により●●ホテルで結婚式を挙げました。

慣れない新生活に戸惑うことばかりですが、二人で力を合わせ、楽しい家庭を築いていきたいと思っています。今後ともなおいっそうのご指導と末永いお付き合いをお願い申し上げます。

なお、新居を左記に構えましたので、お近くにお越しの際はぜひお立ち寄り下さい。

敬具

平成〇〇年七月吉日

東京都●●区●●町二‐三‐四
電話　〇〇‐〇〇〇〇‐〇〇〇〇
関口　篤
優子（旧姓　三島）

1234567

神奈川県●●市●●区●●三五二一
ABCマンション八〇一号

太田　幸弘　様

東京都●●区●●町二‐三‐四
関口　篤
優子

2345678

結婚報告はがきに書く内容は、「時候のあいさつ」「結婚の報告（日時・場所・媒酌人〈仲人〉の氏名）」「今後のお付き合いのお願い」「新しい連絡先」「二人の氏名と旧姓」です。宛名は大きめの文字で書きます。縦書きの場合、番地の表記は、漢数字を使用するのが通例です。また送る人は年賀状のやり取りをしている相手まで。

退職報告もかねたはがき文例

結婚はあくまでもプライベートなこと。結婚の報告と退職のあいさつをかねる場合、送る人の立場に合わせて内容を変えましょう。上司や仕事関係者には、謝辞や相手を気づかう言葉をメインにし、結婚はふれる程度で構いません。とくに懇意にしてくれた人には、二人だけの思い出などにひと言ふれるとよいでしょう。


拝啓　いつの間にか吐く息が白くなる頃となりました。皆様におかれましてはますますご健勝のことと心よりお慶び申し上げます。

さて、私こと去る〇月〇日をもちまして●●株式会社退職し、過日結婚いたしました。在職中は皆様にひとかたならぬお世話になり、厚く御礼申し上げます。まだまだ未熟な二人ではありますが、笑顔のあふれる幸せな家庭を築いて参りたいと思っております。

新居は「●●公園」のすぐ近くです。お近くにお越しの際はぜひお立ち寄り下さい。今後ともよろしくお願いいたします。

敬具

平成〇〇年〇〇月〇〇日

東京都●●区●●町二‐三‐四
電話　〇〇‐〇〇〇〇‐〇〇〇〇
関口　篤
優子（旧姓　三島）

本人・両親

正直な気持ちをじっくり話し合って

二人の将来に向けて決めること

一緒に生活する前に将来の夢を話す時間を

新生活を始める前にしておきたいのは、将来の夢や希望をお互い正直に話し合っておくことです。家のこと、子どものこと、夫や妻の仕事のことなどについてしっかり意見をいい、気持ちを伝え合いましょう。また、どちらかの両親と同居する必要があるかどうかも、わかる範囲でいいので確認します。

お金について確認しておくことも重要です。お互いの収入を正直に話し、将来設計をもとに、生活費をどうするか、貯蓄はどう行っていくかを話し合っておきましょう。お互いの意見・気持ちを尊重し、納得いく結論を出すよう心がけて。

家事分担は負担が公平になるように

共働き夫婦の場合は、家事分担を最初からしっかり決めておくことをおすすめします。どちらか一方だけに負担がかかりすぎないよう、それぞれのできる家事、得意な家事を話し合い、分担を考えましょう。仕事で忙しいのは夫も妻も同じですから、お互い協力し合う姿勢を忘れずに。

Case 43

結婚後に初めて、親が同居したがっていることを聞いた

挙式、披露宴を無事に終え、新生活に入りました。二人で賃貸マンションを借り、待望の結婚生活が始まったのですが、この時点で初めて、彼の両親が同居を希望していることを知りました。準備期間中には全然そのような話は出ていなかったのでびっくり。もっと早く話してくれればよかったのに……。

Advice

二人でどんな選択肢があるのか話し合う

新生活が始まっていても、今後どんな選択肢があるのか、自分達はどうしたいのかを二人で改めて話し合いましょう。すぐに親と同居するかどうかより、二人で考えを出し合い、そこに向けてプランを立ててみることが大切です。

人生設計を立てよう

家は購入したい？ 時期や予算、資金計画はどうする？

自宅は賃貸でいいのか、それとも持ち家を購入したいのか話し合いましょう。持ち家を購入する場合、購入する時期や場所、予算、戸建てかマンションかなどについても話し合っておきましょう。

妻の仕事は続ける？ 妊娠・出産後の子育ての環境は？

妻は結婚後も仕事を続けるのか、続けるとしたらいつまで続けるのかを確認します。妊娠·出産後もずっと働きたい場合は子育てしやすい環境をどうやって整えるかについて考えましょう。

転勤を命じられたらどうする？ 転職・独立の場合は？

夫や妻が仕事で転勤になった場合、将来転職や独立開業をめざすことになった場合はどうするか考えておきましょう。転職や独立開業をめざす場合は、一時的に収入がダウンすることも。

子どもは何年後に何人ほしい？ 夫はどれだけ家事・育児に協力を？

子どもをもちたい場合は、何年後に何人いるのが理想なのかも話し合っておきましょう。また、妊娠·出産の時期は妻が家事をするのが困難に。夫はどれだけ家事ができるのかを話し合っておきましょう。

両親と同居の可能性は？ 同居するとしたら何年後？

親と同居する必要はあるのかどうか。今はしなくても、将来的にその可能性はあるのか話し合って。同居の可能性がある場合は、時期はいつ頃か、住居はどうするのかなどについても考えておきましょう。

お互いの収入は？ どちらが家計を管理したほうがいい？

金銭面は大切な問題です。お互いの収入や資産を出し合い、生活費や貯蓄、保険などお金の使い方や貯め方について相談しましょう。お互いの性格なども考慮に入れ、どちらがお金を管理するかを決めて。

増加傾向の「専業主夫」全国にどれくらい？

平成22年の国勢調査によると、家事に専念する「専業主夫」は約6万人、家事の他に仕事もしている「主夫」が約2万9千人。それまでの調査と比べると、人数は増加傾向にあります。夫が主夫を希望した場合は、まずは二人でよく話し合いましょう。

両親

二人の人生設計を静かに見守って

親として、子どもの人生設計にはいいたいこともあるかもしれませんが、ここはぐっと我慢。意見を聞かれたら答えるにとどめ、二人がよりよい将来を築くことができるよう見守ってあげましょう。

本人

二人で考えたいお金のこと

将来のライフプランに合ったマネー管理を

マネープランを見直すチャンスに

結婚によって、これまでと大きく変わるのが、お金の管理です。恋愛時代はお互いがそれぞれのペースでお金のやりくりをしていましたが、結婚により、「家計」を考えていく必要性が生じてきます。後々頭を悩ませないためにも、お互いのお金事情を把握することが大切です。なかでもしっかり確認したいのが、収入、貯蓄、借金の有無、保険の4つ。とくに借金はトラブルの原因になりやすいので注意して。結婚はマネープランを見直す絶好のチャンス。新生活を幸せにするためにも、二人の人生プランを考えるきっかけにしましょう。

備えあれば憂いなし。万が一の事態も想定して

新婚生活が始まったら「万が一」に備えることも必要です。冠婚葬祭の出費や残された人の生活費、医療費は家計の大きな負担になります。お金の心配を軽くするためにも、保険の見直しをしっかりと行いましょう。

保険を選ぶ方法

1 保険会社の営業職員に相談

ライフプランに合った保険を選んでもらえます。

2 保険ショップで相談

店舗に行く必要がありますが、複数社の保険の中から適したプランを提案してくれます。

3 独自で学習

雑誌や書籍などから知識を習得。自分のペースで学べます。

知らないと損。事前に確認しておきたい出産費用

妊娠・出産費用は基本的に健康保険がきかないため、大きな出費となります。出産育児一時金をはじめ公的制度によって受給できるお金もありますので、妊娠から出産に関するお金を確認しておきましょう。

□ 出産でかかるお金

主な費用は妊婦健診と分娩費用。健康保険の対象になるケースもありますが、60万円程度が必要になります。

□ 出産で入るお金

出産育児一時金や育児休業給付金のほか、仕事を続ける場合、出産手当金や育児休業給付金を受給できます。

節約テクニックの例

“夢はマイホーム”なら多少の不便は我慢して家賃を抑える

家計で大きな割合を占めるのが家賃。「いずれはマイホームを」と考えているなら、駅からの距離や間取りなどを我慢して少しでも安い物件に引越ししてもよいでしょう。数年かければ、まとまった額を貯蓄できるはず。コツコツと節約してマイホーム資金にするのも手。

自動車のない生活を選択するのも一つの方法

何かと便利な自動車ですが、維持費や税金などの出費は家計を圧迫します。燃費のよいエコカーに乗り換えるのも経済的ですが、新しい生活で車を使う機会が激減するようであれば、思い切って自動車をもたない生活を選択しても。

外食を控えて家でごはんを食べる

外食を減らし、家で料理するだけで、かなりの節約になります。夕食のおかずを翌日のお弁当に利用すれば、さらに食費を抑えられます。ただ、食材を買いすぎると使い切れなくなることもあるので、冷凍保存するなどの工夫が必要です。

結婚前の保険を見直すだけで節約に

保険料は口座から毎月定額が引き落とされるため、年単位で見ると大きな出費になります。過剰な保険を解約したり、保険会社を変更したりするだけでも保険料が安くなるケースがあります。夫婦でライフプランを話し合って見直してみましょう。

お小遣いを減額して節約の意識改革を

日々の節約のためにはお小遣いの減額もおすすめ。ただし、減らしすぎると、楽しいはずの新婚生活が台無しになりますので注意が必要です。お小遣いの額は二人でよく話し合って決めましょう。夫の収入にもよりますが、夫のお小遣いは3万円以内が目安となっているようです。

家計簿でお金の流れを把握し、貯蓄や節約の計画を

貯蓄や節約を考えるうえで家庭の収支を把握するのは大切なことです。1カ月分でかまいませんので、一度しっかりと家計簿をつけてみることをおすすめします。なかには家計簿をもとに毎月家族会議をする夫婦も。

夫婦の間でお金の管理を曖昧にしない

共に同じ人生を歩んでいく夫婦といえどもお金の価値観は違うものです。お金に関しては夫婦の間でもシビアな問題。なるべく〝知らない〟〝グレーな部分〟をつくらないようにしましょう。一つの財布で家計を管理してもいいかもしれません。「曖昧にしない」という心がけが大切です。

本人

二人の希望する条件に合った住まいを

新居選びの流れとポイント

挙式と新居は並行準備。物件へは必ず足を運んで

結婚が決まったら、挙式の準備と並行して進めたいのが新居選び。挙式の6カ月前くらいから始めて、2カ月前頃に契約という流れが一般的です。まずは「賃貸か購入か」「親との同居はするのか」「子どもをいつ頃もつか」といったライフプランに加え、通勤や買い物の利便性、住居周辺の環境などをメモに書き出しながら、二人の条件に合った新居を探しましょう。

条件リストにチェックが多くついた物件に、実際に足を運んで下見をします。ネットや雑誌で見るのと、実際の物件では印象が違うもの。必ず自分達の目で確認しましょう。

家賃は収入の30％まで。新居購入は熟慮してから

新居の家賃目安は収入の30％といわれ、引越しや挙式後であり将来のことも考えると、この目安を超えないほうが賢い選択です。また長期的な入居を考えていて、子どももすぐ欲しい場合には、少し余裕のある2ＬＤＫくらいがちょうどよいでしょう。

結婚前からの同居は近年増加傾向

近年増えているのが、挙式前に新居に引越しして同居を始めるカップルです。挙式後すぐに新生活を始められますが、「けじめをつけてほしい」と考える親も少なくありません。その場合は夫だけ先に住んでもらい、挙式後に妻が入居するなど柔軟な対応を。

準備の流れ

1 挙式6カ月前

物件探しスタート

●将来のことやライフスタイルなどを二人で話し合っておく。

2 挙式3カ月前

●これ以降は挙式準備が忙しくなるので、新居の下見はこの頃までに。

●家具や家電選びを開始。

●引越し業者の検討を始める。

3 挙式2カ月前

●借りたい物件が決まったら不動産屋に申し込み、入居審査を受ける。

●審査に通ったら契約。（契約に必要なお金：家賃6カ月分が目安）

●引越し業者を決定し、各自引越しの準備。

4 挙式1カ月前～

●ライフライン（新居のガス・水道・電話など）の手配や新居の掃除。

●ご近所あいさつなど。

新居選びのチェックポイント（賃貸物件の場合）

一度引越ししてしまうと、なかなか次の引越しには腰が重たくなるもの。新しい家探しは慎重に行い、長く住める環境の新居を選びましょう。下記に挙げる一般的なチェック項目のほか、二人のこだわりや外せないポイントも加えて検討しましょう。

□ 設備

新生活をスムーズに過ごすための大切な新居の設備。とくに家事を担当する人の使いやすさは重要です。

●収納スペースの場所と広さ●ベランダやオートロックの有無●バス・トイレが別●コンセントの数と位置●コンロの数●冷蔵庫・洗濯機の位置●風呂の追い焚き機能●エレベーターの有無●インターホンやポストの有無●駐車場・駐輪場の有無

□ 環境

日当たりや騒音の量など、新居の環境もぬかりなくチェック。窓を開け閉めして風通しなども確認しましょう。

●日当たり●人通り・騒音・街灯のチェック●交通量●買い物の利便性●病院・役所・警察署の場所●保育園・教育機関の場所●自然・公園など

□ 家賃

家賃は収入の30%以内が目安。子どもが生まれて一方が働けなくなった時のことも考え、無理のない範囲で考えましょう。

□ ロケーション

夫と妻の実家からの距離や交通の便を考慮しましょう。また通勤の交通手段や所要時間、乗り換えなどもチェック。

□ 間取り

二人、もしくは子どもが生まれてからも十分な広さがあるかを見ましょう。また実際の生活動線をシミュレーションして、動線がスムーズかどうかもチェック。

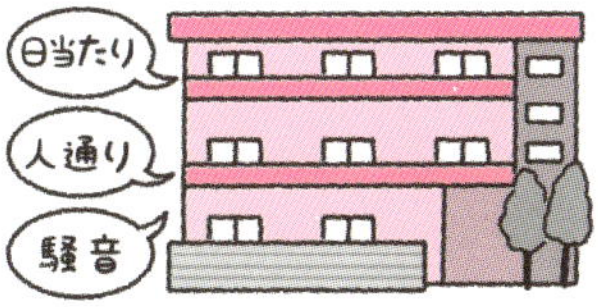

Pick up

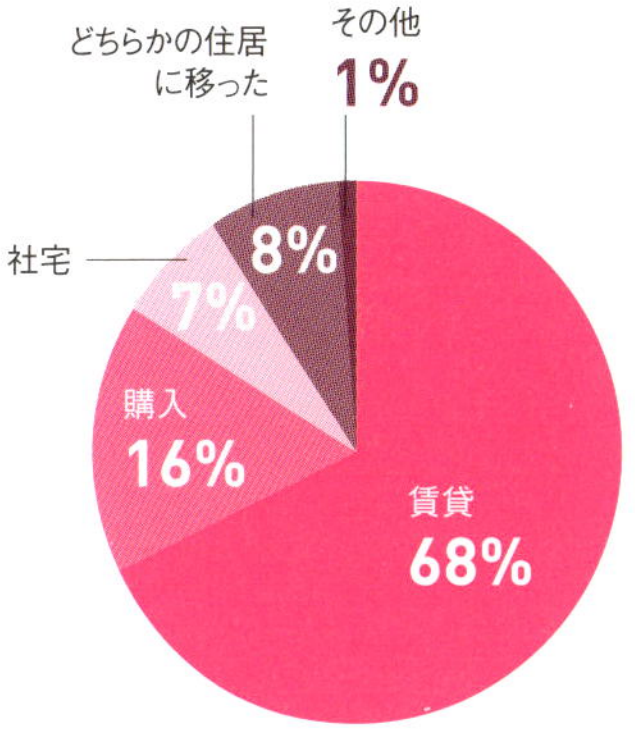

新婚カップルの新居の形態

マンション、アパート合わせて60%以上が賃貸を選択

マンションもしくはアパートの賃貸で新生活を始める人が68%を占めています。ひとまず二人で住むための新居を借り、その後の購入などを考える人が多いようです。

本人

少し先のことも考えながら選びたい

家具や家電の選び方

新居が決まったら必要な家具や家電を購入

新居が決まったら必要な家具や家電をリストアップして、予算などを考えます。リストが確定したら、必要度の高いものからそろえるようにしましょう。現在のことだけでなく、「子どもが生まれた場合」「転勤の可能性の有無」も頭に入れて。

必要な家具や家電を買いに行く際には、あらかじめ、家の各サイズを測っておきます。梁《はり》の有無や奥行きなど細かな部分まで測っておくと、購入時に迷わずにすみます。部屋の間取りを方眼紙などに縮小して記してお店に持って行くと、レイアウトを考えながら購入ができるので便利です。

まずは必要最低限から徐々にそろえるように

家具の置いていない家は広く見えるので、つい家具や家電などをいろいろと買いたくなってしまうもの。でも一度にすべてをそろえると失敗したり、必要なかったりと無駄な買い物も増えてしまいます。最初は必要最低限の家具や家電からスタートし、必要なものを徐々に買い足していくようにしましょう。予算の上限も決めて、あれこれ買いすぎないようにすることも大切です。

共働きの場合は、家事を軽減するお助け家電の購入も考えましょう。お掃除ロボットや食器洗い機など、苦手家事のサポートや時間短縮のための家電は出産後も役立ちます。

家具の購入時にメジャーなどを持参する

もっていくと便利なものとして、間取り図（寸法入り）、購入品リスト、メジャー、筆記用具などがあります。複数の商品を比較検討する時は、お店の人の許可をもらって、商品を撮影させてもらうといいでしょう。

家具・家電選びのチェックポイント

ベッド

良質なマットレスで安眠を

ダブルベッドを選ぶ場合は、相手の寝返り振動が伝わりにくい良質のマットレスを選んで。低いタイプのベッドは部屋が広く見えますが、高さがあるとベッド下を収納として使えることも。

冷蔵庫

大きめの容量で安心

将来のことを考えて400～500ℓ程度の大きめの容量のものを選びましょう。女性の身長を考慮し、扉の開く方向も動線を考えて決めるように。

炊飯器

IHで少量でもおいしく

5～5.5合炊きのサイズで、圧力IH炊飯器なら少ない量でもおいしく炊けます。炊飯にかかる時間もチェック。炊飯時に蒸気が出る場合は置く場所に気をつけて。

エアコン

2畳広いモデルを選んで

小さいサイズに無理をさせるよりも、実際より2畳大きいモデルのほうが省エネに。ホコリがたまりやすいので掃除機能がついたものを選びましょう。

ダイニングセット

来客のことを考えて大きめのものを

何かとお客の多い新婚家庭では、4人掛けできるタイプのダイニングセットがよいでしょう。イスは長く座っても疲れないか、テーブルとの高さは合っているかなどをチェック。

洗濯機

たっぷり洗えて静かなものを

毛布なども洗える7kg以上のタイプで乾燥機能つきのものがおすすめ。夜でも洗濯できる静音性の高いものや、省エネ・省時間など生活に合ったタイプを。

掃除機

吸引力と使いやすさで決める

家庭内の掃除には500W程度の吸引力のものを。サイクロン式か紙パック式か、使いやすさや小回りがきくかなど、店頭で試して好みのものを選びましょう。

テレビ

部屋に合ったサイズを選ぶ

テレビは、画面の高さの3倍以上離れて見るのが基本です。設置する部屋のサイズを考慮しつつ、テレビの大きさを決めるといいでしょう。

本人

ツアーの申し込みは早めにすませて

ハネムーンの計画のポイント

二人の希望をすり合わせ早めに準備を始めて

ハネムーンの計画は、挙式や新生活準備と同じく約6カ月前からスタートをするのが一般的。〝のんびり過ごす〟〝アクティビティを楽しむ〟など二人の目的をすり合わせた場所選びから始めて、一生に一度の思い出深い新婚旅行を計画しましょう。

近年ほとんどのカップルがハネムーン先に海外を選んでいます。パスポートやビザの準備、ツアーの申し込みなど、早めに動くのが正解です。春・秋の挙式ラッシュの時期はハネムーンも混雑気味なので、少し時期をずらしたり、行き先のベストシーズンに合わせたりと工夫しましょう。

費用もスケジュールも〝無理をしない〟が鉄則！

挙式・披露宴と大きな出費が続く時期でもあるので、式とハネムーンのセットで予算を考えるとよいでしょう。親戚や友人などへのおみやげ代も想像以上にかかるので、予算に含めておくことが大事。ハネムーン費用はそれぞれで負担します。

旧姓パスポートでも氏名を統一すれば旅行OK！

引越しや結婚式関係で忙しく「新姓でパスポートが取れなかった」というのもよくあること。入籍をしたあとでも旧姓のパスポートで旅行はできますが、その場合は航空券・保険加入・トラベラーズチェックなどの氏名は旧姓で統一しましょう。

計画の流れ

1 6カ月前

- テーマや目的を二人で話し合い、行き先を検討。
- 旅行会社のパンフレットやガイドブック、インターネットで情報を収集。
- 予算や日程などを検討する。

2 3～4カ月前

- 行き先や日程を決定し、ツアーか個人旅行かなどのスタイルを決める。
- ツアーの場合は旅行会社に申し込み。個人手配の場合は飛行機やホテルを予約する。
- パスポートやビザの準備。
- 勤務先に休暇届を提出。

3 1カ月前

- クレジットカードの申請。
- 国際免許が必要な場合は申請。
- 持ち物リストを作成し、日常で使わないものから旅行カバンに詰め始める。
- 携帯電話を海外でも使用できるように手配。

ハネムーンの手続きをすませる

パスポート

申請してから取得までは約2週間、繁忙期はそれ以上かかることも。各都道府県の旅券窓口に申請します。パスポートの残存期間が規定以上ないと入国できない国もあるので、有効期限にも注意。

海外旅行損害保険

旅行中に病気やけがをした場合、高額な治療費を請求されるので必ず加入を。パック保険だと高くなりがちなので、必要な項目だけ選んでかけるとお手頃に。旅行会社や保険会社、空港でも加入可能です。クレジットカードに付帯されている場合は補償範囲を確認。

航空券・ホテル・オプショナルツアーなどの予約

パック旅行なら旅行会社が全て手配してくれます。航空券とホテルのみのパックの場合、現地の観光や移動で予約が必要なものは手配しましょう。個人旅行の場合は到着時間や泊数などを間違えないように注意して。

ビザ

国によってはビザがないと入国できないことも。旅行会社でも代行してくれますが、個人の場合は在日大使館・領事館に自分で申請します。

クレジットカード

クレジットカードは海外でも使えるものかを確認。新たにつくる場合は審査があるので、1カ月前から用意しましょう。

国際免許証

海外で車を運転する場合、レンタカー会社などで提示を求められます。各都道府県の運転試験場で申請します。

予防接種

国や地域によりA型肝炎や狂犬病などの予防接種を受けた方がよい場合があります。南米やアフリカに行く場合は、黄熱病の予防接種証明書（イエローカード）の提出が義務づけられています。

持ち物チェックリスト

必要な物

□ パスポート　□ 航空券　□ クレジットカード　□ 現金（日本円・渡航先の通貨）　□ 海外でも使える携帯電話・スマートフォン　□ 海外旅行保険証　□ ツアー日程表、クーポン、ホテルの予約券　□ 連絡先リスト　□ 着替え（レストランなどで必要になるので、男性はジャケット、女性はワンピースなどのセミフォーマルなものも用意）　□ 靴（セミフォーマルなもの）　□ パジャマ　□ 洗面道具　□ 化粧品　□ 常備薬　□ 生理用品　□ シェーバー　□ ヘアブラシ・コーム　□ ハンカチ　□ ティッシュペーパー　□ 下着

あると便利

□ ガイドブック　□ カメラ　□ 電卓　□ 筆記用具　□ 帽子・サングラス　□ 雨具　□ 大判のスカーフ（防寒または冷房対策）　□ おみやげリスト　□ 現地語の会話集・辞書　□ アイマスク・耳栓　□ パスポートのコピー　□ 洗濯道具

必要に応じて

□ ビザ　□ 予防接種証明書（イエローカード）　□ 国際免許証　□ 水着　□ 日焼け止め

本人

ハネムーンのおみやげ選び

出発前に現地のおみやげ情報を入手

リストをつくって買い忘れを防ぐ工夫を

結婚式やハネムーン期間中にお世話になった人や友人へ渡す「ハネムーンのおみやげ」。ハネムーンは普段の旅行と違い、大勢の人へのおみやげが必要になるため、だれにどんなものを買うか、出発前にあらかじめリスト化しておくと安心です。リストにはその人の好きなもの、予算などを記入しておきましょう。

また出発前に現地のおみやげ情報を入手しておくと、迷わず選べて便利。観光客向けのみやげもの屋もいいですが、現地の人が行くスーパーやデパート、雑貨店などでその土地ならではのものを選ぶのもおすすめです。

それぞれの予算目安を決め多めに買うことも忘れずに

一般的には、両親や仲人には1万円程度、職場の上司や親しい友人には5000円程度、職場の同僚や友人・知人、スピーチや余興をお願いした人には1000~3000円程度、親戚や近所の人などに渡す場合は1000~2000円程度のものを用意しましょう。職場や習い事など多くの人に配る場合は個別包装になっているものが便利です。

Case 44

旅行先で無難すぎるおみやげを選んでしまった

ハネムーンの行き先はハワイ。二人とも海外旅行は初めてで、毎日朝から晩まで観光スポットで遊びまくり。最終日の朝、おみやげを買っていなかったことに気づき、あわてて空港で見つけましたが日本でもよく見かけるチョコレートしか買えませんでした。

Advice

おみやげ宅配便を利用するのも手

旅行前におみやげ選びをして帰国後、希望日に希望の商品を宅配してくれる「おみやげ宅配便」を利用するのも手。「おみやげ宅配便」でその国らしいおみやげをチェックしておき、だれに何を買うかを決めておくとよいでしょう。

免税品の持ち込みは各国の範囲をチェック！

免税品は外国への旅行者に対して税金を免除して販売する商品のことで、往復それぞれ出発国で購入可能。ただ国によって持ち込める免税範囲が決まっているので、気をつけて。日本に持ち込める範囲は、一人あたり酒類3本まで（1本760㎖程度）、タバコ200本まで（葉巻は50本）、香水2オンスまで（56㎖）、その他の品物は20万円以下まで。これ以上を持ち込むと、品物に応じた税率で別途税金を徴収されるので注意。

喜ばれるおみやげ

キッチン＆生活雑貨

海外のキッチン用品や雑貨はカラフルでユニークなのものが多い。現地のスーパーやドラッグストアなどでも入手可能。

民芸品・工芸品

その土地でしか買えないものは希少性が高くインパクトがあります。小さくて邪魔にならないサイズや実用的なものを。

文房具

付箋やメモ帳、ノートやペン類など日本にはない楽しいデザインが人気。雑貨店やドラッグストアで探してみましょう。

コスメ

肌に合わない場合もあるファンデーションや口紅などよりは、マスカラやマニキュア、ネイルグッズなどがよいでしょう。

現地の調味料やお菓子

美しいデザインパッケージの調味料、お菓子は、珍しくて喜ばれます。お菓子はできれば現地で試食したものを選んで。

お酒・嗜好品

お酒好きな人には、日本では高価な洋酒や珍しいビールなどを選ぶと好印象。味はもちろんパッケージのデザインにも注目。

ミュージアムグッズ

現地の美術館や博物館のオリジナルアイテムは、日本と違ったテイストで魅力的。ポストカードやメモ帳などもおしゃれです。

入浴剤

日本とはひと味違うテイストの入浴剤は、香りや色も違って個性的。パッケージもおしゃれなものが多いのが特徴。

本人・両親

親との付き合い方

双方の両親と平等に付き合うことが大切

実家も相手の両親も平等にバランスよく

結婚は自分の家族から独立することであり、同時に新しい相手の家族を自分の身内として受け入れることでもあります。実家には甘えすぎず、付き合い方に軽重の差が出ないように双方の親と平等に付き合うことが大切です。「よい嫁・よい婿」になろうと最初から力を入れすぎると息切れしてしまいます。これから長く付き合う家族だからこそ、自然体で無理なく関係を築きましょう。とくにお嫁さんは相手の両親に相談するなど、頼るくらいがちょうどよい付き合い方。人生の先輩として胸を借りるような気持ちで接すると付き合いやすくなるでしょう。

お世話になっているからこそお中元やお歳暮を贈る

お中元やお歳暮は、日頃お世話になっているお礼の気持ちを込めて贈るもの。お中元は7月上旬～15日（8月がお盆の関西などは8月上旬～15日）まで、お歳暮は12月13～20日の間に贈ります。相手の好みや習慣などを考慮して、喜ばれるものを選びましょう。

のしの書き方

水引は赤と金（5本か7本）で花結び（蝶結び）ののし紙を。結び目中央上に「御中元」「御歳暮」、中央下に二人の名前を書く。

送り状は形式ばらず気持ちを込めて書く

近年はデパートなどから直接郵送するケースが増えていますが、お礼状は一緒に同封するか、別便で必ず送るようにしましょう。

お歳暮の送り状の文例

今年も残すところあとわずかとなりました。お父さまもお母さまも、お変わりございませんか？

本日、今年一年の感謝を込めて、心ばかりの品をお送りいたしました。お母さまがお好きだとおっしゃっていた和菓子です。どうぞ召し上がってください。

お正月に久しぶりにお会いできるのを楽しみにしております。

寒さが厳しくなってまいりますので、風邪などひかれませんよう、お体ご自愛ください。

両親同士の付き合いは それぞれのスタイルに合わせて

結婚後は親同士も親戚になります。冠婚葬祭にまつわるお金のやりとりやあいさつなど、これまでなかった新しいお付き合いが始まります。付き合い方はそれぞれ個性があり、両家で時々会って仲睦まじく交流する家もあれば、最低限のお付き合いしかないという家もあります。

夫婦が橋渡し役となって自宅に両方の両親を呼んで食事会を開いたりと、交流の機会をつくりましょう。

子どもが生まれれば、お宮参りや七五三などの行事で双方の両親とのお付き合いが増えることは必至。そこから関係をスタートさせるより、結婚後からコミュニケーションをとってお互いを理解しておく方がスムーズです。

遠ざければ余計面倒に。相手の両親との付き合い

とくに嫁・姑は問題視されることも多い関係ですが、意識しすぎて遠ざけるとますます問題が大きくなる傾向に。「夫をここまで育ててくれた人」だと考えて礼儀を尽くし、自分の両親と差が出ないようなお付き合いを心がけましょう。いずれにしても近すぎず遠すぎずのほどよい距離を置いた、無理とストレスのない大人の関係が長続きのコツです。

Case 45

仕事が忙しくて連絡を怠っていたら疎遠に

挙式準備、挙式、ハネムーンくらいまでは、両家同士でひんぱんに連絡を取り合いコミュニケーションも良好だったのですが、一段落して夫婦ともに仕事に打ち込んでいるうちに両家への連絡を怠ってしまい、姑から「最近全然連絡くれないけどどうしたの?」と連絡をもらうように。以来、両家の関係も疎遠になってしまいました。

Advice

自分の基準でなく相手の基準で考えて行動を

しばらく連絡しなくても平気な親もいればちょくちょく連絡しないと寂しがる親もいます。結婚したら、自分の基準でなく相手の基準で考えて行動を。両家であまり温度差をつけず、何かの折にちょっとしたおみやげを渡すなど、忙しくても最低限の心配りは忘れないで。

本人・両親

冠婚葬祭には可能な限り出席して

親戚、ご近所、媒酌人（仲人）との付き合い方

相手の親戚との付き合いは面倒と思わずに

結婚することで新郎新婦の両家が結びつき、親戚同士になります。つまり実家側のこれまでの親戚付き合いに加えて、相手側の親戚とのお付き合いも始まるということ。つい馴染みのある自分の親戚を優先してしまいがちですが、大切にしたい気持ちは相手も同じ。面倒に思わず、両方の親戚付き合いを平等にするようにしましょう。

冠婚葬祭には可能な限り出席し、お手伝いは自分から申し出て。相手の親戚にお金を包む場合などは、金額を義父母に相談するとよいでしょう。遠ざけて気まずくなるよりも、まめに顔を出して良好な関係を築きましょう。

最初が肝心！ご近所さんとの付き合い方

新居へ引越しをしたら、新しいご近所付き合いが始まります。あいさつ回りは顔と名前を覚えてもらうように、５００〜１０００円程度のものを持って夫婦そろって伺うのが原則。ゴミ捨て場の掃除や町内会などの地域の仕事は、共働きなどの場合は事情をきちんと説明し、可能な範囲でできるだけ参加しましょう。

子どもが生まれたら地域との関わりはさらに深くなるので、子どもをもつ前からよい関係を築くようにしておくと安心です。「あいさつは自分からする」「ゴミ出しのルールを守る」などは必須項目です。

媒酌人ご夫婦には季節ごと・節目のあいさつを

媒酌人を引き受けてくれたご夫婦には感謝の気持ちを込めて、お中元やお歳暮、年賀状などの季節のごあいさつを挙式後3年ほどは贈るようにします。子どもが生まれた時、転勤や転居した時などの人生の節目には、できれば訪問して報告を。遠方で難しい場合などは、手紙などで近況をお知らせするようにしましょう。

親戚付き合いが必要な場面

冠婚葬祭

結婚式や法事など慶弔にかかわらず、なるべく出席してお手伝いを申し出ましょう。親同士も相手の家に慶事や不幸があれば、心を尽くした対応が必要です。

里帰り

お盆やお正月には、双方の実家に二人そろって里帰りしましょう。2カ所一度に回るのが難しければ、お正月とお盆でそれぞれ分けても。手みやげは好みのものを持参して。

誕生日・父の日・母の日

誕生日は忘れないように手帳にメモし、日頃の感謝を込めてプレゼントを用意しましょう。誕生日にはプレゼントを渡して、父の日・母の日はカードにするなどメリハリをつけても。

身内の入院

入院している人の現状を詳しく聞き、お見舞いに行けるようなら二人で顔を出しましょう。面会時間内でも、都合のよい時間に訪ねる気配りを。

ご近所付き合いのポイント

あいさつは自分から

顔を知らなくてもあいさつは自分からが鉄則。返してもらえなくても「あの方はそういう人なんだ」と気にせず。

音には気をつける

トラブルの原因第1位の騒音。楽器や車はもちろん、友達とのおしゃべりや掃除機などの生活にも気をつけましょう。

距離感を保つ

ご近所さんとは、近すぎず・遠すぎずのほどほどな距離感を保って。夕食への招待や車での送迎など、仲よくなりすぎると誘いを断れなくなることも。

おしゃべりはほどほどに

世間話の範囲ならOKですが、噂話や悪口に付き合っていると「○○さんがいっていた」など巻き込まれることも。ネガティブな話からは早めに抜けるように。

合わない人は受け流す

よい人ばかりではないのが世の中。どんなに努力しても分かってもらえなかったり、どうしても合わない人は諦めることも大切。笑顔で受け流してかかわらないように。

仕事はしっかり

ゴミ出しなどのマナーはもちろん、町内会で行う掃除やマンションの理事会などにはしっかり顔を出し、やるべき仕事は確実にこなしましょう。

ひぐちまり

結婚ジャーナリスト、エンパワメントプロデューサー。ウエディングプロデュースの草分けとして1万組以上の婚礼を手掛ける。2010年にはモナコ王室主宰の舞踏会に参加するなど、パーティのマナーにも精通。現在は「自分らしく輝き夢を叶える」をコンセプトに、企業研修、マナー講座、セミナーやイベント、コンサルティングを行っている。著書・監修書籍は『ウエディングのマナーとコツ』(学習研究社)、『3ステップで書く新郎新婦のあいさつと手紙』(マイナビ) など計13冊。
公式ブログ『エンパワメントライフ』
http://empowerment-life.com/

● Staff

デザイン·DTP	橘奈緒·木村百恵 安田陽子·斉藤桃子[スタジオダンク]
カバーデザイン	山口真理·熊谷昭典[SPAIS]
イラスト	内田深雪·小林弥生·竹永絵里
執筆協力	元井朋子·渡部響子·加藤朋美 斉藤サトル·谷口伸仁 鶴原早恵子·堀洋子
編集	フィグインク、長島ともこ
企画·編集	端香里[朝日新聞出版 生活·文化編集部]

● 取材協力

Cli`O marriage (クリオマリアージュ)
http://www.cliomariage.com/
☎03-3770-9722

マタニティ専門
ウエディングドレスショップ ジェイディ
http://jadee.net/
http://happymw.com/

スパイス オブ ウエディング
http://atelier-spice.com

株式会社ジュエルミネ
http://jewel-mine.co.jp/

株式会社アクアマリン
http://www.aquamarine-w.jp/

きちんと知《し》っておきたい
本人《ほんにん》·両親《りょうしん》 結婚《けっこん》のしきたりとマナー新事典《しんじてん》

監　修　ひぐちまり
発行者　須田剛
発行所　朝日新聞出版
〒104-8011　東京都中央区築地5-3-2
電話 (03) 5541-8996 (編集)
(03) 5540-7793 (販売)
印刷所　中央精版印刷株式会社

ISBN　978-4-02-333043-6

定価はカバーに表示してあります。
落丁・乱丁の場合は弊社業務部(電話03-5540-7800)へご連絡ください。
送料弊社負担にてお取り替えいたします。

本書および本書の付属物を無断で複写、複製(コピー)、引用することは
著作権法上での例外を除き禁じられています。また代行業者等の第三者に依頼して
スキャンやデジタル化することは、たとえ個人や家庭内の利用であっても一切認められておりません。

Happy Wedding Note

― ハッピーウエディングノート ―

ウエディングノート
no.1

二人のプロフィールづくり

まずはプロフィール表をつくって、相手のことを知りましょう。
結婚式のテーマに繋がることもありますし、プロフィールパンフレットをつくるときにも役立ちます。

(　　　　　　　　) & (　　　　　　　　) のプロフィール

no.	質問	新郎	新婦
1	生年月日／星座		
2	血液型		
3	家族構成		
4	出身地		
5	小学校		
6	中学校		
7	高校		
8	大学・専門学校		
9	経歴		
10	職業（勤務先）		
11	趣味・特技		
12	苦手なもの（こと）		
13	チャームポイント		
14	身長／体重		
15	口ぐせ		
16	長所		
17	短所		
18	好きな言葉		

no.	質問	新郎	新婦
19	好きなアーティスト・好きな曲		
20	好きな映画		
21	好きなスポーツ		
22	好きな作家・本		
23	好きな色		
24	好きな食べ物		
25	嫌いな食べ物		
26	好きな異性のタイプ		
27	尊敬する人物		
28	デートの思い出		
29	お互いの呼び方		
30	相手の第一印象		
31	相手のいいところ		
32	相手に直してほしいところ		
33			
34			
35			
36			
37			
38			
39			

ウエディングノート
no.2

二人の将来設計を考える

結婚したら二人は家族になるわけですから、今後の将来設計を立ててみましょう。
まずは書くことで、より現実的に考えられます。

5年ごとに将来を考えてみよう　（例：第一子出産、マイホーム取得）

5年後
（夫　　歳，妻　　歳）

10年後
（夫　　歳，妻　　歳）

15年後
（夫　　歳，妻　　歳）

20年後
（夫　　歳，妻　　歳）

25年後
（夫　　歳，妻　　歳）

30年後
（夫　　歳，妻　　歳）

35年後
（夫　　歳，妻　　歳）

40年後
（夫　　歳，妻　　歳）

45年後
（夫　　歳，妻　　歳）

ウエディングノート
no.3

どんな結婚式にしたいかを考える

なぜ結婚式をするのか、今一度二人で気持ちを確かめて。
結婚式の準備で迷ったり悩んだりしたときに読み返します。

結婚式のコンセプト

どんな式にしたい？

親の希望は？

挙式・披露宴スタイルは？

譲れないポイントは？

予算	円
貯金	円
親からの援助	円

※Exelで管理する場合は、この表を参考にしてください。

出欠	引き出物	ご祝儀額	会費	備考

ウエディングノート
no.4

結婚式、二次会の招待客リスト

新郎・新婦別に招待客リストをつくりましょう。招待状や席次表を作成するときに便利です。

新郎側と新婦側に分けて、コピーして利用しましょう。

no.	名前	関係	住所	電話番

ウエディングノート
no.5

結婚式費用表

気づいたらオーバーしがちな予算は、表にして把握しておくことが必要。
どこにお金をかけ、どこを節約するか、メリハリを意識して計画しましょう。

二人の貯金額

新郎　　　　　　円 ＋ 新婦　　　　　　円

これからの貯金予定額　　　　　　円

ⓐ 合計　　　　　　円

親からの援助

新郎　　　　　　円 ＋ 新婦　　　　　　円

ⓑ 合計　　　　　　円

ご祝儀・会費の予定額

親族　（　　人）×（　　　円）＝　　　円

上司　（　　人）×（　　　円）＝　　　円

同僚・友人（　　人）×（　　　円）＝　　　円

ⓒ 合計　　　　　　円

総合計 ⓐ＋ⓑ＋ⓒ　　　　　　円

結納

項目	予算	決定額	備考
会場代（結納）・食事会（　　　名）	円	円	
婚約記念品（新郎→新婦）	円	円	
婚約記念品（新婦→新郎）	円	円	
結納品	円	円	
結納金	円	円	
結納返し	円	円	
結納パック	円	円	
	円	円	

費用合計　　　　　　円

挙式・披露宴（人数：　　　　名）

挙式			
項目	予算	決定額	備考
挙式料	円	円	
介添え料	円	円	
控え室料	円	円	
結婚指輪	円	円	
リングピロー	円	円	
フラワーシャワー・ライスシャワー	円	円	
挙式出演料※	円	円	
			❶ 小計　　　円

料理・飲み物			
項目	予算	決定額	備考
料理（　　　名）	円	円	
飲み物（　　　名）	円	円	
特別メニュー（子ども・高齢者・アレルギー対応）（　　　名）	円	円	
ウエルカムドリンク（　　　名）	円	円	
生ケーキ（　　　名）	円	円	
デザートビュッフェ（　　　名）	円	円	
			❷ 小計　　　円

※挙式出演料とは、挙式に出演を依頼する時に発生するお金のこと。（例：キャラクターの着ぐるみ）

会場			
項目	予算	決定額	備考
会場使用料	円	円	
控え室料	円	円	
		❸ 小計	円

演出			
項目	予算	決定額	備考
司会者	円	円	
設備料	円	円	
キャンドルサービス	円	円	
ウエディングケーキ入刀	円	円	
プロジェクター使用料	円	円	
プロフィールビデオ制作料	円	円	
エンドロール制作料	円	円	
照明・音響	円	円	
楽器生演奏	円	円	
		❹ 小計	円

会場装飾			
項目	予算	決定額	備考
メインテーブル装花	円	円	
ゲストテーブル装花	円	円	
受付装花	円	円	
ブーケ・ブートニア	円	円	
ブーケ・ブートニア（お色直し）	円	円	
贈呈用花束	円	円	
		❺ 小計	円

引き出物			
項目	予算	決定額	備考
引き出物（　　名）	円	円	
引き菓子（　　名）	円	円	
紙袋（　　名）	円	円	
プチギフト（　　名）	円	円	
持ち込み料（　　名）	円	円	
		❻ 小計	円

衣装・ヘアメイク				
項目		予算	決定額	備考
新婦	衣装	円	円	
	衣装（お色直し）	円	円	
	小物代	円	円	
	ヘアアクセサリー	円	円	
	ドレス用・和装用インナー	円	円	
	ヘアメイク	円	円	
	着付け	円	円	
	介添え料	円	円	
	ブライダルエステ	円	円	
	ヘアメイクリハーサル料	円	円	
	衣装持ち込み料	円	円	

◀次ページにつづく

		予算	決定額	備考
新郎	衣装	円	円	
	衣装（お色直し）	円	円	
	小物代	円	円	
	ヘアメイク	円	円	
	着付け	円	円	
			❼ 小計	円

ペーパーアイテム、切手・ハガキ

項目	予算	決定額	備考
招待状	円	円	
切手代	円	円	
筆耕料	円	円	
返信用はがき	円	円	
席札	円	円	
席次表	円	円	
メニュー表	円	円	
ウェルカムボード	円	円	
プロフィールパンフレット	円	円	
サンキューカード	円	円	
	円	円	
	円	円	
	円	円	
		❽ 小計	円

写真・映像

項目	予算	決定額	備考
集合写真	円	円	
スナップ写真	円	円	
VTR・DVD 撮影	円	円	
別撮り写真	円	円	
写真焼き増し、DVD コピー	円	円	
	円	円	
		❾ 小計	円

サービス料	円	円	
❶～❾合計	円	円	
消費税	円	円	
		Ⓐ 費用 中計	円

心づけ・お礼・お車代

項目	予算	決定額	備考
シャトルバス・ハイヤー	円	円	
媒酌人（仲人）・主賓のお車代	円	円	
媒酌人（仲人）へのお礼	円	円	
会場スタッフへの心づけ	円	円	
受付係へのお礼	円	円	
	円	円	
	円	円	
		Ⓑ 費用 中計	円

Ⓐ＋Ⓑ＝ 費用 合計　　円

二次会

項目	予算	決定額	備考
新婦衣装	円	円	
新郎衣装	円	円	
小物代	円	円	
ヘアメイク	円	円	
プチギフト	円	円	
経費超過分	円	円	
幹事・スタッフへのプレゼント（または会費負担）	円	円	
	円	円	

Ⓒ 費用 合計　円

ハネムーン

項目	予算	決定額	備考
旅費	円	円	
おみやげ	円	円	
	円	円	

Ⓓ 費用 合計　円

新生活

項目	予算	決定額	備考
新居賃貸費用（敷金・礼金・仲介手数料）	円	円	
家賃	円	円	
家具	円	円	
家電	円	円	
引っ越し費用	円	円	
内祝い	円	円	
結婚はがき	円	円	
	円	円	

Ⓔ 費用 合計　円

その他

項目	予算	決定額	備考
遠方招待客の交通費	円	円	
遠方招待客の宿泊費	円	円	
	円	円	
	円	円	
	円	円	
	円	円	
	円	円	
	円	円	
	円	円	

Ⓕ 費用 合計　円

支出合計　Ⓐ+Ⓑ+Ⓒ+Ⓓ+Ⓔ+Ⓕ=　円

ウエディングノート
no.6

会場の下見チェックシート

会場の下見やブライダルフェアへ行くときにコピーして持っていきましょう。
気に入った点、気に入らなかった点など直感でもOK。残しておくと後々役立ちます。

会場　　担当者　　TEL・FAX
住所　　e-mail

アクセス

最寄り駅（　　駅）から（徒歩　　分／車　　分）　駐車場（　　台）　送迎　あり／なし

挙式場

挙式料（　　　円）

チャペル

収容人数（　　）名　天井の高さ　高い／低い

立地　館内／館外　印象（　　）

可能な演出　フラワーシャワー／聖歌隊／オルガン演奏／その他（　　）

神殿

収容人数（　　）名　親族以外の出席　可／不可

立地　館内／館外　印象（　　）

可能な演出　雅楽の演奏／巫女の舞／その他（　　）

人前式

専門会場　ある（使用料　　　円）／なし

披露宴会場

収容人数（　　）名　一日の実施数（　　）件

実施時間帯（　　）時～（　　）時／（　　）時～（　　）時

テーブルレイアウト　円卓／長テーブル／その他（　　）

会場全体の印象　よい／ふつう／悪い　装飾のセンス　よい／ふつう／悪い

テーブルセッティングのセンス　よい／ふつう／悪い（変更　可／不可）

空調の調整　可／不可　生演奏　可／不可

その他　柱が邪魔にならない／バリアフリー対応／（　　）／（　　）

料理

対応する料理　フレンチ／和食／中華／折衷料理／その他（　　）

気に入ったコース（　　）／料金（　　円）

飲み物の内容（　　）／料金（　　円）

特別メニュー対応　可／不可

その他

スタッフの対応　よい／ふつう／悪い　印象（　　）

気に入った衣装（　　／　　／　　）

備考（　　）

ウエディングノート
no.7

心づけ・お礼リスト

心づけを用意しそびれた、なんてことがないよう、お世話になるスタッフのリストをつくります。

当日はこれを見ながら管理しましょう。親にもコピーして渡しておくと◎。

名前	役割	金額	渡すタイミング	済
		円		
		円		
		円		
		円		
		円		
		円		
		円		
		円		
		円		
		円		
		円		
		円		
		円		
		円		
		円		
		円		
		円		
		円		
		円		
		円		
		円		
		円		
		円		
		円		

ウエディングノート
no.8

関係者連絡先リスト（カメラマン・衣装・ヘアメイク etc.）

各関係者の連絡先は一覧にしておくのが便利。
担当している分野などは明記しておくと、連絡をするときに探しやすくなります。

no.	会社名・企業名	担当者	担当分野	TEL / FAX	Mail	住所
1						
2						
3						
4						
5						
6						
7						
8						
9						
10						
11						
12						
13						
14						
15						
16						
17						
18						
19						

no.	会社名・企業名	担当者	担当分野	TEL / FAX	Mail	住所
20						
21						
22						
23						
24						
25						
26						
27						
28						
29						
30						
31						
32						
33						
34						
35						
36						
37						
38						
39						
40						

memo